Katharina Gerwens, Herbert Schröger
Stille Post in Kleinöd

Zu diesem Buch

»Ja Bluatsakrament, Himmel Herrgott!« flucht Joseph Langrieger, als er in seiner Odelgrube eine Leiche findet – es ist Hermann Brunner, ein junger Mann, der stets ein Außenseiter und
ein bißchen merkwürdig gewesen war, wie die Bewohner des
niederbayerischen Dorfes Kleinöd meinen. Ein Fall für die
Kripo, entscheidet der örtliche Polizeiobermeister Adolf
Schmiedinger. Kriminalkommissarin Franziska Hausmann,
frisch versetzt von München nach Landau, muß damit ihren
ersten Mordfall auf dem Land lösen. Bei ihren Ermittlungen
stößt nicht nur ihre Arbeitsweise mit den eher bodenständigen
Methoden der ortsansässigen Polizei zusammen – zudem ist
sie bald überzeugt davon, daß der Täter aus Kleinöd stammen
muß. Hinter der scheinbar tadellosen Fassade des hübschen
Dorfes trifft Franziska Hausmann auf dunkle Geheimnisse,
zerrüttete Ehen, Betrug und Erpressung … Unterhaltsam,
spannend, mit psychologischem Tiefgang und voller Sympathie für die Menschen vor Ort beschreiben Gerwens & Schröger das nur auf den ersten Blick idyllische Kleinöd.

Katharina Gerwens, geboren 1952 in Epe/Westfalen, verbrachte ihre Kindheit auf dem Dorf. Nach ihrer Ausbildung
zur Journalistin arbeitete sie in verschiedenen Verlagen und ist
heute als freie Lektorin und Autorin tätig. Sie lebt mit Mann
und Kater in München.
Herbert Schröger, geboren 1959, lebt als gebürtiger Münchner
mit niederbayerischen Wurzeln in München-Giesing. Als
glühender Anhänger des TSV 1860 München betreut er ein
Fanmagazin redaktionell. Da er sich auch als freier Übersetzer
betätigt, übernahm er es, den literarischen Geschöpfen von
Katharina Gerwens die richtigen bayerischen Idiome in den
Mund zu legen.
Zuletzt erschien mit »Die Gurkenflieger« der zweite Fall mit
Hauptkommissarin Franziska Hausmann.

Katharina Gerwens
Herbert Schröger

Stille Post in Kleinöd

Ein Niederbayern-Krimi

Piper München Zürich

Von Gerwens & Schröger liegen bei Piper im Taschenbuch vor:
Stille Post in Kleinöd
Die Gurkenflieger

FSC

Dieses Taschenbuch wurde auf FSC-zertifiziertem Papier gedruckt.
FSC (Forest Stewardship Council) ist eine nichtstaatliche, gemeinnützige
Organisation, die sich für eine ökologische und sozialverantwortliche
Nutzung der Wälder unserer Erde einsetzt (vgl. Logo auf der Umschlag-
rückseite).

Originalausgabe
1. Auflage Januar 2007
8. Auflage November 2008
© 2007 Piper Verlag GmbH, München
Umschlag/Bildredaktion: Büro Hamburg
Heike Dehning, Charlotte Wippermann,
Alke Bücking, Daniel Barthmann
Foto Umschlagvorderseite: Peter Lavery/Masterfile
Fotos Umschlagrückseite: Gülten Kuscu (Katharina Gerwens) und
Doro Wirth (Herbert Schröger)
Satz: EDV-Fotosatz Huber/Verlagsservice Pfeifer, Germering
Papier: Munken Print von Arctic Paper Munkedals AB, Schweden
Druck und Bindung: CPI – Clausen & Bosse, Leck
Printed in Germany   ISBN 978-3-492-24769-6

www.piper.de

Erstes Kapitel

Joseph Langrieger hatte gewartet, bis es so dunkel war, daß ihn keiner der Nachbarn mehr mit bloßem Auge erkennen konnte. Es war kurz nach acht. Bestimmt saßen jetzt alle vor den Abendnachrichten. Er selbst hätte auch lieber ferngesehen, aber dem bestialischen Gestank, der seit einigen Tagen von der Sickergrube aus seinen Hof verpestete, mußte endlich ein Ende gemacht werden. Vorsorglich hatte er alle Lichter gelöscht, sogar die Glühbirne aus dem Bewegungsmelder herausgedreht, und war dann mit seiner Saugpumpe im Schlepptau zur Grubenöffnung geschlichen. Einen Anschlußschlauch, der direkt in den städtischen Gully führte, hatte er bereits am Nachmittag installiert, jetzt ging es nur noch darum, das eine Ende in die Kanalisation zu führen und das andere direkt an den Grubenrand zu legen.

Er hatte das immer so gemacht und vor ihm sein Vater, auch wenn es damals noch keine elektrischen Saugpumpen gegeben hatte und der Abwasserschacht mit großen Schöpfkellen in bereitstehende Güllewagen geleert worden war. Kruzifix, was war das jedesmal für eine Sauerei gewesen! Doch anschließend wurde der Badeofen eingeheizt, und dann roch die ganze Familie wie an hohen Feiertagen. Das war schön gewesen. Im Herbst hatte die Großmutter Apfelpfannkuchen mit Zimt gebacken.

Er lächelte und spürte, wie ihm bei der Erinnerung das Wasser im Mund zusammenlief. Jetzt hatten die von der Stadt ein Rundschreiben an alle Haushalte verschickt, daß sie extra einen »Fäkalienmeister« eingestellt hätten, der zweimal jährlich kommen würde, um die Grube zu leeren. Mit einem Mal war es verboten, die Jauche selbst abzupumpen und in die kleinen örtlichen Wassergräben einzuleiten. Dabei hatten sie das früher immer so gemacht. Josephs Sohn hatte wohl auch schon einen Termin vereinbart. Aber Langrieger konnte nicht länger warten. Der Gestank war einfach zu bestialisch.

Er schaute sich nach allen Seiten um, vergewisserte sich, ob auch wirklich kein Spaziergänger oder – noch schlimmer – ein Nachbar vorbeiging, nahm die hölzerne Abdeckung ab, versenkte seine Nase in seinen vorsorglich mit Aftershave durchtränkten linken Jackenärmel und hielt dann die Luft an.

Beim Hinabsenken der Saugpumpe spürte er einen Widerstand.

»Ja Bluatsakrament«, fluchte er. »Himmel Herrgott.« Er beugte sich vor. Wahrscheinlich waren das wieder einmal seine Enkel gewesen. Der zwölfjährige Sebastian und der zehnjährige Frank pflegten ihn gern zu erschrecken, und was da in der Grube vor sich hindümpelte, sah im fahlen Mondlicht aus wie eine Vogelscheuche, eine weißgekleidete Vogelscheuche. Der alte Mann fluchte erneut. Wenn die Jungen da gewesen wären, hätte er sie eigenhändig an ihren Ohren in den Hof geschleppt und zur Grube gezogen.

Wer machte denn hier die Drecksarbeit? Wer sorgte dafür, daß es nicht dauernd stank? Immer er! Während sich die junge Familie auf Mallorca eine schöne Zeit machte. Wie sollte er dieses Ding jetzt da herauskriegen? Es sah aus, als hätte es sich verkeilt. Und er hatte wieder einmal keine Arbeitshandschuhe an.

Und wie würde es auf dem Hof erst stinken, wenn er das Geraffel mit den schlierenüberzogenen Stoffen auf den Beton zerrte! Da hatten sie ihm eine schöne Sauerei eingebrockt, die Hundsbuben, die miserabligen!

Er ging in seine Scheune, wo in einer Ecke die Arbeitsgeräte ordentlich nebeneinander aufgereiht standen, und griff beherzt nach einer großen Mistgabel, die er anschließend mit Wucht unter das Jackett der Vogelscheuche hakte, um sie irgendwie aus der Grube herauszuhieven. Das Ding fühlte sich nun völlig anders an, nämlich schwerer und wesentlich kompakter, als er zunächst vermutet hatte. Die Sache strengte ihn dermaßen an, daß ihm der kalte Schweiß ausbrach und er den bestialischen Gestank schon gar nicht mehr wahrnahm.

Es wunderte ihn, wie schnell sich seine Augen an die Dunkelheit gewöhnt hatten. Noch während er beschloß, seiner Frau davon zu erzählen, da diese ihn permanent mit der Behauptung ärgerte, er brauche eine Brille, drehte sich das Ding in der Grube plötzlich um. Ein Mensch starrte ihn mit großen Augen und offenem Mund an. Die Vorderseite seines weißen Anzugs war schwarz, der Kopf des Mannes hing in einem eigenartigen Winkel vom Rumpf, und seine Kehle war durchgeschnitten. »Wie bei einem Giggerl«, sollte er später seinem Sohn erklären und nie wieder ein Huhn schlachten.

»Ja, Bluatverreck«, murmelte er und schnappte nach Luft. Im selben Augenblick wurde ihm so schlecht, daß er sich übergeben mußte.

Um ein Haar wäre er selbst in die Grube gefallen. Das Würgen ließ nicht nach. Auf allen vieren kroch er über den Hof und lehnte sich keuchend an die Hauswand. Sein Herz klopfte wie wild. So etwas Entsetzliches hatte er noch nie gesehen – und er wollte es auch nie wieder sehen. Möglicherweise hatte ihm auch seine Phantasie einen bösen Streich gespielt. Seine Frau hatte recht. Er mußte damit aufhören, schon zu Mittag eine Halbe zu trinken und am Abend dauernd Krimis zu gucken. Gerade das sollte er sich abgewöhnen. So etwas ließ ihn nur Gespenster sehen.

Aber allein, nein, allein würde er nicht noch einmal zurück zur Sickergrube gehen. Nicht um Tod und Teufel. Da mußte jemand mitkommen – selbst auf die Gefahr hin, daß er sich lächerlich machen würde. Es war ihm egal. Er hoffte sogar, daß dieses schreckliche Erlebnis mit einem Lachen in Wohlgefallen aufgelöst werden konnte, auch wenn es ihm unwahrscheinlich erschien. Sollte doch ganz Kleinöd über ihn lachen. Hauptsache, er mußte das Ding nicht wieder sehen.

Eduard Daxhuber hatte sich gerade eine Flasche Bier geöffnet, als es an der Tür klingelte. »Otti, gehst du?« rief er, aber seine Frau gab keine Antwort. Er stellte das Bier zur Seite, strich sich übers Haar und überprüfte den Sitz seines blaugrün gestreiften Jogginganzuges. Er hatte wieder einmal vergessen, die Papiertaschentücher aus den Hosentaschen zu nehmen. Schnell griff er danach und warf sie in den Schirmständer. Diese Dinger beulten die Hosen wirklich äußerst unvorteilhaft aus, und es könnte ja sein, daß ein Wunder geschah und Perdita Bachmeier, die attraktivste Frau, die das Dorf je gesehen hatte, vor seiner Tür stand und nach einem Ei oder etwas Milch fragte – da war es nur klug, einigermaßen interessant und gepflegt auszusehen, man konnte ja nie wissen!

Er öffnete die Tür und hielt sich augenblicklich die Nase zu. »Au weh, der Sepp! Was willst denn du um die Zeit? Ja Herrschaftszeiten, hast du grad deinen Misthaufen umg'schaufelt, oder was? Du stinkst ja wie der Teufel!«

»Das mußt du dir anschaun, das glaubst du ned. Ja Bluatsakrament. Schick dich, geh weiter.«

Joseph Langrieger würgte und übergab sich erneut – direkt auf die Terrakottastufen seines Nachbarn.

Eduard Daxhuber wurde wütend. »Ja spinnst denn du komplett, was speibst mir denn da her?«

»Mir ist so schlecht. Komm, schau's dir selber an. Bittschön.«

»Ja, was denn nachad?«

»Das Trumm.« Joseph Langrieger beschrieb mit einer weit ausholenden Armbewegung einen riesigen Gegenstand.

»Ein Trumm also. Von mir aus, wenn es denn unbedingt sein muß um die Zeit. Aber danach machst deinen Dreck da weg. Was meinst, was mir meine Alte sonst erzählt!«

»Freilich.« Der alte Mann nickte. Er zitterte.

»Wart, ich nehm grad noch eine Taschenlampen mit. Bei dir drüben ist es ja stockfinster. Stromausfall, ha, und jetzt siehst auch noch G'spenster. Wird höchste Zeit, daß deine Alte wieder heimkommt vom Krankenhaus.«

Joseph Langrieger schwieg und ging gebeugt hinter Eduard Daxhuber her. Sie überquerten die Straße. Erster Herbstnebel stieg aus den umliegenden Feldern auf.

»Also, wo genau soll das Trumm denn sein?« Der Frührentner in seinem Jogginganzug schritt schnell voran. Er wollte diese Aktion und den stinkenden Nachbarn so schnell wie möglich hinter sich bringen, um endlich wieder an sein Bier zu kommen.

»I ... in d... d... der Odelgruben.«

»Geh weiter, Sepp, deswegen brauchst doch ned gleich auch noch zum Stottern anfangen. So wild wird's schon ned sein. Hat dir dein Bub denn noch ned oft genug g'sagt, daß du die Gruben ned heimlich selber ausleeren sollst? Mir im Dorf ham uns doch auch darauf verständigt, daß das keiner mehr so macht. Das hast jetzt davon. Da treten nämlich Dämpfe aus, und die gehn dir ins Hirn. Ehrlich. Glaub mir was, direkt ins Hirn!« Demonstrativ tippte er sich gegen die Stirn. »Stinken tust eh, als wenn's dich selber einig'haut hätt.« Eduard Daxhuber lachte, verschluckte sich an seinem Lachen und richtete den Lichtkegel der Taschenlampe ins Grubeninnere.

Dann blieb er wie angewurzelt stehen und starrte in das stinkende Loch. »Kreuzteufel«, murmelte er. »Das gibt's doch ned. Ja, wie kommt denn jetzt nachad der da eini?«

»Siehst denn du den jetzt womöglich auch?«

»Jawohl, und mir wär's grad lieber, du hättst mich gar ned erst da dazu herg'holt.«

»Und jetzt? Was sollen mir denn jetzt machen?«

»Polizei holen.« Er unterbrach sich kurz. »Du warst's ned, oder?«

»Was?«

»Du hast den ned umbracht und da einigschubst?«

»Bist narrisch?« Joseph Langriegers Stimme klang schwach. Er zitterte immer noch und flüsterte dann: »Du, da kommt deine Alte.«

»Geh hin, sei so gut. Die soll ja ned herkommen.«

»Wo bist denn allerweil? Mir wollten uns doch miteinander den Musikantenstadl anschaun. Die Live-Übertragung aus Shanghai. Du hast die Sendung doch extra noch ang'strichen in der Fernsehzeitung.« Ottilie Daxhuber hatte sich einen Mantel über ihre Hauskleidung geworfen, die seit Jahr und Tag aus Leggins und überlangen Blusen bestand. An den Füßen trug sie voluminöse Schaffellstiefel, die ihr bis zur Wadenmitte reichten. Ihr Gesicht glänzte. Vermutlich hatte sie sich gerade ihre Nachtcreme einmassiert, als es läutete.

»Bleib pfeilgrad, wo daß du bist!« schrie ihr Mann. »Oder noch besser – ruf die Nachbarn zusammen. Es ist was passiert.«

»Jessasmaria!« Ottilie Daxhuber griff sich augenblicklich ans Herz.

Er fragte sich, woher die eisige Klarheit kam, mit der er sie betrachtete, und warum er sich ganz plötzlich für sie schämte. Sie sah irgendwie albern aus, unpassend.

»Zieh dir aber was Anständigs an, bevor daß du zu die Leut gehst. Sonst erschreckst bloß noch wen. Das da ist eh schon schrecklich g'nug.« Sie gehorchte ihm. Und in diesem Augenblick wußte Eduard Daxhuber, daß er das Kommando übernommen hatte und daß die ganze Verantwortung, wie so oft, an ihm hängenbleiben würde.

Es dauerte fast eine Stunde, bis sich alle Einwohner des Dorfes um die Grube versammelt hatten. Die Männer starrten hinunter, während Eduard Daxhuber die Frauen in gebührendem Abstand hielt. Dort unten schwamm etwas, was früher einmal ein Mensch gewesen sein mußte. Ein junger Mann, der sich am Tag seines Todes einen weißen Anzug angezogen hatte. »Wie ein Hochzeiter«, hatte Elisabeth Waldmoser gemurmelt und sich bekreuzigt. Es wurde geflüstert. Die alleinstehende Charlotte Rücker, die sich für ihre praktische Ader rühmte, hatte geistesgegenwärtig eine Flasche Obstler mitgebracht. Alle nahmen einen kräftigen Schluck. Anders war das hier sowieso nicht zu ertragen. Erst da stellte man fest, daß noch niemand die Polizei gerufen hatte.

»Da ist doch am Freitagabend um die Zeit eh keiner mehr«, behauptete ein älterer Herr, der von Frau Rücker voller Stolz als ihr Lebenspartner Bernhard Döhring vorgestellt worden war und dem sie pietätlos, wie die anderen fanden, verliebte Blicke zuwarf.

»So ein Schmarrn, auf der Polizei ist an einem jeden Tag rund um die Uhr wer da. Wo leben denn Sie? Auf dem Mond? Sie wollen wohl ned, daß die Polizei kommt? Damit machen S' Ihnen aber ganz schön verdächtig!« Eduard Daxhuber, überfordert von der Last der sich selbst auferlegten Verantwortung, war plötzlich ungeheuer wütend. Er hatte diesen arroganten Baulöwen Döhring noch nie gemocht. »Es ist aber tatsächlich schon halbe Zehne. Das da muß endlich ein Ende haben. Mir müssen jetzt unbedingt die Polizei rufen. Hätt denn ned vielleicht wer ein Handy dabei?«

»Ich hab eins.« Marlene Blumentritt trat vor und wühlte in ihrem Rucksack. Selbst wenn sie in den Garten ging, nahm sie den Rucksack mit. Das ganze Dorf hatte schon über diese Eigenart der jungen Frau gelächelt – jetzt waren alle dankbar. Sie packte Bücher aus, Schreibhefte, ein Federmäppchen, eine große Keksdose, ein Brillenetui, eine halbe Tafel Schokolade – und dann ihr Handy. Hinter ihr tauchte Marlenes Mutter auf, Lydia Blumentritt.

»Bleiben S' ruhig da stehen, wo S' grad sind. Ich komm schon. Sie sollten Ihnen das lieber ned anschauen.« Eduard Daxhuber ging ihnen entgegen. »Darf ich einmal? Wie wählt man denn mit dem Ding?«

Sie zeigte es ihm. Er hatte wieder alles im Griff. Die Leute wären verloren ohne ihn. Er fühlte sich auf eine beängstigende Weise wichtig. Jetzt nur keinen Fehler machen!

Als die örtliche Polizei in Gestalt des Polizeiobermeisters Adolf Schmiedinger und eines jungen Beamten vorfuhr, schob Eduard Daxhuber ihnen als erstes Joseph Langrieger entgegen. »Dieser Mann hat den Unfall entdeckt. Das ist der wichtigste Zeuge.«

»Soso – und wie heißen nachad Sie?«

»Geh weiter, Adolf, ich bin's doch, der Ede, der Eduard Daxhuber, das weißt du doch ganz genau.« Er wies auf sein hell erleuchtetes Haus und dann wieder auf den blassen Joseph Langrieger »Der Sepp hat den da g'funden und mich dazug'rufen. Aber helfen ham mir dem auch nimmer ned können.«

Der Polizeiobermeister leuchtete mit einer Taschenlampe in die Grube.

»Ich bin halt im Dienst«, sagte er entschuldigend, und fragte in die Runde: »Kennt den da wer?«

Mutig geworden nach der mittlerweile vierten Runde Schnaps traten jetzt auch die Frauen mit zugehaltener Nase näher an die Jauchegrube heran und warfen einen Blick auf das, was Eduard Daxhuber bislang so gut vor ihren neugierigen Blicken versteckt hatte.

Ein Entsetzensschrei ging durch die Gruppe. »Oh Jessas, freilich kennen mir den.«

»Jawohl, auch ich selbst sehe mich imstande, die Identität des Toten zu bestimmen«, stellte Adolf Schmiedinger in nahezu perfektem Amtsdeutsch fest. »Wer hätt sich denn so was denkt, daß es mit dem einmal so ein Ende nehmen tät.«

»Das ist doch glatt der kleine Hermann!« rief eine der Frauen.

»Wie heißt denn der jetzt gleich wieder mit Nachnamen? Ich müßt das ja zu Protokoll nehmen.« Adolf Schmiedinger zückte seinen Block und nahm dankend einen Schluck Obstler aus der von Charlotte Rücker angebotenen Flasche.

»Brunner. Hermann Brunner«, murmelte jemand.

»Gehn S' weiter, ist der das denn wirklich?« Charlotte Rücker beugte sich vor. Sie hielt sich die Nase zu. »Der Herr steh uns bei, den hätt ich jetzt nie ned kennt.«

»Wann hast ihn denn zuletzt g'sehn?«

»Ich?«

»Ned bloß du ned. Ein jedes von euch.« Adolf Schmiedinger war aus der Haut des Polizeiobermeisters geschlüpft und hatte sich wieder als Normalbürger unter seine Nachbarn eingereiht.

»Mir sollten am Tatort nix verändern«, murmelte das uniformierte Bürschlein, das mit Schmiedinger gekommen war und von dem bisher noch niemand Notiz genommen hatte.

»Richtig, Pichlmeier, dank dir schön. Also Leut, mir gehn jetzt alle miteinand rüber in die Wirtschaft, und da werd ich dann ein Protokoll aufnehmen. Laßt's alles grad so, wie's ist. Die Kriminalpolizei werde ich gleich noch verständigen. Und du, Sepp, tät ich sagen, gehst zuerst einmal heim zum Duschen und ziehst dir was anderes an.«

»K... k... könnt nicht vielleicht wer bei mir dabeibleiben? Mir geht der Arsch auf Grundeis.«

»Kann ich mir lebhaft vorstellen! Pichlmeier?«

»Herr Polizeiobermeister?« Schmiedingers Mitarbeiter trat vor.

»Sie bringen den Herrn Langrieger jetzt in sein Haus nüber, nachad warten S' da, bis daß er duscht hat und bis die Kripo da ist, und dann kommt's ihr zwei auch nach ins Wirtshaus.« Schmiedinger legte eine kleine Kunstpause ein, ehe er sich mit einem niederbayrisch-breiten, fast ein wenig texanisch anmutenden »Ohkei?« der Geltungsmacht seiner Worte versicherte.

Pichlmeier nickte. »Sollten mir ned vielleicht unter denen Umständen noch den Fundort großräumig absperrn und sichern?«

»Ach wo, schön blöd wär'n mir, wenn mir das auch noch täten«, sagte Adolf Schmiedinger und suchte, als bräuchte er Unterstützung, den Blick von Eduard Daxhuber. »Das soll gefälligst die Kripo machen. Die werden ja schließlich auch viel besser bezahlt.«

Franziska Hausmann stand in ihrer Küche und häufte sich Fleischsalat auf eine extrem dünne Scheibe Brot, als das Telefon klingelte. Sie sah auf ihre Uhr. Es war genau 22.33 Uhr.

»Christian, kannst du hingehen?« rief sie, aber ihr Mann gab keine Antwort. Wie immer, wenn sie sich gestritten hatten, zog er sich in sein Zimmer zurück und schichtete die Bücher auf seinem Schreibtisch um. Entweder hatte er das Telefon nicht gehört oder wollte aus Trotz nicht drangehen. Sie seufzte und meldete sich.

»Hoffentlich hab ich Ihnen ned aufgeweckt!« Es war ihr Kollege Bruno Kleinschmidt, und er klang wie immer ziemlich aufgeregt und voller Tatendrang. Sie war es gewohnt, daß er hinter jedem Fahrraddiebstahl eine weltweite Verschwörung vermutete und selbst Zechprellerei als schwersten kriminellen Akt betrachtete. Wahrscheinlich war mal wieder ein Auto geknackt worden, und nun mußte sie sich erneut seine Lieblingstheorie von der Bandenkriminalität anhören.

»Ist schon okay, ist was passiert?«

»Jawohl.«

»Erzählen Sie schon, was gibt's denn? Moment, ich hol nur schnell mein Brot aus der Küche.« Sie machte es sich gemütlich.

»Kennen S' eventuell den Ort Kleinöd?«

»Nein. Wieso?«

Bruno Kleinschmidts Stimme gewann an Wichtigkeit. »Stellen S' Ihnen vor, da ist ein Mord passiert. Endlich ein Mord.«

»Wo liegt denn dieser Ort? Sind wir überhaupt dafür zuständig? Und was soll das denn heißen, endlich ein Mord? Das hört sich ja an, als würden Sie sich freuen.«

»Ja mei, ist halt mein erster«, gestand er kleinlaut. »Und außerdem hat man uns extrig ang'fordert. Na ja, wenn ich ehrlich sein soll, nicht uns – Ihnen. Sie sind ang'fordert worden. Soll ich Ihnen abholen?«

»Ja, aber nicht mit Ihrem Wagen. Nehmen Sie einen vom Bereitschaftsdienst. Ich will über Funk erreichbar sein. Außerdem sollten Sie die Videokamera und ein paar starke Lampen einpacken. Man weiß ja nie.«

»Gut, Chefin, in zwanzig Minuten bin ich bei Ihnen.«

Sie hatte keine Lust, mit Christian zu reden, und legte ihm einen Zettel hin. Ein Mord! Das konnte dauern. Es war ihr erster Mordfall, seit sie sich in diese Kleinstadt hatte versetzen lassen in der Hoffnung, wenigstens in der Nacht ihre Ruhe zu haben, und um diese andere Geschichte zu vergessen, an der sie vor einigen Jahren fast gescheitert war. Während sie sich ein zweites Brot mit Fleischsalat bestrich, ärgerte sie sich darüber, daß sie Bruno nicht einmal gefragt hatte, wo und wie dieser ominöse Mord passiert war. Falls es irgendwo auf dem Feld war, könnte es kalt werden. Kleinöd. Das hörte sich nach drei Häusern und viel Gegend an.

Sie zwängte sich vorsichtshalber in eine Jeans, suchte nach einem dicken Pullover und ärgerte sich über ihre Anfälle von Freßsucht. Andere Menschen nahmen zu, wenn es ihnen gutging. Sie aß jedesmal, wenn sie mit Christian stritt, und als sie vor dem Spiegel stand, dachte sie, daß sie in jüngster Zeit ziemlich oft mit ihm gestritten hatte. So ging das nicht weiter.

»Was ist nur los mit uns?« fragte sie den Kater, der maunzend um ihre Beine strich. »Wir haben alles, wovon wir in dieser winzigen Wohnung in München träumten. Fast zweihundert Quadratmeter Platz, eine Terrasse, sechs Zimmer, einen ruhigen Job – und trotzdem streiten wir uns.«

»Miau«, sagte der Kater und hockte sich erwartungsvoll vor seinen Freßnapf.

Sie öffnete eine Dose mit seinem Lieblingsfutter.

Es klingelte. Das wenige, was Bruno Kleinschmidt wußte, hatte er in zwei Minuten gesagt: Männliche Leiche schwimmt in einer Jauchegrube. Alle Zeugen warten im Dorfgasthaus. Die Fahrt würde etwa eine halbe Stunde dauern.

»Das ist ja toll organisiert«, stellte Franziska fest, als sie im Wagen saßen. »Ich meine, das mit den Zeugen.«

»Schon.« Mit nur einem Auge auf die vor ihnen liegende Straße schielend, fuhr Bruno Kleinschmidt im ersten Gang viel zu hochtourig los. Er hatte Mühe, in den zweiten Gang zu schalten, da er gleichzeitig mit einem kleinen Leuchtzeiger in der rechten Hand eine auf seinen Knien ausgebreitete Straßenkarte studierte.

»Ich dachte, Sie kennen diesen Ort und wissen den Weg?«

»Ich tät ja bloß eine Abkürzung suchen wollen.«

»Wir kommen sicher noch früh genug.«

»Das mögen Sie vielleicht schon meinen! Aber nachdem die Zeugen im Wirtshaus hocken und mir ja von denen verwertbare Aussagen ham wollen – Sie glauben ja g'wiß selber nicht, daß die bloß ein Wasser saufen, bis mir kommen.«

»Und was ist mit dem Toten?«

»Der liegt noch da rum. Der kann ja nimmer weglaufen ned. Angeblich haben die alles so g'lassen, wie's g'wesen ist.«

»Haben Sie denn die Gerichtsmedizin schon informiert?«

»Jessas, mei, jetzt, wo Sie davon reden … Da hab ich doch irgendwie glatt ganz vergessen drauf, vor lauter Aufregung.« Bruno biß sich auf die Lippen.

»Gut, daß wir den Bereitschaftswagen genommen haben. Ich kümmere mich jetzt auf der Stelle darum. Wie war gleich noch mal die Adresse? Was meinen Sie, sollen wir Dr. Röder selbst anpiepsen oder lieber seinen Assistenten?«

»Am besten alle zwei.«

Sie griff zum Funktelefon.

Der Ort tauchte genauso trostlos aus der Dunkelheit auf, wie Franziska ihn sich vorgestellt hatte. Es gab nur die Hauptstraße, rechts und links von Einfamilienhäusern gesäumt, und kurz vor dem Schild »Ortsende« jenen Gasthof, in dem die Zeugen versammelt sein mußten. Zielstrebig fuhr Bruno auf einen der Höfe zu. Das schmiedeeiserne Tor stand offen.

Ludwig Pichlmeier hatte bis zu ihrem Eintreffen am Tatort ausgeharrt und dabei weiterhin die Haustür der Langriegers im Blick gehabt.

»Ich möchte, daß Sie zuerst den Fundort der Leiche ausleuchten und alles filmen. Soll ich Ihnen helfen?« sagte Franziska zu Bruno, während sie schwungvoll die Tür des Wagens öffnete und ausstieg.

»Ach wo, das braucht's nicht. Aber hätten S' denn nicht vielleicht eine gscheite Taschenlampen ned dabei? Ich müßt ja schließlich erst einmal zu der Fundstelle hinfinden.«

»Eine Stablampen hätt ich da, die können S' gern haben. Kommen S' nur, gehn S' einfach mit mir mit, ich zeig Ihnen gern, wo daß der Verblichene drin liegt.«

Ludwig Pichlmeier bot sich an, noch ehe Franziska etwas erwidern konnte. Er sah ungewöhnlich bleich aus. Franziska vermutete, daß er unter Schock stand. Ein junger, gutaussehender Mann mit zitternder Unterlippe.

»Hat's nicht am Telefon g'heißen, in der Odelgruben?«
erkundigte sich Bruno bei ihm.

»Genau, und die liegt wie üblich in der Nähe vom Stall.
Soll ich vorausgehn?«

»Wär ned schlecht.«

Gesunde Landluft, dachte Franziska Hausmann, hielt
sich ein Papiertaschentuch vor die Nase und stapfte tapfer
hinter den beiden Männern her.

»Da ham mir ihn ja«, entfuhr es Bruno überflüssiger-
weise, als sie schließlich am Rande der Jauchegrube standen. Franziska bemerkte, daß er ebenso bleich geworden
war wie der andere junge Kollege.

»Ist Ihnen etwa nicht gut?«

»Tschuldigen S' mich.« Er stürzte zu einem Baum, lehnte sich dagegen und übergab sich lautstark. Der Leuchtke-
gel der Taschenlampe beschrieb einen Halbkreis, während
sie zu Boden fiel und in einem Beet mit modrigen Toma-
tenstrünken landete.

Er hatte doch unbedingt einen Mord gewollt. Und
jetzt war ihm kotzübel. Franziska seufzte. Sie schnappte
sich die Lampe, leuchtete ganz kurz in die Grube hinein
und wandte sich augenblicklich ab. »Das ist ja grauen-
voll.«

»So was hab ich noch nie ned g'sehen«, murmelte Bruno
und wischte sich die schweißnasse Stirn.

»Ich auch nicht«, gestand Franziska. »Haben Sie eine
Zigarette?«

»Ich rauch doch ned.«

Sie suchte in ihren Jackentaschen, fand nach langem
Wühlen Zigaretten und Feuerzeug und zündete sich eine
an. Zum Wagen zurückgekehrt, ließ sie sich auf den Beifahrersitz fallen und dicke Rauchschwaden aufsteigen,
während Bruno zwei Scheinwerfer und eine Videokamera
aus dem Kofferraum wuchtete.

»Meinen Sie wirklich, Sie schaffen das mit der Auf-
nahme alleine?« fragte Franziska.

Ludwig Pichlmeier legte Bruno beruhigend eine Hand auf die Schulter und antwortete an seiner Stelle: »Ach wo, kein Problem. Ich helf ja auch mit. Zu zweit kriegen mir das doch locker hin.«

»Probieren mir's halt«, murmelte Bruno kleinlaut. »Bleibt uns ja eh nix, oder?«

Franziska hörte aus der sicheren Entfernung zu, wie die beiden jungen Männer, von Zeit zu Zeit von lautstarken Würgeanfällen gepeinigt, im Bereich der Sickergrube mit ihren Gerätschaften hantierten. Rasch verwarf sie den Gedanken, ihnen noch ein weiteres Mal ihre Mithilfe anzubieten. Sie blies den Zigarettenrauch in ihre hohle Hand und atmete ihn wieder ein. Obwohl der Wind gedreht hatte, schien der Gestank wie dichter Nebel über dem ganzen Ort zu hängen.

»Hände, Gesicht, alles, was Sie erwischen können. Und wenn die Kollegen von der Gerichtsmedizin kommen, dokumentieren Sie das auch, verstanden?« rief sie laut in Richtung des Stalles.

Weder Bruno Kleinschmidt noch Ludwig Pichlmeier antworteten.

»Es sieht furchtbar aus. Ich muß und will mir das jetzt nicht noch einmal angucken«, erklärte sie den Pathologen, die kurz darauf eingetroffen waren. »Herr Kleinschmidt und der Kollege aus dem Ort filmen alles.«

Dr. Richard Röder nickte verständnisvoll. »Nichts für schwache Nerven, oder? Ich hab glücklicherweise einen Mitarbeiter mitgebracht, den so leicht nichts umhaut. Darf ich vorstellen? Mein Assistent Gustav Wiener – unsere fast noch neue Kommissarin Franziska Hausmann.«

Was für eine absurde Begrüßung unter solchen Umständen, dachte Franziska, aber sie spielte mit und reichte beiden Herren brav die Hand. »Herrn Kleinschmidt ist schon schlecht geworden, und dieser andere Kollege aus dem Ort wirkt auch ziemlich blaß. Haben Sie vielleicht einen

Magenbitter oder ähnliches dabei? Das könnte die beiden wieder aufrichten.«

»Sicher doch, wir haben mit derartigen Verstimmungen gerechnet«, sagte Dr. Röder.

»Aber erst die Arbeit, dann der Schnaps!« stellte Gustav Wiener klar und spuckte imaginär in die Hände. »Dann wollen wir mal.«

Seine Füße steckten in hohen schwarzen Gummistiefeln, dazu trug er einen gelben Regenmantel und einen gleichfarbigen Südwester. Er ging zum Wagen und fuhr mit seiner Bergungswanne zielstrebig auf die Grube zu. Dr. Röder, in Lodenmantel und Trachtenhut, schlenderte lässig hinter ihm her. Franziska blieb in der Einfahrt stehen und rauchte eine Zigarette nach der anderen.

Eine halbe Stunde später tauchte Richard Röder wieder neben ihr auf. »Alles, was wir auf die Schnelle feststellen konnten, ist, daß ihm die Kehle durchgeschnitten wurde. Junger Kerl, höchstens dreißig. Schade drum.«

»Und wann?«

»Grob geschätzt schon vor ein paar Tagen, maximal vor einer Woche. Genaueres sag ich Ihnen morgen, spätestens übermorgen.«

»Wie geht's Herrn Kleinschmidt?«

»Der packt zusammen. Der Schnaps hat ihm gutgetan.«

»Meinen Sie wirklich, daß die im Gasthof immer noch auf uns warten?« wollte Franziska von Bruno wissen. »Es ist schon nach Mitternacht.«

»Freilich warten die. Grad vorher ist doch noch der eine Zeuge nübergangen, der wo die Leiche g'funden hat. Und grad eben ist der Pichlmeier selber noch vorausgangen und hat Bescheid g'sagt, daß mir schon noch kommen täten. Ehrlich g'sagt, tut's mir jetzt bestimmt gar ned schlecht, wenn ich unter lebendige Leut komm. Sonst träum ich am End noch die ganze Nacht von den Bildern, die mir für Ihnen haben aufnehmen müssen.«

20

»Kennen Sie eigentlich ein Gasthaus, das beispielsweise ›Zum Schotterweg‹ heißt oder ›Zur Müllkippe‹? Immerzu haben sie wohlklingende Namen wie blühende Bäume, alte Linden, zur Post, zur Kastanie ...«, sinnierte Franziska, während Bruno den Wagen auf dem Parkplatz des Lokals abstellte. »Und was hat uns das schöne Kleinöd in dieser Hinsicht zu bieten? Aha, den ›Gasthof zum blauen Vogel‹. Vermutlich gab es hier mal einen blauen Wellensittich.« Sie stieg aus und ging auf das langgestreckte zweistöckige Haus mit den vom Laternenlicht angestrahlten grünen Fensterläden zu.

»Also, das kann ich jetzt aber irgendwie gar ned nachvollziehen«, stellte Bruno fest und blieb wie angewurzelt neben der Fahrertür stehen. »Sie reden ja grad so daher, als wär gar nix g'wesen, als täten mir zwei bloß einen nächtlichen Ausflug machen. Als hätten Sie und ich ned grad vorher in diese Gruben einig'schaut.«

Franziska machte auf dem Absatz kehrt und sah ihn an. »Ich versuche nur, ein bißchen Abstand zu gewinnen. Wenn man mit seiner Nase zu dicht an etwas dran ist, kann man oft das große Ganze nicht mehr erkennen. Kommen Sie, wir gehen jetzt rein. Und denken Sie an die Kamera. Ich möchte, daß alle Anwesenden auf dem Film zu sehen sind.«

Ihr Auftritt glich einem Paukenschlag. Als sie das Gasthaus betraten, Bruno mit der Kamera im Anschlag, verstummten sofort alle Gäste und wandten ihnen ruckartig die Köpfe zu. Franziska stellte fest, daß Bruno Kleinschmidts Vermutung richtig gewesen war. Vor jedem der Dorfbewohner stand ein Krug Bier. Ein rundlicher Mann in Polizeiuniform kam auf sie zu und stellte sich vor. »Schmiedinger, Adolf. Polizeiobermeister. Ich wohn auch im Ort. Deswegen hab ich g'meint, daß das wohl am gscheitesten wär, wenn sich alle, die was auf dem Langrieger seinem Hof g'wesen sind, im Gasthaus versammeln täten.«

»Eine großartige Idee, Herr Kollege«, sagte Franziska betont laut und ahnte, daß man Schmiedinger von dieser Sekunde an in Kleinöd noch mehr achten würde.

»Es ist schon spät, und ich will auch gar nicht mehr lange um den heißen Brei herumreden. Sie wissen, wer der Tote ist?«

»Jawohl.« Adolf Schmiedinger nickte. »Brunner, Hermann, so heißt der, und wohnen tut der auf einem Hof da in der Nachbarschaft. G'wohnt hat der, wollt ich sagen.«

»Allein?«

»Bei den Eltern.«

»Sind die schon benachrichtigt?«

Der Polizeiobermeister schüttelte den Kopf. »Ich hab ned so recht g'wußt nicht, was ich denen hätt sagen solln. Außerdem gehen die allerweil recht früh ins Bett.«

»Ja, das ist immer ein schwerer Gang.« Die Kommissarin seufzte. »Wenn Sie mir versprechen, daß keiner von Ihnen vorzeitig die Hiobsbotschaft überbringt, lassen wir sie schlafen. Ich werde sie dann morgen so früh wie möglich besuchen.«

»Die leben quasi ganz allein. Da hat's weit und breit keine Anrainer. Da kommt so schnell niemand ned hin«, versicherte Adolf Schmiedinger, »aber wenn S' wollen, dann laß ich die Straße bewachen.«

»Ich glaube nicht, daß das nötig sein wird. Es gibt ja schließlich auch Telefon.«

»Jawohl, Telefon. Ja mei, genau.« Es sah aus, als würde Schmiedinger erröten. »Aber wer tät denn nachad schon so was? Von uns keiner. G'wiß ned.«

»Ich verlaß mich einfach mal darauf. Also dann: Was ich jetzt brauche, sind die Personalien von jeder einzelnen der hier anwesenden Personen, und alle sollen bitte dazuschreiben, wann sie Hermann Brunner zuletzt gesehen haben. Bruno, würden Sie bitte ein paar von den großen Karteikarten holen und verteilen? Die liegen im Handschuhfach. Also!« Sie hob ihre Stimme und wandte sich jetzt laut an die ganze versammelte Runde. »Noch einmal an Sie alle in Kurzform. Ich weiß, es ist spät, und wir alle sind müde. Ich möchte dennoch von Ihnen allen noch den Namen, die Adresse und die Telefonnummer haben. Und eine Zeitangabe, wann Sie Hermann Brunner zum letzten Mal lebend gesehen haben – auch wenn Sie es nur noch ungefähr wissen sollten. Von jedem eine gesonderte Karte. Ehepaare sind nicht auf einem Blatt zu erfassen. Verstanden?«

»Ja, leck mich doch alles am Arsch, hat die einen Ton am Leib«, raunte Ludwig Pichlmeier seinem Chef zu.

»Die kommt ja auch aus Minga«, flüsterte Adolf Schmiedinger zurück, als würde die Erwähnung der bayerischen Landeshauptstadt alles erklären.

»Ich habe dreizehn Personen gezählt, und ich möchte auch dreizehn Karten zurückbekommen«, stellte Franziska klar und wandte sich an die Wirtin. »Und von Ihnen möchte ich nicht nur eine ausgefüllte Karte, sondern auch ein Bier.«

Zweites Kapitel

Es war zwei Uhr früh, als Bruno Kleinschmidt Franziska Hausmann vor ihrer Haustür absetzte. Mit einem schnellen Blick zur Fensterfront stellte sie fest, daß die Wohnung nicht beleuchtet war. Christian schlief also schon. Früher hatte er bis mindestens drei Uhr in der Früh auf sie gewartet. Sie riß sich zusammen. »Kleinschmidt, jetzt haben Sie endlich Ihren großen Fall. Holen Sie mich um halb sieben ab?«

Bruno Kleinschmidt nickte.

Nur der Kater Schiely begrüßte sie, als sie müde die Tür öffnete. Er hatte – wie immer – Hunger. Sie verspürte das gleiche Gefühl, belegte eine Scheibe Brot mit Salami und einer Gewürzgurke und schenkte sich ein Glas Bier ein. Nachdenklich betrachtete sie dann die von den Gästen des Blauen Vogels eingesammelten Karteikärtchen. Ganz korrekt war ihr Vorgehen ja nicht gewesen. Aber immerhin hatte sie nun von allen Beteiligten eine Schriftprobe und hoffentlich auch einen Satz, mit dem sich die letzten Tage des Hermann Brunner rekonstruieren ließen. Wie hilfreich wäre es, schon auf diesen Kärtchen Widersprüche zu entdecken. Sie zählte die gelben Kärtchen durch und stutzte. Es hätten dreizehn sein müssen, es waren aber nur zwölf. Hätte sie nur gleich nachgezählt. Für wie blöd hielt man sie eigentlich?

Sie seufzte, reckte sich, ging in das leere Schlafzimmer (Christian schlief nebenan in seinem Büro, typisch) und stellte den Wecker.

Bruno Kleinschmidt war pünktlich und sah aus, als hätte er zehn Stunden geschlafen. Franziska beschloß, ihn irgendwann einmal danach zu fragen, wie er das machte. Na ja, war jung, ging fast jeden Tag in den Polizeisportverein und in die dazugehörige Sauna, er rauchte nicht und trank nicht. Hätte sie selbst sich doch nur das nächtliche Bier versagt. Aber angesichts des leeren Ehebettes und konfrontiert mit der Gewißheit, daß Christian keine Versöhnung wollte und in seinem Arbeitszimmer schlief, war es einfach nötig gewesen.

»Haben Sie den Polizeipsychologen erreicht?«

»Ach wo, nix war's, am Samstag ist der doch logischerweise gar ned im Dienst nicht.«

»Na großartig. Alles muß man selber machen. Wollen Sie es den Eltern sagen?«

Bruno riß entsetzt die Augen auf. »Oh mei, bittschön ned. So was hab ich ja noch nie ned gemacht.«

»Haben Sie es denn nicht auf der Polizeischule gelernt?«

»Wissen S', so ein Rollenspiel ist halt doch was ganz anderes als wie das richtige Leben.«

Sie nickte. »Ich muß Ihnen was gestehen.«

»Was denn?«

»Da waren doch gestern dreizehn Leute in der Kneipe. Ich habe durchgezählt.«

Bruno nickte.

»Und wir haben nur zwölf Kärtchen.«

»Jessas, da hätt ich wohl besser Obacht geben müssen! Wissen S' denn schon, wer uns abgeht?«

»Noch nicht. Ich dachte, Sie überprüfen das, während ich mit den Eltern des Toten rede. Außerdem wäre es ganz gut, wenn Sie mich erst bei den Brunners absetzen und dann gleich zum Bürgermeisteramt fahren, um sich einen Lageplan der Gegend zu besorgen. Da gibt's doch immer diese großen Blätter mit den Flurnummern. So was brauchen wir, damit wir die Häuser und die Leute einander zuordnen können.«

»Es müßt ja ned unbedingt wer aus Kleinöd g'wesen sein«, gab Bruno zu bedenken.

»Nein, durchaus nicht. Aber je schneller wir das ausschließen können, desto besser.«

Bruno fuhr eine schmale Asphaltstraße hoch.

»Das wird ein schöner Herbsttag«, stellte Franziska fest. »Nur nicht für die Eltern. Das Schlimmste an unserem Beruf ist das Überbringen solcher Nachrichten.«

Bruno nickte. »Wissen S', mir tut's fei ehrlich g'sagt inzwischen schon ein bisserl leid, daß ich mich gestern über den Mord fast schon g'freut hab«, murmelte er bedrückt. »Ich hab doch ned die geringste Ahnung nicht g'habt, wie so was in Wirklichkeit ist.«

»Ist schon gut.«

»Ich hab auch nur ganz wenig g'schlafen«, gestand Bruno. Franziska verkniff sich ein »Danach sehen Sie aber gar nicht aus« und nickte verständnisvoll.

»Der Pichlmeier hat mir zum Glück gestern noch den Weg erklärt«, sagte Bruno unvermittelt und bog scharf nach links ab. Auf der Spitze des Hügels lag ein großer Vierseithof.

»Pichlmeier? Wer ist das denn?«

»Das ist der junge Kollege aus dem Ort. So auf Anhieb tät ich sagen, das ist ein ganz patenter Bursch, der versteht schon was.«

»Der, der Ihnen geholfen hat, Schmiedingers Mitarbeiter?«

»Genau.«

»Wenn ich mit den Eltern gesprochen habe, komme ich diesen Weg wieder runter«, sagte Franziska. »Falls Sie früher fertig sind, warten Sie einfach vor dem Haus. Nicht klingeln, bitte. Alles braucht seine Zeit – und vor allem solche Besuche.«

»Versteh schon. Ich bin Ihnen g'wiß alles andere als wie neidig – aber Sie machen das bestimmt total gut.« Er seufzte.

»Da kann man nichts gut machen.« Sie stieg aus.

Der Mann, der ihr entgegenkam, wehrte sie mit beiden Händen ab. »Der Hofladen ist noch g'schlossen.«

»Ich möchte nichts kaufen. Sind Sie Herr Brunner, Hannes Brunner?«

»Richtig.«

»Hausmann, Franziska Hausmann. Ich komme von der Kripo aus Landau.« Sie zeigte ihm ihren Ausweis.

Er sah sie verständnislos an.

»Herr Brunner, es geht um Ihren Sohn.«

»Was weiß denn ich, wo sich der Hundling wieder rumtreibt.«

»Hören Sie, ich bin von der Kriminalpolizei, wie ich schon sagte. Können wir vielleicht ins Haus gehen?«

»Wenn's sein muß. Die Frau macht eh grad einen Kaffee.«

Schweigend gingen sie über den gepflasterten Hof auf das zweigeschossige Wohnhaus aus den siebziger Jahren zu. Franziska sah weit weg das Auto mit ihrem Kollegen um eine Kurve biegen. Dann war es verschwunden. Sie wunderte sich, daß Hannes Brunner sie nichts fragte.

Der Mann beschleunigte seinen Schritt. Er schien direkt aus dem Stall gekommen zu sein. Mit hochgezogenen Schultern stakste er vor ihr her und zog sich an der Haustür die schmutzigen Gummistiefel aus. In der kleinen Diele standen seine Filzpantoffeln. Als er die Schirmmütze ablegte und sich zu ihr umwandte, sah sie, daß sein Gesicht zerfurcht und voller Sorge war. Er betrachtete sie wie eine angsteinflößende Erscheinung. Sie warf einen kurzen Blick in den Spiegel. Ein langer schwarzer Wollrock, eine Lederjacke, darunter ein grauer Rollkragenpulli. Das hatte sie wenigstens noch geschafft heute früh: sich mit Verstand anzuziehen für diesen schwierigen Gang.

»Kommen S' rein.« Hannes Brunner stieß eine Tür auf, und gemeinsam betraten sie die Küche. Ohne seiner Frau eine Erklärung für die Besucherin zu geben, ging er zum Spülbecken und wusch sich die Hände. Die Bäuerin mit der bunten Kittelschürze und den karierten Hausschuhen starrte Franziska kurz an, blickte dann auf ihren Mann und schlug schließlich die Augen nieder.

Angst war in ihrem Gesicht zu lesen. Eine Angst, die schon länger in ihr nistete und nicht erst in den letzten Tagen entstanden war.

Franziska ging auf sie zu und gab ihr die Hand. »Es tut mir leid, ich komme mit schlechten Nachrichten.«

Malwine Brunner schluckte und wandte sich ab. Halbherzig hob sie die Hände, als wolle sie sich die Ohren zuhalten, um nichts erfahren zu müssen. Doch mitten in der Bewegung hielt sie inne.

»Ich komme von der Polizei. Wir haben Ihren Sohn gefunden. Er ist tot.« So, jetzt war es heraus.

Befremdlicherweise begann die Bäuerin damit, hektisch die Glut in dem alten Holzofen zu schüren. Danach griff sie mit zitternden Händen zum simmernden Kessel und goß heißes Wasser in den Kaffeefilter. Der Mann wandte sich zum Fenster und schneuzte sich lautstark. Dann tickte nur noch die große Uhr über der Küchentür in die bedrückende Stille hinein. Franziska beobachtete den roten Sekundenzeiger und zwang sich, ganz ruhig zu atmen. Obwohl der Sekundenzeiger der Uhr sichtbar mehrere Runden drehte, schien die Zeit eingefroren zu sein. Niemand sprach ein Wort, und die absurde Angst befiel Franziska, es würde nun für immer so bleiben. Schließlich gab sie sich einen Ruck und setzte sich an den Tisch. Er war für drei gedeckt. Sie fragte sich, wie oft das dritte Gedeck wohl schon unbenutzt geblieben war, wie oft Herr und Frau Brunner wohl schon vergeblich auf ihren Sohn gewartet hatten, und vor allem, ob das der Grund dafür war, warum sie keine Vermißtenanzeige aufgegeben hatten.

Das Ehepaar schwieg beharrlich.

Ich muß Bewegung reinbringen, dachte sie. Das haben wir doch gelernt in all unseren Fortbildungsseminaren. Irgendeine Frage stellen.

Aber ihr fiel nichts anderes ein als ein lapidares »Darf ich rauchen?«, für das sie sich im gleichen Augenblick schämte.

Immerhin nickte Hannes Brunner und durchquerte steif und mit schweren Schritten die Küche. Aus einem weiß gestrichenen Büfett holte er wie in Zeitlupe einen Aschenbecher und stellte diesen vor Franziska. Auf dem Schrank stand ein Porträtfoto des Sohnes.

Hannes Brunner blieb vor ihr stehen und rieb sich die Hände, während er angespannt von einem Bein aufs andere trat. Die Lippen hielt er fest aufeinander gepreßt. Schmale, blutleere Striche. Die Bäuerin machte sich derweil wieder hektisch am Herd zu schaffen, als könnte sie mit diesen alltäglichen Ritualen das soeben Gehörte ungesagt machen.

»Wollen Sie sich nicht auch setzen?« Franziska Hausmann sah Hannes Brunner fragend an und wies auf einen Stuhl.

»Ach wo.« Der Bauer bedachte seine Frau mit einem vorwurfsvollen Blick. »Malwine, mußt denn du mit G'walt einen solchen Krach machen – akkurat jetzt?«

Schweigend nahm sie die Töpfe vom Herd. Das Zittern ihrer Hände schien noch stärker geworden zu sein. Franziska sah, daß sie weinte. Die Topfdeckel klapperten. Es roch nach Kohl.

»Wann haben Sie Ihren Sohn zuletzt gesehen?« fragte die Kommissarin und zog den Aschenbecher zu sich heran.

»Weiß ich nimmer«, murmelte Hannes Brunner.

»Letztes Wochenende?« schlug Franziska vor.

Hannes Brunner nickte.

»Und Montag?«

Er hob die Schultern.

»Wohnte er bei Ihnen im Haus?«

»Freilich. Er hat doch da seine Bude, oben.«

»Lebte er dort allein?«

»Was sonst?«

»Hatte er manchmal Besuch?«

»Von wem denn?«

»Das müßten doch Sie wissen. Freunde, Freundinnen?«

»G'wiß ned.«

»Und es kam öfter vor, daß Sie ihn tagelang nicht gesehen haben?«

»Ja mei, manchmal spinnt er halt, nachad laßt er sich eine ganze Zeitlang ned anschaun, der Bub.« Es klang jetzt doch eher liebevoll als ärgerlich.

»Sie arbeiten doch gemeinsam auf dem Hof?«

»Ja mei, der Hof ist halt groß.«

»Sie meinen, man kann sich aus dem Weg gehen – wenn man will?«

»Schon.«

»Ist er Ihnen oft aus dem Weg gegangen?«

»Ach wo.«

»Und daß Sie ihn nun seit Tagen nicht gesehen haben, war kein Anlaß zur Sorge?«

Hannes Brunner schüttelte den Kopf. »Geh, Schmarrn. Der kommt schon wieder.« Dann stutzte er und schneuzte sich abermals.

»Nein, jetzt kommt er nicht mehr wieder«, stellte Franziska richtig und wandte sich an die Bäuerin. »Er hat regelmäßig mit Ihnen gegessen?«

Malwine Brunner gab keine Antwort und ging um den Tisch herum. Sie blieb hinter Franziska stehen. Ihr Mann murmelte: »Normal schon.«

»Gab es eine Meinungsverschiedenheit oder einen Streit, hat er gesagt, daß er irgendwo hin will?«

»Der Bub sagt doch nix.«

Das scheint er von seinen Eltern zu haben, dachte Franziska. Sie drehte sich um und suchte erneut den Blickkontakt mit der Bäuerin. Sofort wandte diese sich ab.

Das Schweigen war jetzt fast unerträglich. Franziska drückte ihre Zigarette aus und beschloß, all das zu sagen, was in solchen Fällen gesagt werden mußte. »Wir wissen noch nicht viel. Ihr Sohn wurde heute nacht gefunden. Alle

Umstände deuten darauf hin, daß es sich nicht um einen Unfall, sondern um ein Verbrechen handelt. Sie wollen doch sicher auch, daß man den oder die Schuldigen findet.«

»Das macht ihn auch nimmer lebendig«, murmelte Hannes Brunner, stützte sich auf eine Stuhllehne und blickte ins Leere.

»Haben Sie noch mehr Kinder, hatte Hermann Geschwister?«

Stumm schüttelte Malwine Brunner den Kopf. Sie ging zum Fenster und starrte in den Hof. Verstohlen nestelte sie ein Taschentuch aus der geblümten Kittelschürze.

»Einer langt«, gab ihr Mann zur Antwort.

»Was hat Hermann in seiner Freizeit gemacht? Hatte er Hobbys, traf er sich mit anderen?«

»Ned, daß ich wüßt.«

»Also eher nicht?«

»So schaut's aus.«

»Womit hat er sich abends beschäftigt und an den Wochenenden?«

»Mit dem Computern.«

»Und der Computer steht in seiner Wohnung?«

Hannes Brunner nickte.

Franziska Hausmann spürte, wie die lähmende Verzweiflung und Sprachlosigkeit der Eheleute mehr und mehr auf sie übergriff. Sie hatte zwei Menschen vor sich, die nicht darin geübt waren, miteinander zu reden, und schon gar nicht mit jemandem aus der Stadt. In was für einem schweigenden Umfeld mußte der Sohn aufgewachsen sein? Ob sie sich miteinander austauschen würden, wenn sie allein waren? Ich muß doch noch einen Psychologen vorbeischicken, dachte sie und ahnte im gleichen Moment, daß auch der die Mauer des Schweigens nicht durchbrechen würde. Hier hatte sich im Laufe von Jahrzehnten eine Sprachlosigkeit angesammelt, die nicht mit ein paar Sätzen, und seien sie noch so klug und einfühlsam, aufgehoben werden konnte.

»Kann ich Hermanns Wohnung sehen?«

»Da haben S' einen Schlüssel.« Hannes Brunner nahm den Schlüssel vom Büfett und legte ihn auf den Tisch. Dann ging er voraus zur Tür, als ginge es ihm darum, sie so schnell wie möglich loszuwerden.

»Danke, das hat noch Zeit. Ich warte auf meinen Kollegen, und dann werden wir gemeinsam hochgehen.« All ihrer Erfahrung zum Trotz versuchte sie es noch einmal. »Wollen Sie wissen, was passiert ist?«

»Naaa …«, entfuhr es der Frau. Ein langgezogener, kehliger Laut. Dieses Nein war das erste und einzige Wort, das Franziska je von ihr hören sollte. Der Mann ging in den Flur. Der Kaffee verdampfte auf dem Herd.

Franziska biß sich auf die Lippe. Sie mußte hier raus. »Sie brauchen jetzt sicher ein bißchen Zeit für sich«, sagte sie und stand auf. »Ich gehe meinem Kollegen ein paar Schritte entgegen, und anschließend werden wir uns die Wohnung Ihres Sohnes anschauen. Wir werden noch einige Male wiederkommen müssen. Vielleicht fällt es Ihnen dann leichter, mit mir beziehungsweise uns zu reden – wenn der erste Schock vorbei ist. Es tut mir so unendlich leid. Es ist schrecklich, ein Kind zu verlieren.«

Sie wollte der Frau die Hand reichen, aber Malwine Brunner stand stumm und mit erhobenen Schultern am Fenster. Ihr haftete etwas Unberührbares und Zerbrechliches an. So kann man sich auch zurückziehen, dachte Franziska. Mein Mann geht in sein Zimmer, aber wenn ich klopfe, sagt er wenigstens, komm rein. Und wenn wir beide es wollen, können wir auch miteinander reden. Die hier sind schon seit langem versteinert.

Sie war schon fast eine halbe Stunde unterwegs, als Bruno ihr endlich mit dem Polizeiwagen entgegenkam. Franziska merkte, daß sie ärgerlich wurde, obwohl er sie sicher nicht absichtlich hatte warten lassen.

»Na, hat der Kaffee geschmeckt?«

»Was für ein Kaffee? Dazu hab ich g'wiß überhaupt keine Zeit ned g'habt – auf der Gemeinde war zwar ab halbe achte offen, aber Sie können Ihnen ja gar ned vorstellen, wie ewig lang das dauert hat, bis ich endlich einen g'funden g'habt hab, der sich zuständig g'fühlt und mir Kopien von den Flurplänen vom Ort geben hat.«

»Na, wenigstens haben Sie die jetzt. Außerdem hat das alles noch Zeit. Wir gehen jetzt als erstes in die Wohnung von dem Toten. Sie ist da oben im Haus. Im ersten Stock. Hier sind die Schlüssel. Haben Sie Latexhandschuhe dabei?«

»Logisch.«

»Auch für mich?«

»Im Dienstwagen müßten sogar mehrere Paar liegen.«

»Ein Lob den Kollegen, die immer alles so in Ordnung halten. Was ist mit der Videokamera?«

Er schüttelte den Kopf. »Die hab ich heute allerdings ned mitg'nommen.«

»Halb so wild, dann gucken wir uns eben gleich alles um so gründlicher an. Der erste Eindruck ist meist sowieso der entscheidende. Sie sagen mir dabei ganz spontan, was Ihnen auf- und einfällt. Ich mache es genauso. Nicht erst filtern, nicht erst überlegen, ob etwas wichtig sein könnte oder nicht. Frei heraus assoziieren. Alles klar?«

Bruno Kleinschmidt nickte.

Die Wohnung war ganz anders geschnitten als jene im Erdgeschoß. Sie betraten einen schmalen und dunklen Flur, der nach Schweiß und Stall und Staub roch und vollgestellt war mit Gummistiefeln, Schnürschuhen und Sandalen. Auf dem gelb gefliesten Boden lag, wie eine abgestreifte Haut, ein schmutziger blauer Arbeitsoverall. Am Ende des Ganges öffnete sich eine Glastür zum Wohnzimmer, von dessen Ostseite man auf einen langen und schmalen Balkon gelangte. Von dort hatte man einen Blick über das ganze Hofgelände.

Im Wohnzimmer standen nur Schreibtisch mit Computer, Fernseher und ein Ecksofa mit Couchtisch. Keine

Pflanze, kein Teppich, kein Bild an der Wand. Alles war extrem aufgeräumt. Im angrenzenden Bad lagen benutzte Handtücher auf dem Boden, eine offene Rasiercremetube auf dem Waschbeckenrand, daneben ein Kamm. Das Wohnzimmer bildete den Mittelpunkt der Wohnung und hatte insgesamt vier Türen. Eine führte ins Schlafzimmer, das sich ebenfalls mit einer Schiebetür zum Balkon hin öffnen ließ. Das schmale Bett war nicht gemacht, der große Schrank stand offen. Dann waren da noch die Tür zum Flur und eine weitere in die Küche, in der kein Holzofen, sondern ein richtiger Elektroherd mit Cerankochfeld sowie eine Wasch- und eine Spülmaschine standen. Bruno öffnete die vierte Tür. Ein leerer Raum mit einem Fenster nach Westen. Nicht einmal Vorhänge hingen vor diesem Fenster.

»Der Hammer«, murmelte Bruno mit einer Mischung aus Neid und Bewunderung. »Das nenn ich einen Luxus, wenn man es sich leisten kann, ein so ein schönes Zimmer schlicht und einfach total leerstehn zum lassen.«

Franziska fragte sich, wie sie sich fühlen würde, wenn sie des Abends allein in diese Wohnung käme. Sie fröstelte. Alles hier wirkte so kalt und steril. Keine Spur von Behaglichkeit. Hier mußte einer gelebt haben, der nichts anderes als seinen Ausbruch plante. Oder war das wieder einmal nur ihre Phantasie? Sie streifte sich die Handschuhe über. »Schade, daß hier keine Wein- oder Biergläser stehen. Dann hätten wir wenigstens Fingerabdrücke.«

»Vielleicht finden mir ja was in der Spülmaschin'«, schlug Bruno vor und verschwand in der Küche. »Nix, kein Glasl, keine Tassen, ned einmal Gabeln oder Löffeln«, rief er. »Die Maschin' schaut grad so aus, als wär's noch nie ned g'laufen nicht.«

»Klar, der Sohn hat bei seinen Eltern gegessen. Vielleicht wollte er ja auch erst dann so richtig in dieser Wohnung leben, wenn er eines Tages nicht mehr allein gewesen wäre. Der Herd sieht übrigens auch aus, als sei er noch niemals in Betrieb gewesen. Möglicherweise hat er ja darauf gehofft, es würde bald eine Frau kommen, um den leeren Raum in Besitz zu nehmen, Bilder an die Wände zu hängen, Teppiche auszulegen und Kerzen und Blumen auf die Fensterbänke zu stellen.«

»Täten Sie als Frau Ihnen da herinnen wohlfühlen?« Bruno sah sie nachdenklich an.

»Nein«, gestand Franziska. »Nicht einmal mit der Option, alles ändern zu dürfen.«

»Und wieso ned?«

»Zum einen hab ich die Eltern kennengelernt ... aber auch mal ganz von den beiden abgesehen: Ich bin selten in einer Wohnung gewesen, die so leblos wirkt und so trist. Und wie steht's mit Ihnen? Sie als Mann, würden Sie gern in dieser Wohnung leben?«

Bruno durchmaß die Räume. »Schön hell wär's ja durchaus schon, und groß gnug wär's auf alle Fälle auch ... Wissen S', ich versteh's halt einfach ned ganz, warum daß der da ned mehr draus nicht g'macht hat.«

»Vermutlich war es ihm nicht wichtig. Er hat nicht wirklich hier gelebt.«

»Sondern?«

»Allenfalls geschlafen. Er hat ja nicht mal hier gegessen. Das eigentliche Leben fand unten statt, bei seinen Eltern.«

»Und zu was hätt der dann einen Computer braucht?«

»Für die Buchhaltung?« schlug Franziska vor.

»Sie meinen quasi, daß das mehr so eine Art Büro mit Schlafplatz g'wesen wär?«

»Kann schon sein. In einem Büro müßte es allerdings Aktenordner geben. Irgendwelche Papiere. Ich seh hier nichts.«

»Ich schau gleich einmal in alle Schränke und in eine jede Schubladen eini«, sagte Bruno und zog sich seine Handschuhe straffer.

»Okay, fangen wir mit dem Schreibtisch an.«

»Wenn S' mich fragen täten, nachad müßt das eine Jungfrau g'wesen sein«, dozierte Bruno, als er die Schreibtischschublade aufgezogen hatte. »Eine Jungfrau mit Aszendent Steinbock.«

»Ich dachte eher an eine Jungfrau im Sinne von unberührt«, gestand Franziska. »Und da würde ich Ihnen sofort recht geben. Sagen Sie mal, seit wann beschäftigen Sie sich denn mit Astrologie?«

»Nur so ganz nebenbei.«

»Na dann. Und was wäre an einer Jungfrau mit Steinbock so besonders?«

»Recht ordnungsliebend sind's, die Jungfraun. Und vom Wohnumfeld her eher spartanisch eing'richtet. – Schaun S' Ihnen halt um.«

Das Innere der Schublade bestand aus vielen kleinen Kästchen unterschiedlicher Größe und erinnerte an einen flach liegenden Setzkasten. Bleistifte, Bleistiftanspitzer, Büroklammern, Klebestifte, Markierungsstifte, Füllerpatronen, Füllfederhalter – alles hatte sein eigenes Fach, gelbe Post-it-Blöckchen waren nach Größe und Dicke und sogar Briefmarken nach Werten geordnet.

»Wenn ich auch nur dreimal in diese Schublade hineinfassen würde, wäre das Chaos perfekt«, gestand Franziska kopfschüttelnd. »So was von ordentlich, das wirkt auf mich fast schon wieder zwanghaft.«

»Für einen jeden Schmarrn hat er einen Platz g'habt, bloß für sich selber ned«, meinte Bruno nachdenklich.

Franziska stutzte. »Eine interessante Deutung. Machen Sie mal die Türen auf.«

Hinter der linken Schreibtischtür befand sich auf einer ausziehbaren Holzplatte der Drucker. Bruno zog ihn vorsichtig heraus. »Das wär doch jetzt eine Sache, wenn mir noch das finden täten, was auf dem Teil druckt worden ist. Am End vielleicht sogar ein Tagebuch mit dem Namen seines Mörders?«

»Schreiben Jungfrauen mit Steinbockaszendenten Tagebuch?«

»Ach wo, niemals ned, da war jetzt halt der Wunsch nach Arbeitserleichterung Vater des Gedankens. Zu einer Jungfrau täten eher so hinkritzelte Notizen passen, zum Beispiel in einem von denen kleinen Terminkalendern drinnen, die was man am Jahresend in der Apotheken g'schenkt kriegt. Auf einen wirklich detaillierten Filofax bräuchten mir von daher eigentlich gar ned erst zum spekulier'n.«

»Dann müssen wir halt nach so einem Teil suchen.«

Bruno öffnete die rechte Tür des Schreibtisches. Das Jagdfieber hatte ihn gepackt.

»Ja, gehn S' weiter, da ham mir's ja schon! Ordner! Schauen S' Ihnen das an!« An einer Schiene hingen, in alphabetischer Reihenfolge beschriftet, zwanzig Hängeregister.

»Sollen wir bei A beginnen oder spontan zugreifen?« fragte Franziska. Sie hatte sich oft gewünscht, eine solche Ordnung und Übersichtlichkeit in ihren eigenen Papieren zu haben. Bei ihr häufte sich alles wochenlang auf dem Schreibtisch, um dann immer wieder aufs neue durchgesehen und aussortiert zu werden. Manches landete in einem Vorordner, anstatt gleich in der richtigen Ablage, anderes verschwand, nachdem sie es vier- oder fünfmal in der Hand gehabt hatte, letztendlich doch im Papierkorb. Und einiges wurde erneut auf den im Laufe des Jahres immer höher werdenden Schreibtischstapel gelegt. Wieviel Lebenszeit ich damit vergeude, mir fünf- oder sechsmal den gleichen Schwachsinn anzuschauen! dachte sie oft. Dieser Hermann hatte ein Gutteil seiner viel zu kurzen Lebenszeit ganz offensichtlich mit Ordnen und Beschriften ausgefüllt.

»Ich tät sagen, wir packen erst einmal die Numero sechse«, sagte Bruno.

»Und warum?«

»Ja mei, einfach so halt. Mir könnten natürlich genausogut Nummer achte, zehne, zwanzge oder was weiß denn ich für eine nehmen – obwohl, wenn mir die Zwanzge nehmen täten, dann täten mir ja von hinten anfangen, und das hätt dann ja auch schon wieder ein System.«

»Aha. Also gut, die Sechs.«

Es waren Gesprächsprotokolle von Leuten namens Felix und Gregor. Dieser Felix hatte sich mit einer Dame namens Ines über Landschaftsgärtnerei ausgetauscht, Gregor mit Marianne über Zufälle und morphogenetische Felder. Bestimmte Worte und Formulierungen waren mit einem Markierungsstift angestrichen. Daneben standen Vermerke wie s.a. Klemens/Fanny oder s.a. Ulrich/Pepsi.

»Sieht fast so aus, als habe er irgendwelche Telefongespräche belauscht und heimlich mitgeschrieben – ich verstehe allerdings nicht einmal ansatzweise, wie er auf so was kommen konnte und zu was das gut sein sollte«, sagte Franziska.

»Noch dazu hat er ja ned einmal kein Telefon in der Wohnung nicht g'habt«, stellte Bruno fest. »Ich seh jedenfalls weit und breit keins.«

»Um so absurder«, Franziska lachte.

»Wissen S', was ich Ihnen sag: Wenn S' mich fragen, dann ist der allerweil mit seinem Computer im Internet umeinander g'surft. Da gibt's doch jede Menge von denen virtuellen Schwatzbuden – Chat-Foren heißen die. Da können die Leut genau das gleiche blöde Zeug schreiben, was sonst halt so daherg'redet werden tät. Der Brunner muß da irgendwo mit drin g'hängt sein, und da hat der dann irgendwelche Gespräche protokolliert.« Bruno schüttelte den Kopf. »Bloß zwecks was und wozu?«

»Auch eine Art von Kontakt, oder?« gab Franziska zu bedenken. »Ein Teilnehmen an den Kontakten anderer, ein Sich-Ernähren von den Küchenabfällen des Lebens.«

»Mei, Chefin, das haben S' jetzt aber schön g'sagt! Das könnt ja direkt von der Marianne da stammen.«

»Auch eine von denen, die er belauscht hat?«

»Richtig. Ein ganzer Haufen Fremdwörter. Jede Menge schräge Bilder. Paßt voll zu meiner Theorie, daß in denen Ordnern von Haus aus schriftlich g'führte G'spräche abg'heftet sind. Keine Sau redet am Telefon derart g'schwollen daher. Womöglich wollt unser Hermann ja rausfinden, wann und wo sich die Marianne oder wer auch immer mit ihren Freunderln troffen hat? Könnt doch gut sein, daß der das dann heimlich beobachten wollt, oder was weiß denn ich, was manche Leut sonst noch so alles für ein Schmarrn einfällt?«

»Sind denn wirklich in allen Mappen solche Protokolle? Wir sollten sie auf jeden Fall mitnehmen.«

»Auf alle Fälle«, murmelte Bruno und blätterte in den Akten. »Ganz so schaut's aus. Er Doppelpunkt, sie Doppelpunkt, er Doppelpunkt, sie Doppelpunkt, er Doppelpunkt, sie Doppelpunkt ... bis in die Unendlichkeit eini. Übrigens hat der auch Formulierungen kennzeichnet, die ähnlich oder gar identisch sind. Der hat diese G'spräche regelrecht analysiert. Wie wenn der den Verdacht g'habt hätt, ein- und dieselbe Person tät unter die verschiedensten Namen im Netz auftreten, was ja auch gang und gäbe ist. Es sind ja eben die geheimen Spielregeln vom Netz, die was den Reiz ausmachen. Daß man sich beispielsweis hinter wem anders verstecken kann.«

»Sie meinen also, er wollte irgendeine Art von Maskenspiel enttarnen, oder wie immer man es nennen mag?«

»Jawohl, genau das glaub ich. Da hat der sich ganz privat damit g'spielt.«

Franziska schüttelte den Kopf. »Aber was mag er sich davon versprochen haben?«

Bruno hob die Schultern. »Falls der eine ganz bestimmte Person im Auge g'habt und letztendlich herausg'funden hätt, unter welchen verschiedenen Decknamen die ins Netz einisteigt – nachad hätt der auf die Art und Weise sämtliche Facetten von der betreffenden Persönlichkeit kennenlernen können.«

»Klingt absurd. Er hätte doch nur mit Vermutungen arbeiten können.«

»Nix da, glauben S' mir was, der analysiert. Das paßt übrigens auch zu einer Jungfrau. Schaun S' Ihnen die Protokolle nur einmal an.«

»Aber warum nur sollte er so etwas getan haben?« Franziska sah Bruno lange fragend an. So lange, bis dieser errötete und verschämt fragte: »Meinen S' denn, daß ich grad einen rechten Schmarrn g'redet hab?«

»Ganz im Gegenteil. Und was ich noch glaube, ist folgendes: Auf solche Ideen verfällt man allenfalls dann, wenn man unglücklich verliebt ist. Wenn man versucht, einem Menschen um jeden Preis näherzukommen. Starke Gefühle wären ein plausibles Motiv für das Anlegen dieser Ordner gewesen. Schon Napoleon hat gesagt: ›Im Krieg und in der Liebe ist alles erlaubt.‹«

»Also, Chefin, ich glaub schon bald, so ganz sauber war der ned. Halt ned so ganz richtig im Kopf, wissen S' ?«

»So redet man nicht von Opfern«, wies Franziska ihn zurecht.

»Tschuldigung.« Bruno kroch unter den Schreibtisch.

»Was machen Sie denn jetzt?«

»Ich tät bloß einmal nachschaun mögen, ob's da überhaupt einen Internet-Zugang gibt. Ansonsten könnten mir ja unsere ganzen schönen Theorien glatt genauso schnell wieder vergessen, wie's uns eing'fallen sind.«

»Und?«

»Ach wo, da ham mir ihn doch schon.«

Die Glocke von der entfernten Dorfkirche verkündete mit einem Sankt-Angelus-Läuten die Mittagszeit, als Franziska und Bruno Kleinschmidt das Haus der Brunners verließen. Niemand war zu sehen. Eine Katze, die sich am Rand einer Birkenhecke gesonnt hatte, schoß quer über den Hof.

»Also, eins ist mir in der Wohnung ja schon komisch vorkommen, wo der doch sonst so ordentlich g'wesen ist«, murmelte Bruno plötzlich. »Im Bad war ein ganz schöner Verhau, die Tür vom Schlafzimmerschrank war sperrangelweit offen, und im Gang hat's ja auch ned direkt ausg'schaut wie nach einem Musterbeispiel an Organisation.«

»Sie meinen wohl, daß das alles auf einen ziemlich plötzlichen Aufbruch hindeutet? Aber wo wollte er hin?«

Drittes Kapitel

Insgesamt vierzehn Häuser waren auf dem Flurplan verzeichnet. Bruno war geistesgegenwärtig genug gewesen, sich von der Angestellten der Gemeinde die Bewohner der Anwesen nennen zu lassen und hatte sie direkt in den Plan hineingeschrieben. Kleinöd war eines der typischen Straßendörfer, in dem sich die Adressen sämtlicher Anwohner nur durch die Hausnummer unterscheiden. Alle wohnten an der Hauptstraße – entweder mit geraden oder mit ungeraden Nummern. Manche Häuser lagen ein Stück ins Innere des zugehörigen Grundstücks versetzt, in den Vorgärten blühten Astern und Dahlien. Andere grenzten direkt an die Straße und ließen große und verzweigte Gärten erahnen.

Das Haus von Eduard und Ottilie Daxhuber hatte die Hausnummer neun. Es war ein kleines Arbeiterhäuschen mit einer relativ neuen Garage, deren Tor offenstand. Dort stand Eduard Daxhuber und sägte Holz. Er kümmerte sich nicht um die Mittagszeit, und der Lärm seiner Kreissäge brach sich an der gegenüberliegenden Häuserwand. Von seinem Arbeitsplatz sah er aus den Augenwinkeln das Polizeiauto kommen, registrierte, wie es langsamer wurde, und stellte enttäuscht fest, daß die Kommissarin und ihr Assistent auf den Hof von Joseph Langrieger fuhren, aus dem Wagen stiegen und bei den Nachbarn klingelten, ohne ihn selbst in seiner Garage auch nur eines Blickes zu würdigen.

Dabei war er es doch gewesen, der in der vergangenen Nacht alles organisiert und unter Kontrolle gehalten hatte. Er war von Sepp gerufen worden. Der Alte stand garantiert noch unter Schock und konnte sowieso keinerlei Aussagen machen! Der hatte ja sogar gestern beim Schmiedinger gestottert, als dieser sein Protokoll aufnahm.

Eduard Daxhuber schob ein Stück Holz mit solcher Wucht in das Sägeblatt, daß die Maschine mit einem schrillen Ton zu kreischen begann. Jetzt war er also nicht mehr wichtig! Erst mußte er die Drecksarbeit machen. Dann mußte er darauf achten, daß die Frauen nicht zu nah an den Fundort der Leiche kamen, denn was hätte nicht alles passieren können! Ohnmachten womöglich und Kreislaufkollapse! Zu guter Letzt hatte er dafür gesorgt, daß Adolf Schmiedinger kam und die ganze Sache polizeilich erfaßt wurde – und zum Dank behandelte man ihn schon wieder, als wäre er nur ein unbedeutendes Nichts.

Wie damals in der Holzfabrik, als man ihn nur noch als Buchhalter haben wollte und keine Ratschläge von ihm annahm, als alles den Bach runterging, weil niemand sich für die immer fragwürdiger erscheinenden Bilanzen interessierte. Später hatte es dann geheißen, er sei schuld am Konkurs. Wenn sich dieses Muster wiederholte, würde man ihn womöglich auch noch für den Tod des jungen Brunner verantwortlich machen. Dabei hatte er ihn so gut wie gar nicht gekannt, kaum ein Wort mit ihm gewechselt, lediglich zweimal im Jahr Dinkel und Kartoffeln auf dem Biohof eingekauft und »Grüß Gott« gesagt.

Eines war allerdings merkwürdig gewesen: In letzter Zeit war der Bursche öfter durch Kleinöd gelaufen, hatte sich in der Nähe des Postkastens herumgedrückt und dort Briefe eingeworfen. Jetzt, wo Eduard Daxhuber darüber nachdachte, wunderte ihn das Verhalten des jungen Brunner, denn der hätte seine Post genausogut dem Briefträger mitgeben und sich damit den langen Spaziergang ins Dorf ersparen können. Immer war er abends gekommen, wenn die Tiere versorgt waren. Vor allem an Sommerabenden, wenn das halbe Dorf auf der Straße stand und sich über dies und jenes unterhielt, war er still und unsicher lächelnd um sie herumgeschlichen, hatte freundlich gegrüßt und vielleicht sogar auf ein einladendes Wort gewartet – doch niemand war je auf die Idee gekommen, ihn anzusprechen. Er gehörte ja nicht hierher in den Ort. Der Brunner-Hof lag schließlich auf einem zwei Kilometer entfernten Hügel.

Aber all das würde er, Ede Daxhuber, der Kommissarin nicht erzählen. Jetzt nicht mehr! Nun hieß es klug sein und Nerven bewahren. Wer Eduard Daxhuber etwas anhängen wollte, der mußte verdammt früh aufstehen.

Als es an der Tür läutete, erschrak er dermaßen, daß er fast vom Sofa gefallen wäre. Er sah auf die Uhr. Mittag schon vorbei. Wie ein Schlag in die Magengrube kam die Erinnerung zurück. Ihm wurde augenblicklich wieder schlecht. Der junge Brunner. In seiner Sickergrube. Joseph Langrieger wankte ins Bad und übergab sich. Hörte diese Kotzerei denn gar nicht mehr auf? Er ließ sich eiskaltes Wasser in die Hände laufen und tauchte sein Gesicht hinein. Mit dem Handtuch in der Hand wankte er in den Flur und sah durch die Buntglastür die Schatten zweier Menschen.

Es klingelte erneut. Konnten die einen denn nie in Ruhe lassen? Es ging ihm nicht gut. Das erste Mal in seinem Leben hatte es ihn vor der Dunkelheit gegraust. Er hatte es nicht geschafft, im dunklen Schlafzimmer zu schlafen, sondern die ganze Nacht vor dem Fernseher verbracht und nach Ablenkung gesucht, aber das Bild des toten Hermann Brunner wollte ihm nicht aus dem Kopf gehen. Was für ein Glück, daß seine Frau das nicht gesehen hatte; sie hätte sicher tagelang geweint. Luise neigte dazu, sich alles und jedes zu Herzen zu nehmen. Schon beim kleinsten Streit in der Nachbarschaft saß sie wie gelähmt am Fenster und malte sich Weltuntergänge aus.

Ich hätt halt eine kernigere Frau braucht für mein Leben, dachte er, während er langsam auf die Haustür zuging. Eine, die ned allerweil nur krank g'wesen wär, eine, die auch einmal gscheit hinlangen hätt können und an einem solchen Tag den ungebetenen Besuchern da mit ein paar deftigen Sprüchen heimg'leuchtet hätt.

Dieses verdammte Klingeln ließ nicht nach. Er schlurfte weiter durch den Hausflur und öffnete die Tür. Das Licht draußen war so grell, daß er sich die Hand vor die Augen halten mußte.

»Wir haben noch ein paar Fragen«, sagte die Frau, die ihm gestern schon so unangenehm aufgefallen war. Wie in der Schule hatte sie Kärtchen verteilt, und jeder mußte etwas draufschreiben. »Dürfen wir reinkommen?«

Er nickte und ging gebeugt ins Wohnzimmer zurück. Die Kommissarin und der junge Mann folgten ihm.

Sie fragten ihn nicht einmal, wie es ihm ging. In genau dieser Sekunde beschlich ihn eine Ahnung von dem Gefühl, von dem seine Frau so oft sprach. »Ich fühl mich so lätschert, so leer, bald schon wie g'rädert. Ein jeder Schritt, ein jeder Handgriff strengt mich ja gleich so viel an.« »Dann iß halt was, nachad geht's dir gleich wieder viel besser«, war seine Standardantwort auf ihre Bemerkungen. Komisch, ausgerechnet jetzt tat es ihm leid.

Ächzend ließ er sich auf sein Sofa fallen. Auf dem Tisch standen zwei leere Bierflaschen. Der Fernseher lief noch immer. Er setzte die Brille auf, suchte nach der Fernbedienung und drückte den Aus-Knopf.

»Herr Langrieger, warum haben Sie den Grubendeckel abgenommen?« fragte die Frau, die sich als Franziska Hausmann vorgestellt hatte.

Er beschloß, die Wahrheit zu sagen. Wenn er jetzt anfing, sich irgendeine Geschichte auszudenken, würde er sich früher oder später in Widersprüche verstricken und besonders verdächtig machen. Diese Erfahrung war seinem Fernsehkrimikonsum zu verdanken. »Aus der Gruben hat's ja rausg'stunken wie aus der Sau von hinten. Ich hab doch wissen müssen, was da drin los ist.«

Der junge Mann beugte sich vor und fragte mit leiser Stimme: »Haben S' denn gleich g'wußt, wer der Tote war?«

Joseph Langrieger schüttelte den Kopf.

»War ja auch schon dunkel, wie S' nachg'schaut haben«, stellte Bruno Kleinschmidt fest.

»Richtig.«

»Was haben Sie sich denn spontan gedacht?« wollte Franziska wissen.

»Ja mei, nix halt.«

»Ihnen ist nichts durch den Kopf gegangen, als Sie den toten Brunner vor sich sahen?«

»Ja Bluatsakrament – was hätt denn ich mir Ihnen Ihrer Meinung nach denken solln? Wie hätt denn ich, bittschön, auf die Idee kommen solln, daß das der Brunner ist, was da in meiner Gruben drin umeinander schwimmt?«

»Ja dachten Sie denn, es sei jemand anders, kamen Sie überhaupt auf die Idee, daß das ein Mensch sein könnte? Was ging Ihnen als erstes durch den Kopf?«

»Ja mei, ich hab halt g'meint, daß das eine Vogelscheuche sein wird. Daß meine Enkel mich mal wieder pflanzen wollen, mir einen Streich spielen täten.«

»Ihre Enkel?« Franziska sah ihn erstaunt an. »Können wir die mal sprechen?«

»Die sind ned da.«

»Und waren sie gestern da?«

Erneut schüttelte er den Kopf.

Schweigen, in dem sich seine Besucher bedeutungsvolle Blicke zuwarfen.

»Sind's denn vielleicht verreist?« wollte Bruno Kleinschmidt wissen. Seine Stimme hatte nun etwas Unbestimmtes, Lockendes, war wie ein Angebot.

»So schaut's aus.« Sepp Langrieger nickte. »Noch die ganze Wochen. Nach Mallorca sind's g'fahren, mit die Eltern.«

»Wie alt sind die Enkel denn?«

»Ja mei, der Sebastian wird jetzt um die zwölfe sein, wenn ich mich da ned täusch, und der Frank müßt demnach zwei Jahr jünger sein.«

»Und die spielen Ihnen öfter mal solche Streiche?«

»Ach wo, so was Krasses ham die noch nie ned g'macht nicht.«

»Ihre Enkel können die Grube also auch öffnen«, stellte die Kommissarin fest.

»Hab ich denen aber allerstrengstens verboten.«

»Und wann sind die nach Mallorca gefahren?«

»Das war, wie meine Luise ins Krankenhaus hat müssen.«

»Luise ist Ihre Schwiegertochter?«

»Geh, so ein Schmarrn, von meiner Frau red ich doch.«

»Und wann genau ist Ihnen Ihre Frau ins Krankenhaus kommen?« In aller Seelenruhe kramte Bruno einen Drehbleistift aus seiner Jackentasche hervor.

»Vorige Wochen.«

»Das heißt also praktisch, daß Sie schon seit einer Woche ganz alleinig da leben?«

»Ja freilich, ist ja schließlich auch ned direkt verboten, oder?«

»Ich will es nur mal kurz zusammenfassen.« Franziska merkte, wie sie allmählich die Geduld verlor. Sie entwand ihrem Assistenten den Bleistift, holte einen Block aus ihrer Handtasche und begann zu schreiben.

»Ihre Frau ist vor einer Woche ins Krankenhaus gekommen. In welches?«

Er nannte ihr den Namen der Klinik.

»Zur gleichen Zeit ist Ihr Sohn mit seiner Familie nach Mallorca gefahren. Sie kümmern sich nun alleine um den Hof?«

»Ja mei, um was sollt ich mich denn da schon groß kümmern müssen? Mir ham ja eh grad noch ein paar Hennen, mehr ham mir nimmer. Der Bub und die Schwiegertochter gehen arbeiten, in der Stadt.«

»Haben Sie sich nicht einsam gefühlt?« wollte Franziska wissen.

Joseph Langrieger schüttelte den Kopf.

»Haben Sie den jungen Brunner in den letzten Tagen gesehen? Ist er vielleicht hiergewesen?«

»Ned, daß ich wüßt. Oft, glaub ich, ist der ned ins Dorf runterkommen. Die gehören ja schließlich auch gar ned da her zu uns.«

»Na, er wird doch hier gelegentlich irgend etwas zu erledigen gehabt haben? Und es könnte doch sein, daß Sie ihn gesehen haben? Verstehen Sie bitte, wir müssen einfach alles überprüfen. Jede Kleinigkeit könnte wichtig sein.«

Joseph Langrieger dachte nach. Irgendwas war da gewesen, aber er hatte jetzt keine Lust, sich weiter den Kopf darüber zu zerbrechen, und außerdem langte es ihm sowieso schon mit diesen wichtigtuerischen Städtern. Energisch schüttelte er den Kopf. »Was ich weiß, hab ich Ihnen gestern aufg'schrieben. Mehr weiß ich ned. Und mithin ist für mich basta!«

Das Gespräch endete genauso, wie er es aus den Kriminalfilmen kannte: Man dankte ihm, drückte ihm ein Visitenkärtchen in die Hand, und der junge Mann sagte tatsächlich: »Es könnt ja leicht sein, daß Ihnen noch irgendwas einfällt. In dem Fall sind S' bittschön so gut und rufen uns an.«

Nein, von diesem Tag war nichts mehr zu erwarten. Joseph Langrieger ging ins Bad, duschte ausgiebig und machte sich dann fertig für den Krankenhausbesuch. Gut, daß Luise bald wiederkam. Er hatte nur noch zwei gebügelte Hemden im Schrank, und schön war es auch nicht, so ganz alleine im Haus. Niemand räumte auf, machte das Bett, kochte ein vernünftiges Essen. Die Eintöpfe, die sie für ihn vorbereitet und in die Kühltruhe getan hatte, schmeckten von Tag zu Tag langweiliger. Gestern war ihm eine Suppe angebrannt.

Sie saß aufrecht im Bett, und als sich ihre Blicke begegneten, sah er ihr an, daß sie schon alles wußte.

»Ja Bluatsakrament«, stöhnte er und ließ sich auf den Besucherstuhl an ihrem Bett nieder. »Du kannst dir ja gar ned vorstellen, was bei uns daheim grad los ist.«

Sie schwieg lange. Und wie so oft brach sie das Schweigen in genau dem Moment, als er befürchtete, sie würde nie wieder mit ihm reden. Seit Beginn ihrer Ehe gab es diese Spannung, und immer hatte er ein latent schlechtes Gewissen. »Ich weiß schon alles. Du hast doch nix damit zu tun?« Sie sah so besorgt und verwirrt aus, als habe er ihr gerade einen Mord gestanden.

»Ja spinnst denn du?«

»Die Leut sind zu allem fähig.« Sie weinte, und auch das Weinen kannte er. In den letzten dreißig Jahren hatte er nicht gelernt, damit umzugehen. Meistens verließ er den Raum. Heute aber nahm er ihre Hand. Ihm war selbst nach Weinen zumute.

»Wer hat's dir denn verzählt?«

»Die Frau Rücker. Die hat mich heut früh b'sucht.«

»Die Rücker? Die hat dich doch sonst noch nie ned b'sucht nicht! Was hätt denn nachad die da herin verloren?«

»Mei, die hat halt in der Stadt was zum tun g'habt und wollt wissen, wie's mir so geht. Weil's doch auf unserm Hof passiert ist. Wenigstens eine, die was sich auch einmal um mich kümmert.«

Er beschloß, die letzte Bemerkung zu überhören. »Und was hat's dir dann verzählt?«

»Daß bei uns der tote Hermann Brunner umeinanderg'legen ist. Und daß der Eduard ihn g'funden hat. Mitten bei der Nacht. Und da komm ich dann halt nimmer mit. Was hätt denn der überhaupt bei uns zum schaffen g'habt?«

»Ach geh, der Eduard – der ist doch praktisch allerweil überall. Jetzt, wo der keine Arbeit mehr hat, da lauft der bloß noch in der Weltg'schichte umeinander und schaut, was mir anderen alle so machen. Der ist doch bald schon so schlimm wie die Polizei!«

»Ich red doch gar ned vom Eduard.« Sie entzog ihm die Hand, schneuzte sich die Nase, wandte den Kopf zum Fenster und lag mit gefalteten Händen da, als würde sie beten.

Er wußte nicht, was er sagen sollte. Etwas verwirrte ihn. Vielleicht lag es daran, daß er nach so vielen Jahren zum erstenmal wieder ihre Hand gehalten hatte. Sie verbrachten den Alltag zusammen, saßen sich dreimal täglich am gleichen Tisch gegenüber, hockten Abend für Abend nebeneinander auf dem Sofa und sahen fern, lagen Nacht für Nacht im gleichen Bett, aber ihre Hand hatte er seit Ewigkeiten nicht mehr gehalten, sie seit Jahren nicht mehr berührt. Es war fast so, als habe er etwas Verbotenes getan, was jedoch gleichzeitig angenehme Gefühle in ihm auslöste. Jetzt begann er also auch schon zu spinnen! Kopfschüttelnd stand er auf und stapfte durchs Zimmer.

»Die waren heut da«, sagte er dann.

»Wer?«

»Die von der Polizei.«

»Bei uns?« fragte sie leise.

Er nickte.

Sie suchte seinen Blick. »Ich kann mir ned helfen, ich muß die ganze Zeit in einer Tour an den Buben denken. Was hat denn der nur bei uns auf dem Hof wollen?«

»Das tät mich auch brennend interessieren«, sagte Sepp und blieb am Fußende ihres Bettes stehen. »Ich hab ned die geringste Ahnung nicht. Die Polizei tät das natürlich auch gern wissen.«

»Hast ihnen denn wenigstens was anboten?«

»Wem? Denen zwei Polizisten? Also, ned direkt. Eigentlich nix.«

»Wie? Nix? Gar nix?« Ihre Stirn verfinsterte sich. »Nicht einmal kein Wasser ned?«

»Naaa.« Sein Nein kam trotzig und langgezogen.

Sie bedachte ihn mit einem verständnislosen Blick, und er merkte, daß er wütend wurde. Die würden schon nicht verhungern und verdursten, die von der Polizei. Daß Luise sich immer an solchen Albernheiten festkrallen mußte. Was sich gehörte und was nicht. Mit einem ganzen Katalog von Gesetzen schien sie da aufzuwarten. Gesetze, die er nicht verstand und deshalb immer wieder brach. Das war das Drama ihrer Ehe. Nie konnte er es ihr recht machen. Immer überschritt er irgendwelche Grenzen, handelte nicht in ihrem Sinne, verhielt sich anders, als sie es sich wünschte.

Aber daß da jemand so einfach einen Toten in seine Grube geworfen hatte, schien sie nicht wirklich zu beunruhigen. Wahrscheinlich deckten ihre Gesetze diesen Bereich nicht ab, oder es hätte sich nur dann nicht gehört, wenn er selbst es getan hätte. Sein Verdacht, daß all die unbekannten Vorschriften, gegen die er immer wieder verstieß, nur für ihn selber galten, bestätigte sich mal wieder. Andere durften machen, was sie wollten, sogar Leichen auf fremden Höfen verstecken. Andere durften ungebetene Besucher auf der Sofakante sitzen lassen, ohne sie zu bewirten. Er durfte all das nicht.

»Aha, du meinst also, daß mich das schon verdächtig macht. Bloß weil ich denen nix anboten hab. Da hab ich halt momentan einfach ned nicht dran denkt.«

»Ich schäm mich ja so viel mit dir«, murmelte sie und begann erneut zu weinen.

»Du spinnst doch komplett. Mir ham ja wohl ganz andere Sorgen.«

»So, welche denn?« Schon wieder dieser vorwurfsvolle und zugleich fragende Blick, als schien sie ihn der ungeheuerlichsten Dinge zu verdächtigen. Sie wußte einfach nichts von ihm. Rein gar nichts.

Er beugte sich vor. »Davon will ich jetzt gar ned reden. Aber das eine sag ich dir: damit, daß der Bub hin ist, hab ich nix, aber auch schon gar nix nicht zum tun. Keiner aus dem Dorf. Alle waren's g'schockt. Mir sind dann noch in Blauen Vogel gangen und haben lang drüber g'redet. Und dann sind die zwei Kommissare daherkommen, und ein jeder hat auf einen Zettel schreiben müssen, wie er heißt, wo er wohnt und wann er den Hermann zuletzt g'sehn hat. Es war wie in der Schule. Und jetzt haben's von einem jeden seine Adresse und können den einen über den andern ausfragen. Was glaubst denn du, wieviel saudumm's Zeug wohl daherg'redet werden wird? Die von der Polizei, die kennen sich doch bei uns gleich null aus, die ham doch ned die geringste Ahnung nicht, woher täten denn die wissen sollen, wie das bei uns nun einmal so ist und wie lang daß mir uns alle schon kennen, von denen paar Zug'reisten einmal ganz abg'sehn – mir stinkt das einfach, daß die jetzt überall einiplatzen können und ungeniert die Leut aushorchen dürfen.«

»Die andern werden denen auf alle Fälle was hinstell'n«, sagte Luise. »Die andern wissen mit Sicherheit, was sich g'hört. Da hab ich mich so g'freut, daß ich bald heim darf, und jetzt kommst du daher und tust mir das an. Am liebsten tät ich auf der Stelle im Erdboden versinken. Mit die Finger werden's auf uns zeigen, weil mir ned wissen, was sich g'hört. Weil du das ned weißt.«

»Geh weiter, so ein Schmarrn!« Er hatte keine Lust, mit ihr zu streiten, und ging zur Tür. »Ich muß einmal schnell wohin.«

Als er zurückkam, schien sie sich beruhigt zu haben. »Ehrlich g'sagt, wenn die mir so einen Zettel in die Hand drückt hätten, ich hätt fei gar ned g'wußt, wann ich den Hermann zuletzt g'sehen hab«, gab sie zu, nachdem er sich wieder zu ihr gesetzt hatte. »Das war doch so ein ganz ein ruhiger, ein ganz ein schmaler, wie so ein Zwetschgenmanderl. Also mir hat der allerweil ein bisserl leid getan. Ich hab mir jedesmal denkt, ob der wohl noch einmal eine Frau findet, so schüchtern, wie der ist. Und dann hat der auch noch regelmäßig so ganz hilflos dreing'schaut, bald schon so, als wär's ihm arg zuwider, daß er überhaupt auf der Welt ist.«

»Geh, red doch keinen Krampf, das stimmt hinten und vorn ned.«

»Wie meinst denn dann nachad du, wie der war?«

»Ja mei, woher sollt ich denn das so genau wissen, aber ganz anders war der auf alle Fälle. Mehr so arabisch hintenrum halt.«

»Andersrum? Du behauptest also glatt, der hätt, wenn dann, schon eher was mit Männer g'habt? Also wirklich, Sepp, das ist doch wieder einmal richtig typisch für dich, so was Ekelhaftes und Grausliches kannst doch auch bloß du dir ausdenken. Der arme Bub! Aber mei, als ein Toter kannst dich halt nimmer wehren! Über einen Toten kann halt ein jeder Depp sagen, was er mag!«

Sie weinte schon wieder.

»Die arme Malwine, der arme Hannes. Wenn unserm Buben so was zustoßen tät, ich wüßt ja gar ned, ob und wie ich da noch weiterleben wollt. In ein paar Tagen darf ich heim. Vielleicht könnt ich sogar noch auf die Beerdigung gehn. Obwohl, die Rücker hat g'sagt, daß das noch gar ned raus ist, wann's den eingraben.«

»Am Sonntag hab ich den das letzte Mal g'sehen. Letzten Sonntag auf d' Nacht«, sagte Joseph Langrieger und schlug sich mit der flachen Hand gegen die Stirn. »Aber auf den Zettel hab ich das gar ned hing'schrieben, weil in dem Moment war mir das grad gar ned eing'fallen g'wesen.«

Luise horchte auf. »Und was hat er da g'macht g'habt?«

»Auf der Straße ist mir der entgegenkommen, und grüßt hat er mich auch noch. Der hat sich so richtig in Schale g'schmissen g'habt. Ich schätz, daß der ins Bierzelt auf dem Volksfest in Adlfing wollt. Zuerst hab ich den gar ned erkannt, so fein wie der anzogen war. Eine helle Hosen, eine helle Joppen, wie ein Hochzeiter ist der daherkommen.«

»Bist du dir denn da sicher? Vielleicht war er das ja gar ned. Vom Brunnerhof bis nach Adlfing, das wären ja fünf Kilometer, mindestens.«

»Wer sollt denn das nachad sonst gewesen sein? Ich hab ja mir sogar noch kurz überlegt, ob ich ihn ned fragen soll, ob was ist mit seinem Auto. Aber du weißt es ja eh, der hat allerweil so g'schaut, als tät man ihn erschrecken, wenn du ihn was g'fragt hättst.«

Luise nickte. »Das mußt du der Polizei sagen.«

Er schüttelte den Kopf. »Ach wo, das kriegen die schon noch von allein raus.«

Wieder nahm er ihre Hand und staunte über das eigenartige Gefühl, das ihn dabei überkam. »Ich freu mich fei, daß du bald wieder heim darfst.«

»Ehrlich?«

Er nickte und schluckte die Bemerkung, daß nur noch zwei gebügelte Hemden im Schrank seien, gerade noch rechtzeitig hinunter.

»Ich hab Hunger«, sagte Franziska, als sie das Haus von Joseph Langrieger verließen und auf den davor geparkten Dienstwagen zugingen. »Gibt's hier irgendwo was zu essen?«

»Wir könnten ja in den Blauen Vogel gehn«, schlug Bruno vor. »Da hätten mir bloß ein paar Meter hin.«

»Nein.« Sie schüttelte energisch den Kopf. »Man wird dort unser Gespräch belauschen und dann die wildesten Spekulationen in die Welt setzen. Die warten doch nur darauf, von uns was zu erfahren.«

»Im Nachbardorf gäb's einen Griechen.«

»Das ist eine wunderbare Idee. Den nehmen wir.«

Sie fuhren aus dem Hof hinaus und sahen Eduard Daxhuber in seiner Garage stehen, der ihnen mit finsterer Miene nachblickte.

»Den nehmen wir uns als nächstes vor«, konstatierte Franziska. »Aber erst brauche ich ein Gyros. Mindestens eins.«

»Und dazu könnten mir uns einmal die Karteikarten anschaun«, schlug Bruno vor.

»Wenn wir ein ruhiges Plätzchen finden, gerne.«

Ehekräche und ungelöste Fälle regen mich auf, dachte Franziska. Und wenn ich mich aufrege, esse ich zuviel. Und wenn ich zuviel esse, fühle ich mich nicht wohl. Und wenn ich mich nicht wohl fühle, weil alle Hosen und Röcke zu eng sind, fange ich mit Christian Streit an. Womit wir wieder beim Ehekrach wären. Klar, daß mir mein Magen in den Kniekehlen hängt. Die Vorstellung, statt des Gyros nur einen Salat zu essen, machte sie ganz traurig. Morgen, tröstete sie sich. Heute rede ich mit Christian, und morgen beginne ich mit einer Diät.

»Ein ganz ein komischer Kauz ist das, der Langrieger«, unterbrach Bruno ihren Gedankengang. »Dem ham mir ja wirklich alles aus der Nasen ziehn müssen.«

»Er war absolut gesprächig, wenn man ihn mit den Eltern des Toten vergleicht«, stellte Franziska fest.

»Das heißt dann wohl praktisch, daß die gar nix g'sagt haben?«

»So gut wie gar nichts.«

Zum Dessert gab es die Karteikarten und einen starken Kaffee. Außer ihnen war niemand im Lokal, und so breitete Bruno den Flurplan aus, und Franziska ordnete die Karten den einzelnen Häusern zu. Sie begannen auf der rechten Straßenseite. Dort wohnten in Haus Nummer zwei der Polizeiobermeister Adolf Schmiedinger und seine Frau Erna. Der Polizist gab an, Hermann Brunner noch in der vergangenen Woche gesehen zu haben, seine Frau konnte sich an einen Zeitpunkt vor etwa drei Monaten erinnern, als sie auf dem Brunnerhof eingekauft hatte.

Zu den Hausnummern vier, sechs und zehn gab es keine Kärtchen.

»Sieht so aus, als seien diese Leute gar nicht dagewesen«, sagte Franziska. »Ist doch ungewöhnlich, oder? Bei einer so schrecklichen Sache wie der von vergangener

Nacht versammeln sich doch eigentlich immer alle, um die Dinge an Ort und Stelle zu diskutieren. Am besten fragen wir den Daxhuber von gegenüber. Als wir heute in Kleinöd ankamen, hat der eh schon so demonstrativ weggeguckt – als sei er beleidigt, weil wir ihn nicht als ersten verhört haben. Das ist mit Sicherheit einer von denen, die erst dann glücklich sind, wenn sie als sprudelnde Quelle Auskunft geben dürfen. Der machte auf mich gestern schon den Eindruck, als spiele er sich hier im Dorf als eine mäßig gelungene Mischung aus Undercoveragent und Privatdetektiv auf.«

Bruno nickte und beugte sich über den Plan. »Na ja, die von Nummer zehne sind auf Mallorca, das wissen mir ja schon. Überprüf ich aber noch genauer. Wobei ich ned wüßt, warum der Alte uns in dem Punkt hätt anlügen sollen. Was hat denn der eigentlich auf sein Karterl g'schrieben? Alles, was er weiß, wie er g'sagt hat?«

»Nichts. Das heißt, um genau zu sein: seine Adresse und das aus zwei Worten bestehende Bekenntnis ›weiß nichts‹. Na ja, immerhin scheint er also zu wissen, daß er nichts weiß. Der könnte sich auf seine alten Tage doch glatt noch zum Philosophen umschulen lassen. Aber ich glaube ihm das sogar. Der hatte tierische Angst vor uns. Er hätte uns gar nicht belügen können, ohne daß wir es gemerkt hätten. Und möglicherweise ist ihm auch in seiner Aufregung die eine oder andere Beobachtung nur noch nicht wieder eingefallen.«

»Dann hätt'n mir da die Numero zwölfe«, sagte Bruno und legte das Kärtchen auf das entsprechende Haus seines Planes. »Marlene Blumentritt. Wer war denn jetzt das gleich wieder?«

»Ich vermute, das war diese auffallend dünne Frau mit dem Rucksack.«

»Da schau her, die hat nicht nur ihre Adresse und ihre Telefonnummer, sondern sogar die Nummer von ihrem Handy aufg'schrieben. Und dazu noch einen ganzen Satz:

›Ich kannte Hermann Brunner nicht.‹ Das nenn ich für hiesige Verhältnisse ausg'sprochen auskunftsfreudig.«

Franziska schüttelte den Kopf. »Also wirklich, in so einem kleinen Dorf. Da kennt doch jeder jeden. Zumindest wird sie ihn schon mal gesehen haben. Legen Sie das Kärtchen mal beiseite. Wir werden unseren Privatdetektiv nach ihr befragen.«

»Gut, Chefin. Dann sind mir auch schon bei der Hausnummer vierzehne.« Er las vor: »Ich heiße Ilse Binder, bin alleinstehend und von Beruf Bildhauerin. Ich lebe nur während der Sommermonate in Kleinöd. Den jungen Brunner sah ich zuletzt vor etwa drei Wochen. Wir trafen uns am Briefkasten und grüßten uns. Geredet haben wir nicht miteinander.«

»Na bitte, das sind ja schon mehrere ganze Sätze. Das läßt mich hoffen.«

»Gegenüber von der Vierzehne liegt die Dreizehne: Der Blaue Vogel. Die Wirtin schreibt, daß sich der junge Brunner in den letzten Wochn öfter mal auf d'Nacht bei ihr ein paar Halbe kauft hätt – wann zuletzt, wüßt sie allerdings nimmer. Ich find's fei langsam schon komisch, was sich bei denen alles für Gedächtnislücken auftun.«

»So ist es eben, man lebt eng zusammen und nimmt doch nichts voneinander wahr, das Drama all unserer Ermittlungen«, seufzte Franziska und zündete sich eine Zigarette an. Sie zeigte auf das nächste Haus des Flurplanes.

»Die Leute von Haus Nummer elf scheinen auch nicht da gewesen zu sein. Oder haben Sie da ein Kärtchen?«

Bruno schüttelte den Kopf.

»Hier, Nummer neun, dort wohnen Eduard und Ottilie Daxhuber. Unser Detektiv hatte ja gestern abend alles ganz gut unter Kontrolle. Wenn wir nachher mit ihm reden, sollte ich ihn dafür loben. Falls ich es vergesse, geben Sie mir einen kleinen Schubs. Dann läßt er vielleicht noch mehr raus.«

»Auf seiner Karten hat er aber auch nix Brauchbares nicht hinterlassen«, sagte Bruno zweifelnd und gab ihr den Zettel. »›Weiß nichts‹ muß irgendwie der beliebteste Ausdruck in dem Dorf da sein.«

»Was ich nicht weiß, macht mich nicht heiß.«

»Charlotte Rücker, Haus Nummer sieben. Die hat einen Schnaps rumgehn lassen an der offenen Grub'n. Hat mir der Pichlmeier verzählt.« Bruno lachte. »Die schreibt zur Abwechslung ›kann mich nicht erinnern‹ statt ›weiß nichts‹. Vermutlich hat's zu tief ins Glasl einig'schaut.«

»Sie sah so aus, als könne sie was vertragen.«

»Da schaun S' her, Frau Hausmann, da ham mir noch einen gewissen Bernhard Döhring. Mehr wie seltsam, der wohnt nämlich als einziger ned da im Ort an der berühmten Hauptstraße, sondern Am Lindenhain 28. Halt einmal, Moment, da steht's ja: Das ist der Lebensgefährte von der Frau Rücker. Aus Adlfing kommt der.«

»Und, hat der wenigstens irgend etwas zu erzählen?«

»Ach wo, gar nix.« Bruno schüttelte den Kopf.

»Zehn. Zehn Kärtchen«, zählte Franziska. »Wer kommt nun?«

»Markus Waldmoser und Elisabeth Waldmoser. Er ist der Bürgermeister. Sie ist Hausfrau. G'sehen haben die überraschenderweise aber auch nix.«

»Es wäre ja auch zu schön gewesen. Mittlerweile glaube ich, das war keine gute Idee mit den Kärtchen. Was ist mit den Hausnummern drei und eins?«

»Die waren weder im Blauen Vogel noch an der Grub'n. Vielleicht sind's ja mit dem restlichen Dorf über Kreuz?«

Franziska nickte. »Wie womöglich auch die Nummern vier und sechs. In manchen Dorfgemeinschaften gibt es echte Fraktionen. Da, wo die einen hingehen, lassen sich die anderen nicht blicken.«

»War da ned noch eine alte Dame g'wesen gestern?« fragte Bruno.

»Ja, stimmt, jetzt, wo Sie es sagen … Wir sollten uns unbedingt das Video anschauen. Vielleicht schaffen wir das heute abend noch.«

Bruno ging erneut die Kärtchen durch. »Die alte Dame, die war's! Die ist uns abgangen, weil die hat keine Karte ned ausg'füllt nicht. Aber alte Damen sind ja gemeinhin harmlos. Trotzdem find ich's seltsam, daß die sich da als einzige raushält. Alle andern haben ja auch brav mitg'macht.«

Viertes Kapitel

Als sie wieder in den Ort zurückfuhren, sahen sie als erstes Eduard und Ottilie Daxhuber, die im Vorgarten von Frau Rücker standen und mit dieser heftig zu diskutieren schienen. Inmitten der Blumen wirkten die beiden Frauen mit ihren bunten Arbeitskitteln wie Teile eines Suchbildes.

»Halten Sie mal«, sagte Franziska zu Bruno. Sie stieg aus dem Wagen, warf ihre Zigarette in den Rinnstein und ging hinüber zu den dreien, deren Gespräch augenblicklich verstummte.

Vermutlich hatte man gerade über sie gesprochen. Sie haßte solche Situationen. Nach all den Jahren im Polizeidienst empfand sie immer noch eine eigenartige Scheu vor fremden Menschen, hatte sie noch immer das Empfinden, sich für ihr plötzliches Auftauchen und all ihre Fragen entschuldigen zu müssen. Insgeheim hatte sie den Verdacht, daß viele Menschen genau den Beruf wählten, der sie am meisten Überwindung kostete. Masseure hatten vermutlich Schwierigkeiten, andere Menschen zu berühren, Tierärzte Angst vor Tieren, Taxifahrer Herzklopfen beim Autofahren, und ihr übersetzender Mann Christian schien sich vor dem weißen Papier und dem leeren Bildschirm zu fürchten. Wie oft saß er da, mit den Händen auf der Tastatur, als sei es ein unwiderrufliches Vergehen, das falsche Wort zu tippen oder auch nur zu denken. Aber Papier war geduldiger als Menschen, und auf dem Papier konnten Fehler rückgängig gemacht werden.

Franziska fürchtete sich vor den Zeugenbefragungen. Ein falsches Wort, eine unbedachte Geste, und die Quellen verstummten für immer. Da konnte man nicht einfach von vorn anfangen und so tun, als sei nichts geschehen. Da war es nicht möglich, das Ergebnis der vergangenen Stunden oder auch nur Minuten zusammengeknüllt in den Papierkorb zu werfen, um noch einmal mit einem anderen Ansatz zu beginnen.

Um diese Unsicherheit zu überspielen, hatte sie sich ein besonders selbstsicheres Auftreten antrainiert. Es war eine Rolle, in der sie sich nicht wohl fühlte und die nicht zu ihr paßte. Sie nickte den beiden Frauen zu und wandte sich an den Mann.

»Herr Daxhuber, ich komme leider erst jetzt dazu, mich für Ihre Umsichtigkeit am gestrigen Abend zu bedanken. Das haben Sie wirklich gut gemacht.«

Eduard Daxhuber strahlte.

»Ich weiß ja nicht, ob Sie jetzt Zeit haben – aber wir hätten noch einige Fragen zum Ablauf, und ich fände es schön, wenn wir uns eine Viertelstunde unterhalten könnten.«

»Ja freilich, kommen S' nur mit eini.«

Ohne seine Frau oder Frau Rücker eines weiteren Wortes oder auch nur Blickes zu würdigen, verließ er den Vorgarten der Nachbarin und ging mit durchgedrücktem Kreuz zu seinem Haus. Franziska folgte ihm, während Bruno in der Einfahrt parkte und sich dann sputen mußte, um nicht abgehängt zu werden.

Eine winzige Sekunde lang fragte sie sich, ob es klug gewesen war, die zwei Frauen nicht extra angesprochen zu haben. Beleidigte Zeugen waren verstockte Zeugen. Sie zögerte. Vielleicht war ja noch was zu retten. Sie drehte sich im Gehen um und rief ihnen winkend zu. »An Sie beide hätte ich übrigens auch die eine oder andere Frage. Vielleicht schaffe ich es ja heute noch, ansonsten sehen wir uns spätestens morgen.«

Er führte sie ins Wohnzimmer. Bruno holte ein Diktiergerät aus der Tasche und legte es auf den Tisch. »Macht Ihnen nix aus, oder?«

»Ach wo, paßt schon.« Eduard Daxhuber lachte kurz und abgehackt. »Ich hab ja schließlich nix zum verbergen nicht. Darf ich Ihnen was anbieten? Einen Kaffee oder einen Tee? Ein hupfert's Wasser hätt ich auch?«

Sie entschieden sich für »hüpfendes« Mineralwasser mit Kohlensäure, und er verschwand.

Franziska ließ ihren Blick durch das Zimmer streifen. Die zwei Fensterbänke standen voll mit Blumen, an den Wänden über der Eckcouch hingen gestickte Gobelins mit biblischen Szenen sowie aus Puzzleteilen angefertigte Städteansichten. Der Eiffelturm in Paris, der Petersdom von Rom, der venezianische Markusplatz – und die zwei Türme des New Yorker World Trade Center bei Nacht. Franziska zuckte unmerklich zusammen. Diese beiden Türme waren vor einiger Zeit zum Sinnbild ihrer Lebenskrise geworden. Schnell wandte sie sich zur Seite. Ein großer Schrank mit gedrechselten Säulen und gelben Butzenscheiben nahm die gesamte Fläche der Längswand ein. Darin integriert ein Fernsehgerät mit überdimensionalem Bildschirm.

Auch der Couchtisch, auf dem neben einer Fernsehzeitung nur die Fernbedienung für das TV-Gerät lag, hatte gedrechselte Füße. Ein ziemlich kleiner Raum, vollgestopft mit Nippes – ein Schatzkästlein für Erinnerungen und offensichtlich der Stolz der Hausfrau, die vermutlich hier an langen Winterabenden ihre Gobelins stickte, während ihr Gatte zum nebenbei laufenden Fernsehprogramm Puzzleteile sortierte und ineinandersteckte.

Eduard Daxhuber kam mit einem Tablett, einer Wasserflasche und zwei Gläsern zurück. Er schien sich zwischenzeitlich sein Haar gekämmt zu haben. Der Scheitel war wie mit dem Lineal gezogen, die Strähne, die ihm gewöhnlich in die Stirn fiel, mit Wasser gebändigt worden.

»Naßkämmer«, schoß es Franziska durch den Kopf. Christian benutzte dieses Wort, um ihm unangenehme Leute zu charakterisieren. Doch wirklich zuwider war ihr dieser Mann nicht. Er konnte schließlich noch sehr nützlich sein. Sie nickte ihm freundlich zu.

»Wir haben das Video von gestern abend noch nicht ausgewertet, aber vielleicht können Sie uns zunächst einmal sagen, wer alles auf dem Hof war, nachdem Sie und Herr Langrieger die Leiche entdeckt hatten. Dann fällt es uns sicher leichter, die Personen unseren Kärtchen zuzuordnen.«

Er widersprach nicht. »Sie und Herr Langrieger«, das war wie Musik in seinen Ohren. Er sagte nicht, daß es genau umgekehrt gewesen war, daß Sepp ihn zu Hilfe geholt hatte. Eigenartigerweise war er in dem Moment, da Franziska ihm die Hauptzeugenschaft unterschob, auch sofort davon überzeugt, den Toten als erster gefunden zu haben. Er war wichtig. Er setzte sich kerzengerade auf die Kante des Sessels.

»Lassen S' mich einmal überleg'n.«

Während Eduard Daxhuber schweigend Anzahl und Identität der gestern abend anwesenden Personen unter Zuhilfenahme seiner zehn Fingern rekonstruierte, legte Bruno die Karteikärtchen verdeckt auf den Tisch. Er fühlte sich ein bißchen so, als sei er zu einem Kartenspiel aufgefordert, dessen Regeln er nicht kannte. Dabei haßte er Kartenspiele.

»Also, der Sepp war logisch da und ich auch, und die Otti, meine Frau, dann die Frau Rücker und der ihr Lebensabschnittsgefährte, hahaha, ein ganz ein komischer Vogel ist das, der wo allerweil alles besser weiß … Dann die Frau Binder, die wohnt da gleich schräg gegenüber und ist eh bloß im Sommer da, die junge Blumentritt und die alte, ihre Mutter halt. Daß die die auch noch mit ang'schleppt hat, das war ja echt der Hammer, aber ich glaub schon bald, die kann ihre Mutter keinen Moment lang mehr allein lassen. Ist schon tragisch mit denen zwei.«

Er wartete auf eine Zwischenfrage, aber Franziska und Bruno schwiegen und sahen ihn an.

»Ja, und nachad hab ich mit dem Handy von der jungen Blumentritt den Ade ang'rufen, ich mein den Herrn

Schmiedinger, und der ist dann mit seinem Kollegen kommen, der, glaub ich, Pichlmeier heißt. Den kenn ich aber ned direkt näher. Hernach ist dann noch der Markus dazukommen, unser Bürgermeister – Waldmoser schreibt sich der mit Nachnamen – mit seiner Frau, der Elisabeth. Ach richtig, die Frau vom Schmiedinger ist dann auch noch irgendwann auftaucht. Die wohnt ja eh gleich da, wo das Dorf anfangt. Wahrscheinlich hat ihr der Adolf selber Bescheid g'sagt. Damit sie sich gleich auskennt und er ihr ned noch einmal alles von vorn erzählen muß, wenn er heimkommt. Wissen S', die beschwert sich nämlich ständig in einer Tour im ganzen Dorf, daß ihr Mann ned viel reden und ihr nie nix sagen tät.«

»Stimmt soweit alles mit unsere Karten überein«, stellte Bruno fest, der nach und nach die Kärtchen aufgedeckt ham. »Wie mir schon festg'stellt ham, hat sich als einzige die alte Frau Blumentritt ned schriftlich g'äußert.«

»Mei, die ist halt auch sauber krank«, sagte Eduard Daxhuber mit betretener Miene. »Alzheimer. Total sinnlos, die überhaupt irgendwas zum fragen. Die weiß ja noch ned einmal mehr, wie daß sie heißt. Die arme, arme Lydia. Dabei war das einmal eine so eine g'scheite Frau, die hat ja früher als Lehrerin g'arbeitet. Mir alle haben von ihr das ABC g'lernt – und jetzt hat's selber völlig drauf vergessen, wie die Buchstaben ausschaun und zu was die gut sind. Wirklich wahr! Ganz, ganz tragisch ist das.«

»Und ihre Tochter pflegt sie?« fragte Franziska.

»Ja, die Marlene. Ein ganz ein tapfer's Madel ist das. Stellen S' Ihnen nur vor, die muß sich immer wieder ganz neu mit der Mutter bekannt machen. Jeden Tag in der Früh bei Adam und bei Eva anfangen. Eine grausliche G'schicht ist das.«

Franziska nickte verständnisvoll. »Ja, damit wäre unsere wichtigste Frage geklärt. Ich glaube, es hat dann auch gar keinen Sinn, mit der alten Dame zu sprechen.« Sie sah ihr Gegenüber fragend an, als appelliere sie an sein Expertentum.

Eduard Daxhuber nickte zustimmend. »Selbst wenn die den jungen Brunner umbracht hätt – davon wüßt die längst schon gar nix nimmer.« Er lachte laut und schrill auf, unterbrach sich aber sogleich wieder und nahm die Hand vor den Mund.

»Apropos Brunner. Vielleicht ist Ihnen ja noch etwas dazu eingefallen. Haben Sie ihn in den letzten Tagen vielleicht gesehen, war an ihm irgend etwas Besonderes?«

Eduard Daxhuber schüttelte energisch den Kopf, sah zu Boden und zählte langsam bis fünf. Zu schnelle Antworten waren verdächtig. Wer immer auf alles gefaßt war, gab damit sein schlechtes Gewissen preis. Natürlich hätte er nun das mit den Briefkästen erzählen können. Aber was würden sie dann von ihm denken, diese Hauptkommissarin und ihr Assistent? Seine ganze Beobachtungsgabe wäre doch nichts mehr wert, wenn er ausgerechnet jetzt damit herausrückte, ein so wichtiges Detail einfach nicht auf dieser blöden Karte notiert zu haben.

»Vielleicht hören S' ja noch was«, meinte Bruno. »Täten S' uns dann bittschön informieren? Manchmal wird ja untereinander g'redt, und im G'spräch ergibt sich dann wie von selber noch das eine oder andere.«

»Wie ist der denn jetzt überhaupt ganz genau g'storb'n?«

»Wir wissen es noch nicht.« Franziska sah ihm direkt in die Augen. »Wir wissen nur, daß ihm die Kehle durchgeschnitten wurde. Heute abend gehen wir in die Gerichtsmedizin. Dann erfahren wir hoffentlich mehr. Haben Sie ihn eigentlich näher gekannt? Was für ein Mensch war er?«

»O meiomei, wie man halt jemand flüchtig kennt. Man sagt grüß Gott, aber so richtig g'redt hab ich nie nix mit dem. Der hat ja auch ned da ins Dorf nicht herg'hört. Der hat mit die Eltern einen Hof oben auf dem Hügel bewirtschaftet.«

»Die Wirtin vom Blauen Vogel gibt an, daß er in ihrem Lokal in jüngster Zeit öfter mal ein Bier getrunken habe.«

»Aber dabei ist der jeweils nur ganz allein an seinem Tisch g'sessen und hat vor sich hing'starrt.«

»Meinen Sie denn, er hatte Sorgen?«

»Der? Garantiert ned! Das täten Sie nie ned glauben, das meint man ja gar nicht, wie viel g'spickt daß die Brunners sind. Richtige G'wappelte sind das, die machen Geld wie Heu mit ihrem Bio-Hofladen. Die bringen ja gar ned genug her von ihrem Graffel da, dem sündteuren. Die Blöden sterben halt ned aus, sondern rennen denen die Bude ein. Ich kauf mein Fleisch und mein Brot und mein G'müs lieber beim Super 2000 oder eing'froren beim Aldi, da zahl ich immer noch mehr als g'nug, aber viel weniger, und schmecken tut's mir und der Otti einwandfrei. Ach wo, Sorgen hat der g'wiß keine ned g'habt.«

»Na ja, vielleicht ned unbedingt Geldsorgen«, gab Bruno zu bedenken. »Aber manchmal macht man sich ja Sorgen um die Zukunft, die G'sundheit oder seinen Lebensplan.«

Eduard Daxhuber starrte ihn irritiert an und hob dann die Schultern. »Lebensplan? Was meinen S' denn jetzt damit? Das könnt womöglich schon sein, aber von so was hab ich ned die geringste Ahnung nicht.«

Sie saßen noch nicht einmal richtig im Wagen, da hatte Franziska sich schon eine Zigarette angezündet. »Nichtraucher und Naßkämmer«, murmelte sie. Sie fand es auf eine kindische Art ungerecht, nicht überall einen Aschenbecher und begeisterte Mitraucher zu finden. Außerdem war es ihr peinlich und zuwider, danach fragen und so ihre Abhängigkeit offenbaren zu müssen. Hausbesuche bei Nichtrauchern machten sie deshalb nervös, und zusätzlich zu der Nervosität wurde sie von einem Gefühl der Minderwertigkeit gelähmt, so daß sie oft das Empfinden hatte, etwas Wesentliches zu verpassen, weil sich ihr Denken vorrangig auf eine Zigarette anstatt auf den Augenblick konzentrierte. Und dann auch noch dieses verdammte Puzzle vom World Trade Center. Das war einfach nicht ihr Tag.

»Was haben S' g'sagt?«

»Nichts, nichts Besonderes«, gab sie schnell zur Antwort. »Mich wundert, daß hier so wenig Trauer zu spüren ist, und, um auch dieses abgedroschene Wort mal wieder einzusetzen: so wenig Betroffenheit. Nicht einmal so etwas wie Entsetzen habe ich bemerkt. Selbst der alte Langrieger hatte sich schon wieder gut im Griff. Dabei gehört es doch nun wirklich nicht zur Tagesordnung, die Leiche eines jungen Mannes zu finden. Und dann auch noch der blöde Witz von diesem Daxhuber, daß die alte Blumentritt, selbst wenn sie den jungen Mann umgebracht hätte, es mittlerweile nicht mehr wissen würde. Also nein, ich finde so was makaber und überhaupt nicht komisch. Was ist nur mit den Menschen los? Gibt es denn kein Mitgefühl mehr?«

»Vielleicht liegt's ja daran, daß überhaupt endlich mal irgendwas passiert ist da im Ort«, unterbrach Bruno sie. »Wenn sonst nie was los ist, dann ist das eigentlich völlig wurscht, was passiert. Die Hauptsache ist, daß es endlich mal wieder ein wichtig's Thema gibt, wo alle miteinander drüber reden können. Ich find, daß die Leut vom Dorf so g'sehn schon irgendwie aufg'wühlt sind. Was meinen denn Sie, wozu die Daxhubers bei der Rücker umeinanderg'standen sind? Die haben gewiß ned bloß über die Blumen nicht g'redet, das garantier ich Ihnen! Der Tote ist da gar ned so wichtig nicht, der ist da quasi bloß ein Platzhalter für die lange entbehrte Sensation, sozusagen eine austauschbare Figur, wenn S' denn so wollen.«

»Platzhalter – eine interessante These.« Franziska drückte ihre Zigarette aus und zündete sich augenblicklich eine neue an. »Möglicherweise wurde er ja nur mit jemandem verwechselt? Vielleicht sollte ja ein ganz anderer getötet werden?« Sie sah nachdenklich aus dem Fenster.

»Oder eine seiner vielen Identitäten«, sagte Bruno nach einer Weile. »Ich hab noch einmal über dem seine Ordner nachdacht – und über die Bemerkung von Ihnen. Es könnt doch leicht sein, daß der gar keine fremden G'spräche ned belauscht hat – oder wie man das sonst halt nennt im Internetjargon: besichtigt, beobachtet, mitg'lesen. Der Brunner könnt doch auch selber unter den verschiedensten Namen ins Netz gangen sein. Praktisch unter lauter Pseudonyme. Deswegen die genaue Auflistung von denen Chat-Gschichten. Als ein Herr A hat der dann mit einer Frau B kommuniziert, als ein Herr B mit einer Frau C und so weiter und so fort. Er hat immer genau Bescheid wissen müssen, unter welcher Identität er sich mit welcher Frau über welches Thema austauscht hat, was er schon oder noch ned erwähnt g'habt hat und was für ein Bild von sich selber er wem geben g'habt hat. Deswegen hat der die akribischen Protokolle braucht. Zwecks dem Behalten vom Überblick über seine Akivitäten.«

»Interessant«, meinte Franziska. »Und der Ehemann von Frau D beispielsweise wäre hinter ihren Flirt im Netz gekommen und rasend vor Eifersucht nach Kleinöd gekommen, um seinen virtuellen Nebenbuhler zu beseitigen. Wenn Sie recht hätten, Bruno, dann wäre der Schlüssel für den Mord im Internet zu finden. Und nach allem, was ich darüber weiß, hätten wir dort so gut wie keine Chancen, ihn zu finden.«

»Der Schlüssel könnt aber auch in seinen Unterlagen oder auf seiner Festplatte versteckt sein.«

»Gibt es jemanden von der Kriminaltechnik, den wir dazu heranziehen könnten, all das Zeug zu durchforsten?«

»In Landau g'wiß ned. Vielleicht in einer von die größer'n Abteilungen in Minga oder in Nürnberg.«

»In München?« Sie schüttelte den Kopf. »Die haben genug anderes zu tun. Da komme ich ja her. Nee, nee, mein Lieber, wenn wir die Münchner damit beauftragen, kriegen wir frühestens in zehn Jahren eine Antwort – und dann gibt es das Internet in seiner heutigen Form schon gar nicht mehr.« Sie seufzte. »Ich fürchte, wir werden selbst das ganze Zeug lesen müssen.«

»Das stell ich mir fei sogar irgendwie gar ned einmal so total unint'ressant vor«, murmelte Bruno und wunderte sich über Franziskas überraschten Blick.

Dr. Richard Röder sah auf die Uhr. »Wollten die nicht heute noch kommen, die Kommissarin und ihr smarter Mitarbeiter?«

»Doch, doch, man hat extra angerufen. Wir sollen unbedingt auf sie warten«, bestätigte Gustav Wiener.

»Jetzt ist es schon sechs. Eigentlich hätte ich schon seit zwei Stunden Feierabend. Daß die sich nie an ihre Termine halten!«

»Die haben keinen genauen Termin genannt. Nur daß sie heute kommen«, stellte Gustav Wiener klar und wusch sich zum x-ten Mal die Hände. Er hatte den ganzen Vormittag damit verbracht, den Toten auszuziehen und zu waschen. Er wollte heim und duschen oder, besser noch, ein Wannenbad nehmen, dann eine Flasche Wein öffnen und das alles vergessen. Es war der erste Ermordete, den er in seiner Laufbahn als Gerichtsmediziner vor sich liegen gehabt hatte, und auch sein Chef machte den Eindruck, als habe er so etwas noch nicht so oft gesehen.

Am schlimmsten war es gewesen, den Toten zu entkleiden und die stinkende, vom Abwasser durchtränkte Kleidung zu untersuchen. Das einzige, was sie darin gefunden hatten, waren ein Portemonnaie und ein Schlüssel, und Röder hatte ihm gesagt, er solle alles ordentlich unter klarem Wasser abspülen, denn Fingerabdrücke seien da sowieso nicht mehr drauf zu finden.

Etwas war anders an diesem Toten, dachte Gustav Wiener, als er auf den Untersuchungstisch blickte, und plötzlich wurde ihm klar, was das gewesen war. Der da hatte nicht so friedlich ausgesehen wie die anderen: Der

Schrecken, in dem sein Gesicht erstarrt war, schien den ganzen Raum zu füllen. Alle Leichen, die in den letzten Jahren zu ihnen gebracht worden waren, schienen zu schlafen, schienen sich abgefunden zu haben mit der Endgültigkeit, hatten eine Art Frieden mit der Vergangenheit geschlossen. Sie ließen ihn meist an Gefäße denken, in denen ein Mensch gewohnt hatte und die nun nicht mehr benutzt wurden. Es hatte stets eine gewisse Distanz gegeben zwischen dem Körper, der unter ihren Messern lag, und ihnen, die sie diesen Körper untersuchten.

Aber bei diesem Toten war es anders. Als hätte die Seele keine Zeit gehabt, sich mit dem plötzlichen Ende abzufinden, als würde sich das Entsetzen, das sich in den letzten Sekunden in diesem Menschen ausgeweitet haben mußte, die ganze Umgebung beeinflussen. Jetzt sah er immerhin schon ein wenig friedlicher aus unter seinem weißen Laken. Aber das erste Bild hatte sich tief in Gustav Wieners Kopf eingebrannt, und er wußte, daß es dort noch für eine sehr lange Zeit bleiben würde.

Auch sein Chef war während der Untersuchung auffällig still gewesen. Er hatte nicht wie sonst mit einem flapsigen »Auf geht's beim Schichtl« seinen Kittel zugeknöpft und zielstrebig mit der Arbeit begonnen, sondern lange und schweigend das Gesicht betrachtet, um dann mit einer barmherzigen Handbewegung die Augen des Toten zu schließen.

Jetzt war es halb sieben, und Richard Röder goß sich einen Cognac ein. »Wollen Sie auch?«

Gustav Wiener nickte.

»Manchmal braucht man einfach ein Schlückchen«, sagte Dr. Röder wie zur Entschuldigung und ließ sich in einen Stahlrohrsessel fallen. »Es war ein anstrengender Tag.« Er sah blaß aus und müde und schien mindestens zwei Kilo abgenommen zu haben. »So einer ist nichts mehr für mich«, murmelte er. »Jetzt bin ich extra aufs Land gezogen, um nicht länger mit diesen ganz üblen

70

Sachen konfrontiert zu werden. Wir hatten ja Glück in den letzten Jahren. Höchstens mal ein Selbstmord mit Schlaftabletten, ein Herzinfarkt, das Schlimmste war noch diese Frau, die sich von der Autobahnbrücke stürzte, dazu ein paar Autounfälle. Aber dann so was! Ich werde ja auch nicht jünger. Ich mag mir so was einfach nicht mehr ansehen müssen!«

»Wer will das schon?« murmelte Gustav Wiener und nahm einen Schluck aus seinem Glas.

In diesem Moment klingelte es. »Na endlich.« Dr. Röder wuchtete sich aus dem Sessel, zog den weißen Kittel straff und ging zur Tür.

»Tut mir leid«, sagte Franziska. »Ich bin eigentlich ein sehr pünktlicher Mensch.«

»Wir hatten ja keine Uhrzeit ausgemacht, ist schon gut.«

Zu viert standen sie vor dem Seziertisch. Gustav Wiener nahm das Laken ab. Er sah Franziskas Mitarbeiter an, und insgeheim freute es ihn, daß dieser voller Entsetzen den Blick abwandte, sich zur Seite drehte und ein Würgen unterdrückte. Dieser Schönling! Was hätte er nur gemacht, wenn er heute vormittag dabeigewesen wäre! Vermutlich sah er zum erstenmal die Schattenseiten des Lebens. Gustav Wiener gönnte es ihm von Herzen.

»Er hat sehr viel Blut verloren«, erklärte Dr. Röder. »Deshalb sieht er ungewöhnlich blaß aus.«

»Können Sie schon was zum Todeszeitpunkt sagen?«

»Der Zustand der Leiche macht eine genaue Bestimmung nicht gerade einfach. Nach dem Stadium des Befalls durch Maden und Insektenlarven kann man nur ungefähr darauf schließen, daß sie seit etwa vier bis fünf Tagen in der Sickergrube gedümpelt haben muß. Ich würde mal auf die Nacht von Sonntag auf Montag tippen.«

»Und – was genau ist passiert?«

»Ein scharfer Schnitt durch die Kehle. Ich dachte erst an ein Rasiermesser, aber es könnte auch eine Sichel oder eine Sense gewesen sein – wobei ich mir bei letzterem nicht sicher bin. Er war nicht gleich tot. Es müßten Blutspuren zu finden sein. Er wurde blutend zu diesem Loch geschleppt und dann hineingestoßen, seine Lunge war voll mit Fäkalien.«

Bruno würgte.

»Hat die Spurensicherung sich schon dazu geäußert?« frage Franziska.

»Mit denen hab ich noch gar ned g'sprochen«, erwiderte Bruno.

»Meine Güte, wozu haben Sie denn ein Handy?«

»Vielleicht erreich ich ja nachher noch wen. Sonst kümmer ich mich gleich morgen früh drum.«

»Okay.« Franziska biß sich auf die Lippen und nickte ihm zu. Dann wandte sie sich wieder an Dr. Röder. »Heißt das, er ist ertrunken?«

»Ertrunken, verblutet, erstickt. Alles gleichzeitig.«

»Das ist ja entsetzlich. Den Eltern sollten wir diese Einzelheiten auf jeden Fall ersparen. Wie lang hat es gedauert, bis ...«

»Nicht lange. Ein paar Minuten höchstens. Außerdem muß er gleich bewußtlos gewesen sein. Er kann nicht allzuviel davon mitgekriegt haben.«

»Haben Sie irgendwelche Hinweise auf den Tathergang?«

»Der oder die Täter, nein, ich vermute, daß es nur einer war, hat ihn von der Seite angegriffen und dann mit voller Wucht den Schnitt angebracht. Die Art und Weise, wie der Schnitt angesetzt ist, läßt darauf schließen, daß der Täter etwas kleiner als das Opfer gewesen sein muß. Schauen Sie mal, der Schnitt geht von oben nach unten.«

Franziska beugte sich über die Leiche. Bruno trat einen Schritt zurück.

»Wie groß ist er?«

»Eins dreiundsiebzig.«

»Und um wieviel kleiner müßte der Täter gewesen sein?«

»Fünf bis fünfzehn Zentimeter. Das ist schwer zu sagen.«

»Und wenn sich der Täter nach vorn gebeugt hätt?« schlug Bruno vor, der es weiterhin krampfhaft vermied, auf den Seziertisch zu schauen.

»Das glaube ich nicht. Mit der Haltung hätte er nicht eine solche Wucht in den Angriff legen können.«

»Das heißt also, daß mir praktisch alle Personen ausschließ'n könnten, die was größer sind als wie einsachtundsechzge?«

»Aus dem Bauch heraus würde ich Ihnen zustimmen – andererseits, viele kleine Männer tragen heutzutage Schuhe mit Plateausohlen. Achten Sie bei Ihren Verhören darauf. Nur ein kleiner Tipp. Könnte doch sein, daß er an dem Abend flache Schuhe trug, beim Verhör aber wieder welche mit Absätzen.«

»Könnte es auch eine Frau gewesen sein?« fragte Franziska.

»Schwer zu sagen. Im Prinzip ja, aber dann muß sie sich in einer Extremsituation befunden und außerordentliche Kräfte entwickelt haben.«

»Soll ja vorkommen«, murmelte Franziska.

Gustav Wiener schüttelte heftig den Kopf. »Eine Frau würde so etwas nie machen. Die arbeiten lieber mit Gift. Und außerdem: Der wurde ja auch noch vom Tatort weggebracht und in die Grube geworfen. Und gerade das finde ich so brutal. Ich glaube nicht, daß eine Frau die Nerven hätte, so etwas zu tun. Und Männer sind grundsätzlich meist schwerer als Frauen – der hier wiegt einundachtzig Kilo.«

»Es geht hier nicht um Psychologie, es geht um Fakten.« Richard Röder bedachte seinen Mitarbeiter mit einem vorwurfsvollen Blick. »Ein paar Punkte wissen wir, und die kann ich noch mal zusammenfassen: Es muß in der Nacht von Sonntag auf Montag passiert sein. Der Täter muß kleiner gewesen sein als das Opfer. Der Täter hat das

Opfer auf der Straße angegriffen. Darauf deuten Asphaltpartikel hin, die wir unter der Gesichtshaut des Toten gefunden haben. Dann wurde das Opfer in den Hof geschleppt und in die Grube geworfen. Das heißt, der Tatort muß die Straße sein – wie viele Straßen sind in Kleinöd asphaltiert?«

»Nur die Hauptstraße?« meinte Franziska und sah Bruno fragend an.

»Werd ich morgen prüfen«, antwortete der.

Richard Röder fuhr fort: »Das Opfer hatte vorher ziemlich viel getrunken, wir haben etwa zweieinhalb Promille in seinem Blut gefunden, des weiteren hat er gut gegessen – Schweinebraten, Knödel, Blaukraut – und zum Nachtisch gebrannte Mandeln. Ach, Herr Wiener, holen Sie doch bitte mal die Sachen, die wir in seinen Taschen gefunden haben.«

Franziska nahm das Portemonnaie und den Schlüsselbund mit einer Zange aus der Petrischale und ließ beides in einen Plastikbeutel fallen, den sie aus den Tiefen ihrer Handtasche herausgeklaubt hatte.

»Das ist nicht nötig«, wurde sie von Gustav Wiener belehrt. »Wir haben alles abgewaschen. Es stank so fürchterlich. Dr. Röder ist davon überzeugt, daß durch das Aufweichen im Abwasser sowieso alle Fingerabdrücke verschwunden sind – wenn überhaupt welche dran waren.«

»Die vom Brunner werden schon dran g'wesen sein«, warf Bruno Kleinschmidt ein. Die besserwisserische Art dieses Gustav Wiener ging ihm auf die Nerven.

Franziska kippte den Beutel wieder aus. »Da haben Sie sicher recht. Reine Gewohnheit.« Der Inhalt der Plastiktüte fiel neben die Hand des Toten. Die drei Männer beobachteten Franziska. Sie straffte sich und nahm mit steifen Fingern Schlüsselbund und Geldbörse an sich.

»Ein Raubüberfall war es nicht. Das Geld ist noch da. Zweihundertsiebzig Euro und dreißig Cent.«

»Zu einem Volksfest nimmt man doch nicht so viel Geld mit!« Gustav schüttelte verständnislos den Kopf.

»Wieso Volksfest?«

»Na, die gebrannten Mandeln.«

»Stimmt. Gut beobachtet. Das müssen wir auch überprüfen.« Sie sah Bruno an. Der nickte.

»Okay, das wär's für heute.« Sie wies auf die Leiche und wandte sich an Richard Röder. »Können Sie den noch ein bißchen zurechtmachen? Ich möchte morgen mit seinen Eltern hier vorbeikommen. Die Leiche muß noch offiziell von ihnen identifiziert werden, auch wenn alle Dorfbewohner ihn bereits erkannt haben.«

»Ja, sicher, Sie müßten allerdings vorher die Untersuchung amtlicherseits für abgeschlossen erklären.«

»Gegenfrage: Wie sehen Sie denn die Sache?«

»Für uns ist der Fall klar«, sagte der Arzt und suchte Gustav Wieners Blick. »Wir wissen, wann und wie er gestorben ist, wir haben ein Protokoll gemacht – da wird nichts mehr nachkommen.«

»Das heißt, er könnte dann auch gleich zur Bestattung freigegeben werden?«

»Ja.«

»Gut, auch das werde ich den Eltern mitteilen.«

Sie konnte sich nicht daran erinnern, jemals in ihrem Leben so müde gewesen zu sein. Bruno hatte sie vor ihrem Haus abgesetzt, und sie hatte nur noch an eins gedacht: Schlafen, schlafen, schlafen. Es war halb neun abends. Laut maunzend begrüßte der Kater sie, als sie die Wohnungstür öffnete. Schiely strich um ihre Beine und preschte dann vor ihr her in die Küche. Erwartungsfroh setzte er sich vor seinen leeren Freßnapf.

»Christian, hast du etwa vergessen, den Kater zu füttern?« Sie erschrak vor ihrer eigenen Stimme. Sie hatte einen vorwurfsvollen und zugleich wütenden Unterton.

Ihr Mann gab keine Antwort. Und obwohl ein Blick auf das Schlüsselbord genügte, um zu wissen, daß er nicht da war, ging sie durch die ganze Wohnung und suchte ihn.

»Scheiße«, murmelte sie, hockte sich zu dem Kater auf den Küchenboden, streichelte ihn und öffnete eine Dose mit seinem Lieblingsmenü. »Er hätte wenigstens eine Nachricht hinterlassen können.«

Es lohnte sich nicht, das Bett zu machen. Sie kroch zwischen die zerknüllten Laken und zog sich die Decke über den Kopf. Wo konnte er nur sein? Ob er eine andere hatte? So toll war ihre Ehe nicht; sie lebten nebeneinander her, und nur gelegentlich gab es Momente der Nähe. Jeder hatte sein eigenes System. Sie mit ihren Ermittlungen, er mit seinen Übersetzungen. Er war jetzt zweiundfünfzig und sie achtundvierzig. Vielleicht hatte es ihn erwischt wie in einem schlechten Roman. Eine Fünfundzwanzigjährige strahlt ihn an, und er denkt, er kann noch einmal ganz von vorn anfangen, ein zweites Leben beginnen. Er als Hausmann – nomen est omen –, der die gemeinsamen Kinder großzieht und nebenbei halbherzig seine Übersetzungen anfertigt, während seine neue Frau und die Mutter der Kinder in der Welt da draußen Karriere macht und sich einen Liebhaber nach dem anderen leistet. Franziska ertrank in Selbstmitleid. Sie weinte. Ein zweites Leben. Und plötzlich war es wieder da: Hermann Brunner hatte nicht einmal ein erstes Leben gehabt.

Etwas Unschuldiges hatte dieser Leichnam auf dem Seziertisch an sich gehabt, fast etwas Unberührtes. Schneeweiße Haut. Der Körper war niemals irgendwo anders gewesen als in diesem niederbayerischen Flecken. Hermann Brunner hatte immer im Elternhaus gewohnt, zuletzt in seiner eigenen Wohnung. Er hatte immer die gleichen Menschen gesehen – neue Gesichter nur in der Zeitung und auf dem Fernsehschirm. Tagein tagaus hatte er dreimal täglich mit seinen wortkargen Eltern am Tisch gesessen und wortkarge Gespräche geführt, die sich um das Wetter, die Ernte oder die Kälbermast drehten. Nur dieses eine, auf diesen winzigen Fleck Erde reduzierte Leben. Wenn sie ihre Biographie mit der seinen verglich, so war ihre Vergangenheit abwechslungsreich, voller Abenteuer und Aufregungen gewesen. Schule, Grundausbildung bei der Bereitschaftspolizei, ihr plötzlicher Wunsch, mehr aus sich zu machen und das Abitur nachzuholen, der Umzug nach München. Die Wohngemeinschaft, in der sie dort lebte. Wechselnde Beziehungen, jedesmal die Option auf eine andere und großartigere Zukunft, Trennungen, Dramen, neue Ziele. Nebenbei Praktika in den unterschiedlichsten Polizeiinspektionen, ihr Aufstieg zur Dienstgruppenleiterin. Ein Studium an der Polizeihochschule und Einsätze vor Ort.

So viele Freundinnen hatte sie gehabt und wieder verloren, wenn sich die Wege trennten. Jochen Gorenko, ihr Kollege und erster Mann. Er war bei einem Routineeinsatz ums Leben gekommen, erschossen von einem durchgeknallten Autofahrer. Damals hatte sie sich geschworen, sich nie wieder mit einem Polizisten einzulassen. Die Jahre des Alleinlebens und der Einsamkeit – sie hatte sehr darunter gelitten, aber heute wußte sie, daß diese Zeit wichtig für sie gewesen war.

Und dann die Begegnung mit Christian. Elf Jahre war das jetzt her. Irgendwann hatte es in ihrer Beziehung zu kriseln begonnen. Franziska war damals zur Hauptkommissarin befördert worden, und Christian hatte ihr sofort prophezeit, daß man sie nur deshalb befördert habe, damit sie freiwillig mehr Überstunden mache. Wie recht er gehabt hatte. Damals in München war sie pausenlos im Einsatz gewesen, ständig hatte es etwas zu überprüfen gegeben, Wohnungen zu überwachen, Straßensperren einzurichten, Verdächtige zu verhören, den Arbeitsablauf zu organisieren, Papiere durchzusehen, Protokolle zu unterschreiben, Straftäter festzunehmen, der Staatsanwaltschaft vorzuführen und in die immer voller werdenden Untersuchungsgefängnisse einzuweisen. Dazu Streitgespräche mit Anwälten, Drohungen, Verleumdungen und immer viel zu wenig Schlaf.

In diesen Tagen war sie in ihre »Krise« abgerutscht, wie sie es heute nannte. Sie dachte nicht gern daran zurück, aber die Bilder schossen wie automatisch an ihren geschlossenen Augen vorbei und machten sie wütend und ängstlich zugleich. Daran waren die Daxhubers schuld. Dort hing das Bild von den Twin Towers. Ein Puzzle aus dreitausend Teilen. So viele Teile, wie es Tote gegeben hatte.

Plötzlich war er wieder da, ihr Verdacht, daß viele Menschen, darunter auch etliche aus Deutschland, den bislang größten Terroranschlag des 21. Jahrhunderts dazu genutzt hatten, um sich klammheimlich aus dem Staub zu machen. Da es unmöglich war, jede einzelne Leiche zu identifizieren, genügte es, einen gerichtlich ausgestellten Totenschein vorzuweisen, um entweder Versicherungssummen zu kassieren oder sich lästigen Verpflichtungen, vor allem Alimentezahlungen, zu entziehen. Schließlich war das World Trade Center im Laufe eines ganz normalen Tages von mehr als einhundertfünfzigtausend Menschen besucht worden – und nur die wenigsten von ihnen hatten einen Passierschein oder ein Namensschild. Besucher, Leute, die sich zu einem Vorstellungsgespräch einfanden, Stadtkuriere. Wie verlockend mußte es gewesen sein, sich in die Reihen der Opfer eingliedern zu lassen und einen Neuanfang zu wagen.

Je mehr sich ihr Anfangsverdacht erhärtete, um so mehr weitete sich ihre Obsession zur fixen Idee. Sie hatte aufgehört, mit ihren Kollegen darüber zu reden, hatte gespürt, daß man sie nicht ernst nahm, und einmal hatte sie sogar gesehen, wie jemand mit dem Kopf in ihre Richtung wies und sich dabei an die Stirn tippte. Dem wollte sie es zeigen. Dem und allen anderen. Heimlich hatte sie weiterrecherchiert, Überstunden gemacht, so gut wie gar nicht mehr geschlafen und dann herausgefunden, daß einige der von ihr Verdächtigten tatsächlich genau so gehandelt hatten, wie sie befürchtete.

Die Vorgehensweise war im Prinzip immer die gleiche. Die angeblichen WTC-Opfer hatten auf den Tag des Attentats rückdatierte Postkarten oder Briefe geschrieben und so oder so ähnlich ihr Vorhaben angekündigt: »Morgen gehe ich ins World Trade Center. Da wollte ich schon immer mal hin. Ich nehme eine frühe U-Bahn, so daß ich meinen Zehn-Uhr-Termin noch einhalten kann. Bis dann, alles Liebe.« Als diese Grüße in Deutschland ankamen, waren die Konten der Absender schon bis auf ein Minimum leergeräumt, und Franziska war sich sicher gewesen, daß sie sich in einer anderen Stadt und unter einem neuen Namen ein zweites Leben eingerichtet hatten.

Schon in der ersten Woche ihrer Untersuchungen ergab sich die Gewißheit, daß mindestens vierunddreißig deutsche Männer und Frauen den Terroranschlag und die damit einhergehende allgemeine Betroffenheit zum Anlaß genommen hatten, um sich für immer abzusetzen und sich mit einem Schlag von allen Verpflichtungen ihres ersten Lebens zu befreien. Franziska war wie besessen gewesen von diesem Thema, sie hatte über nichts anderes mehr gesprochen, an nichts anderes mehr gedacht und ihre eigentliche Arbeit vernachlässigt.

Eines Nachts, als sie sich im Archiv durch Akten mit Schuldanerkenntnissen und Vaterschaftsprozessen wühlte, war ihr Chef gekommen und hatte ihr gesagt, sie solle damit aufhören, sofort müsse sie damit aufhören, sie würde sich verrückt machen, er habe Angst um sie. In Tränen aufgelöst und wie ein verwundetes Tier hatte sie sich in die dunklen Gänge des Archivs zurückgezogen, gezittert und immer wieder den gleichen Satz gemurmelt: »Ich kann nicht mehr, ich kann nicht mehr.« Das war die Krise gewesen.

Schon eine Woche später hatte man ihr die Versetzung in diese kleine Kreisstadt angeboten, und sie hatte ein bißchen Angst gehabt, mit Christian darüber zu reden. Doch der hatte es ungewöhnlich gelassen hingenommen. »Wunderbar, ich kann mein Büro ja schließlich überall installieren«, hatte er gesagt und schien nur froh zu sein, daß dieser Alptraum aus Verdächtigungen und Recherchen ein Ende finden würde. »Paß auf. Wir suchen uns da draußen eine wunderschöne, große und günstige Wohnung. Wir beginnen da noch einmal ganz von vorn. Aber mit unserer richtigen Identität, wir müssen uns ja nicht verstecken.« Er hatte gelacht und sie in den Arm genommen. »Und alles wird gut. Du wirst sehen.«

Nichts war gut geworden. Jetzt war er fort. Sie weinte sich in den Schlaf.

Fünftes Kapitel

Franziska erwachte ausgeruht, und die Gedanken der vergangenen Nacht erschienen ihr mit einem Mal absurd und abwegig. Unter der Dusche stehend schüttelte sie über sich selbst den Kopf und erfand einen einfachen Grund für Christians Abwesenheit: Vermutlich war er gerade gestern mit seiner Übersetzung fertig geworden und hatte sich gleich auf den Weg gemacht, um das Manuskript im Verlag abzugeben.

Dann war es spät geworden, und da er wußte, daß sie sowieso kaum Zeit für ihn haben würde, war er sicher in München geblieben, vermutlich ins Kino gegangen oder ins Theater. Normalerweise schickte er ja seine Übersetzung per E-Mail in den Verlag, aber diesmal hatte es offenbar einiges mit der Lektorin zu besprechen gegeben, und da hatte er sicher die Gelegenheit genutzt, etwas Großstadtluft zu schnuppern. Der letzte Zug fuhr gegen neun. Den hätte er auf keinen Fall erwischen können, und so würde er sich ein Hotelzimmer genommen haben. Er würde heute wiederkommen. Sie war sich ganz sicher, und sie merkte, daß sie sich auf ihn freute.

Beim Frühstück sah sie aus dem Fenster und streichelte geistesabwesend den Kater, der sich auf ihrem Schoß niedergelassen hatte und behaglich schnurrte. Vor dem Fenster färbte sich das Laub der Kastanien. Jetzt waren sie schon fast ein Jahr in dieser Wohnung und hatten sich immer noch nicht richtig eingerichtet. Hier war ihnen auch der Kater zugelaufen. Ein schielendes Häufchen Elend, das pausenlos mit Wasser verdünnte Sahne in sich hineinschlabberte. Aus dem Katzenbaby, das anfangs ziemlich ratlos vor seinem ersten Freßnapf mit festem Futter gesessen hatte, war im Laufe der Monate ein kräftiges Tier mit glänzendem schwarzweißen Fell geworden – und Freßnäpfe, allerdings nur gefüllte, waren nun der Mittelpunkt seines Lebens. Nur das Schielen hatte Schiely beibehalten – vielleicht um seinem Namen alle Ehre zu machen.

Es gab erst eine richtige Lampe: über dem Küchentisch. Von allen anderen Decken hingen die nackten Glühbirnen herunter. In ihrem Arbeitszimmer stand immer noch ein unausgepackter Karton – der letzte von vielen; vielleicht würde sie sich am späten Nachmittag darum kümmern, dann, wenn sie von den Brunners zurückgekehrt war und mit Christian eine Kaffeepause gemacht hatte. Auch die immer noch nicht aufgehängten Bilder würde sie heute hervorholen und überlegen, wo welche ihren Platz finden sollten. Glücklicherweise war kein Puzzle dabei und auch kein Gobelin mit Heiligenbildchen.

Sie lächelte. Jetzt mußte klar Schiff gemacht werden. Weg von der Vorläufigkeit. Möglicherweise hatte Christian ja nun auch wieder ein bißchen mehr Zeit. Die vergangenen zehn Monate hatte er ein pseudowissenschaftliches Werk über das Wesen der Zeit übersetzt und sich pausenlos über die ungereimten Spekulationen des Autors aufgeregt. »Hör mal zu, dies ist das Fazit des Autors, hör dir diesen Schwachsinn an: ›Zeit ist Materie. Sie hat eine eigene Dichte und kann sich je nach der Stellung der Erde zu den übrigen Planeten verändern. Daraus läßt sich ableiten, daß sie an verschiedenen Punkten der Erde über eine unterschiedliche Festigkeit verfügt. Es ist natürlich unmöglich, das mit unserem normalen menschlichen Wahrnehmungsvermögen zu erkennen. Aber in vielen wissenschaftlichen Forschungslabors auf der ganzen Welt stehen ausgeklügelte Apparaturen, mit denen diese unterschiedliche Festigkeit der Zeit gemessen werden kann. Zeit und Materie stehen vor einem bedeutenden Umschwung. Alles wird sich ändern.‹ Tolles Zitat. Oder?«

»Ja. Großartig. Aber was nützt mir dieses Wissen?«
hatte Franziska gefragt.

»Nichts, rein gar nichts. Das ist es ja. Egal, wie dicht
oder weniger dicht deine Zeit ist. Mit dem Vorlesen dieses
Zitates habe ich dir ein Stück davon geklaut.«

»Gib sie mir wieder«, hatte Franziska spielerisch gebet-
telt.

»Geht nicht, noch nicht. Es funktioniert vermutlich erst
dann, wenn der Umschwung von Zeit und Materie vollzo-
gen wurde. Und dann schreibt dieser Autor weiter, daß es
die Zeit nur in unseren Köpfen gibt«, hatte Christian
kopfschüttelnd gemeint und sich und Franziska gefragt,
wo sein Tag mal wieder geblieben war, vermutlich ver-
schluckt von der Zeit, die er aufgewendet hatte, um etwas
zu übersetzen, was es gar nicht gab! Sie wünschte ihm so
sehr, daß sein nächster Auftrag ein flotter Roman sein
möge mit witzigen Dialogen und interessanten Figuren.
Und am liebsten wäre es ihr, wenn er damit erst in ein,
zwei Monaten beginnen würde.

Auf einen Zettel, den sie auf den Küchentisch legte,
schrieb sie: »Muß heute die Leiche identifizieren lassen,
bin aber spätestens bis 16.00 Uhr zurück und freue mich
auf den Abend mit Dir!«

»Haben Sie inzwischen mit der Spurensicherung gesprochen?« fragte sie Bruno Kleinschmidt, während sie in
Richtung Kleinöd unterwegs waren.

Er nickte.

»Ja und?«

»Die wollten grad ein zweites Mal hin und die Umgebung rund um den Tatort noch einmal gründlichst absuchen.«

»Das gibt's doch nicht! Wollen Sie damit sagen, daß die
gestern noch nicht ordentlich genug nachgeschaut haben?
Heute ist Sonntag! Der Mord an Hermann Brunner wurde
vor einer Woche begangen. Hat es eigentlich zwischenzeitlich geregnet?«

Bruno schüttelte den Kopf.

»Na, wenigstens das nicht.«

»Die arbeiten da heut eh bloß mit der halben Besetzung. Wochenenddienst, wissen S'.«

»Na, großartig. Ist ein Mord kein Ausnahmefall? Gibt es da keine Sonderregelung?«

»Ned, daß ich wüßt.« Bruno hob die Schultern und gab Gas.

»Wenn Sie ehrlich sind, paßt es Ihnen also auch nicht, daß wir heute arbeiten müssen, oder?« Franziska sah ihn von der Seite an.

»Ich wär halt heut verabredet g'wesen«, murmelte Bruno.

»Ihre Freundin hat sicher Verständnis. Machen Sie sich keine Sorgen.«

Er biß sich auf die Lippen. »Ich muß Ihnen übrigens noch was sagen, bevor daß ich wieder drauf vergeß.«

»Heraus damit.«

»Wie mir schon vermutet ham, ham die da ein Volksfest g'habt – und zwar in Adlfing. Letzten Sonntag auf d' Nacht war da der letzte Abend. Mir sollten vielleicht den Festwirt vom Bierzelt fragen und die Leut aus Kleinöd auch, ob wer vom Dorf drunten war und ob der Brunner dort g'sehen worden ist, und falls ja, gegebenenfalls mit wem.«

In diesem Moment erreichten Sie den Hof der Brunners.

Alle Rollos des Hauses waren herabgelassen. Auch die von der Wohnung des Sohnes. Franziska umrundete das Gebäude und schüttelte mißmutig den Kopf. »Ich fasse es nicht, wo wir doch den ganzen ersten Stock versiegelt haben.«

Bruno nahm ihren Arm. »Chefin, was sind S' denn heut gar so finster drauf? Haben S' denn vielleicht schon wieder schlecht g'schlafen? Sie brauchen Ihnen gar ned so aufregen, das war nämlich ich. Ich hab ein paar Leut naus g'schickt, damit die mir die ganzen Aktenordner holen und den Computer mitnehmen. Der steht jetzt bei mir im Büro. Wahrscheinlich haben die Kollegen ja die Wohnung abdunkelt, damit ned am Ende noch jemand ein Fenster einhaut und einbricht.«

Franziska sah ihn verständnislos an. »Wann haben Sie das denn veranlaßt?«

»Gestern noch. Telefonisch. Wie ich heut früh ins Büro kommen bin, ist schon alles dag'standen. Das ist halt einfach ein ganz ein anderes Arbeiten im eigenen Büro – und ich hab mir halt denkt, ich hock mich gleich heut abend an dem versauten Wochenend vor den Schmarrn hin, weil's ja jetzt eh schon völlig wurscht ist .«

Franziska nickte und schlug ihm auf die Schulter. »Das haben Sie gut gemacht. Kompliment.«

Sie zündete sich eine Zigarette an, und sie gingen langsam zum Haupteingang der Brunners.

Sie mußten durch die Schlitze der Rollos beobachtet worden sein, denn noch ehe sie die Stufen zur Eingangstür erreicht hatten, öffnete sich diese, und Hannes und Malwine Brunner kamen ihnen schwarz gekleidet entgegen.

»Haben die eigentlich mit den Kollegen ein Wort gesprochen, als alles abgeholt wurde?« flüsterte Franziska.

Bruno schüttelte fast unmerklich den Kopf.

»Hab ich mir fei schon denkt, daß Sie heut noch einmal kommen«, sagte Hannes Brunner. »Täten mir den Bub jetzt sehn können dürfen?«

Seine Frau hatte ein schwarzes Handtäschchen in ihrer rechten Armbeuge hängen. Sie holte ein Taschentuch hervor. Ihre Augen waren gerötet. Vermutlich hatte sie seit dem Besuch der Kommissarin nur geweint. Franziska ging ihr entgegen und streckte eine Hand aus. Malwine Brunner wich einen Schritt zurück.

Die Kommissarin blieb stehen und straffte sich. »Sie haben heute einen schweren Gang vor sich. Sie müssen Ihren Sohn identifizieren. Um diese Formalität kommen wir nicht herum.«

»Mir wollen ihn ja sehn. Ums Verrecken. Am End ist er's ja gar ned. Sie haben den ja gar ned kennt nicht«, sagte Hannes Brunner. »Wenn S' heut ned kommen wären, dann wären mir glatt allein hing'fahrn.« Er ging auf sein Auto zu.

Bruno öffnete mit einer einladenden Geste die Tür des Polizeiwagens.

»Nix da!« sagte Hannes Brunner. »Mit euch fahrn mir ned mit. Mir fahrn selber. Am besten warten S' nach Adlfing auf uns. Da ist eine Bushaltestelle. Da können S' schön parken. Ich möcht ned mit Ihnen fahr'n und ned einmal hinter Ihnen her nicht. Und schon gar ned soll irgend jemand aus Kleinöd sehn, daß mir zusammeng'hörn. Können S' mir das versprech'n?«

Er war so bestimmt in seiner Trauer und seiner Wut, daß Franziska nichts anderes übrigblieb, als zustimmend zu nicken. »Okay, wir sehen uns dann im Krankenhaus.«

»Wieso denn im Spital?«

»In der dortigen Leichenhalle ist ein Raum für die Gerichtsmedizin reserviert.«

Hannes Brunner ging zu seinem Wagen. Es war ein dunkelgrüner Volvo. Ein für diese Gegend sehr ungewöhnliches Auto. Vermutlich kannte man es überall. Franziska hatte da so ihre einschlägigen Erfahrungen gemacht.

Gleich zu Beginn ihres Dienstes in Landau vor einem Jahr hatte Franziska einige Dinge erledigen müssen und sich dafür das Auto des Oberinspektors ausgeliehen. Jeder in der Stadt hatte sie freundlich gegrüßt, an jeder Ampel war ihr per Lichthupe ein Erkennungszeichen gegeben worden. Erst viel später hatte sie verstanden, daß nicht sie, Franziska Hausmann, sondern das Auto – in der Annahme, der Inspektor säße darin – so freundlich bedacht worden war. »Wer weiß, was da für ein Ehrenkodex beachtet werden muß«, hatte Christian gelacht, als sie ihm davon erzählte. »In der Kleinstadt ist es doch immer noch so, daß jeder jeden kennt.«

Der Wagen von Hannes Brunner war auf jeden Fall um einiges auffälliger als der graue BMW ihres Chefs. Es ging also in einem Dorf gar nicht so sehr darum, ob man selbst irgendwo war. Es genügte schon, wenn das Auto gesichtet wurde. Kopfschüttelnd ging sie zum Polizeiwagen und setzte sich neben Bruno.

»Ist was, Chefin?«

»Nein, was soll schon sein.«

»Also, mir soll das recht sein, daß die unbedingt mit dem eigenen Wagen fahrn wollen. Nachad müssen mir die ned auch noch wieder z'rückbringen und sparen uns mindestens eine Stunde«, meinte Bruno pragmatisch.

Sie nickte abwesend und murmelte dann: »Korrekt ist es nicht. Wer weiß, in welchem Zustand sie sind, nachdem sie die Leiche ihres einzigen Kindes identifizieren mußten. Rufen Sie mal in der Zentrale an. Die sollen auf jeden Fall einen Psychologen in die Klinik schicken.«

»Gehn S' weiter, Frau Hausmann, der Psychologe von der Klinik fungiert doch gleichzeitig auch als hiesiger Polizeipsychologe. So oft wird der da heraußen doch auch wieder ned braucht, als daß sich ein festang'stellter rentieren tät. Der hiesige rechnet nach Stunden ab, aber das kommt allerweil noch billiger, als wenn der unsere aus Landau anfährt. Außerdem wär der unsere ja immer noch im Wochenende.«

»Danke, ich vergesse einfach immer wieder, daß hier alles anders ist als in einer Großstadt.«

»Ist schon gut, ich ruf grad einmal in der Klinik an und sag Bescheid. Daß der sich halt bereithalten soll, falls was wär mit die Brunners. Hoffen mir nur, daß der heut auch Dienst hat.«

»Mei Bruno, Sie wenn ich ned hätt und keinen Löffel nicht, dann müsst ich meine Supp'n glatt austrink'n.« Sie ahmte, ein altes bayrisches Sprichwort zitierend, seinen Dialekt nach und fischte nach einer Zigarette.

Am vereinbarten Treffpunkt stand noch kein grüner Volvo.

»Vielleicht sind sie einen Umweg gefahren«, meinte Franziska. »Nicht durch Kleinöd, nicht über die Dorfstraßen, sondern über Felder und Wiesen, dort, wo es keine Häuser gibt, wo niemand wohnt, wo keiner neugierig hinter Gardinen lauert.«

Bruno kurbelte sein Fenster hinunter und wies nach draußen. »Da rechts müßt irgendwo die Wies'n sein, auf der das Volksfest stattg'funden hat. Ich hab gestern mit dem Pichlmeier telefoniert, und der hat mir das alles genau so g'schildert. Schaut ja auch alles noch ziemlich zertrampelt aus.«

»Da sollten wir uns auch noch mal umschauen«, murmelte Franziska. »Das heißt, natürlich nicht in erster Linie wir, sondern vor allem die Spurensicherung. Pichlmeier? Wer war denn das gleich noch mal?«

»Der Mitarbeiter vom Polizeiobermeister Schmiedinger. Der war doch am Freitag auch dabei, wie mir zum Fundort der Leiche kommen sind. Das war der, der ganz alleinig den Tatort abg'sichert g'habt hat. Kompetenter Mann. Scheinbar versteht er auch was vom Internet. Meinen S' ned auch, daß ich mir den eventuell zur Unterstützung anfordern sollen können tät?«

Etwas an der Art und Weise, wie er fragte, machte Franziska stutzig. Aber bevor sie nachhaken konnte, tauchte der grüne Volvo im Rückspiegel auf, überholte sie und hielt zweihundert Meter weiter am rechten Straßenrand.

»Ich nehme an, die wollen jetzt hinter uns herfahren. Nun haben sie ja die Spione von Kleinöd ausgetrickst«, stellte Franziska fest. »Und Bruno, bitte fahren Sie nicht so verwegen wie sonst. Dies ist keine Rallye.«

Das war wieder einmal typisch, daß er die Drecksarbeit machen mußte, während sein Chef vermutlich noch schlief. Am Sonntagmorgen um acht Uhr früh in der Gerichtsmedizin erscheinen und eine Leiche schön herrichten. Wenn er das gerne getan hätte, wäre er Bestatter geworden.

Gustav Wiener schimpfte leise vor sich hin. Und was sollte er dem Toten anziehen? Etwa den Anzug, in dem er umgebracht worden war? Nein, das ging nicht. Das hellblaue Hemd war voller Blut. Und die Unterwäsche? War es überhaupt üblich, jemanden mit Unterwäsche zu begraben?

Er hätte sich durchsetzen müssen. Er hätte Dr. Röder sagen müssen, daß das nicht sein Job war. Daß diese Dinge von einem Bestattungsinstitut erledigt werden würden. Aber der Röder hatte mal wieder alles besser wissen müssen, hatte behauptet, man könne den Eltern nicht vorgreifen, und es sei auch unangemessen, ausgerechnet jetzt da anzurufen und zu fragen, welches Beerdigungsunternehmen ihnen genehm sein würde. »Ziehen Sie ihm irgend etwas an, machen Sie ihn einigermaßen gut zurecht. Sorgen Sie dafür, daß er so aussieht, daß seine Mutter nicht erschrickt.«

Die wird auf jeden Fall erschrecken, dachte Gustav Wiener, während er vor der nackten Leiche stand. Er ging zu seinem Spind und schaute die Sachen durch, die dort hingen. Dabei fand er ein grün-weiß gestreiftes Hemd, das er irgendwann im Sommer hier deponiert hatte. Sogar frisch gebügelt. Er nahm es aus dem Regalfach, schnitt es hinten auf und legte es über Hermann Brunner. Das Hemd war lang; es reichte dem Toten bis zur Mitte der Oberschenkel. Über die dünnen, weißen Beine deckte er ein zusammengefaltetes Leintuch und murmelte dabei: »Schwund. Bei der nächsten Inventur.«

Luise Langrieger stand im Krankenhausflur und inspizierte durch ein Fenster im ersten Stock den Hauptparkplatz der Klinik. Sie hatte beim Vorbeigehen am Schwesternzimmer erlauscht, daß heute Hermann Brunners Leiche freigegeben werden sollte und die Eltern des Toten zur Identifizierung kommen würden. Seitdem wartete sie. Die Taschen ihres langen rosa Frotteebademantels waren mit Papiertaschentüchern gefüllt. Sie wußte, daß sie

Rotz und Wasser heulen würde, wenn sie die traurigen Brunner-Eltern sähe, aber sie wußte auch, daß sie trotzdem stehenbleiben würde.

Ihre eigene Verzweiflung, die sie immer wieder in Schüben übermannte und weswegen sie auch vor zehn Tagen wieder ins Hospital gekommen war, erschien ihr angesichts des großen Unglücks, mit dem die Brunners von nun an leben mußten, auf eine seltsame Art unangemessen. Deswegen stand sie da. Als ginge es darum, Maß zu nehmen, zu wiegen, auszuloten und letztendlich zu entscheiden: dieses Leid ist größer als das andere. Es hatte noch nie funktioniert. Etwas in ihr wußte, daß es auch diesmal nicht funktionieren würde. Mit den Brunners zu weinen – und sei es auch nur aus der Entfernung – würde dennoch auf eine seltsame Art erlaubter und maßvoller sein, als sich mit der eigenen Traurigkeit zu befassen.

Als sie den Polizeiwagen vorfahren sah, war sie so abgelenkt, daß sie den Volvo, der nach ihm in den Parkplatz einbog, fast übersehen hätte. Ein paar Frauen, die auch zu den »Depressiven« gezählt wurden, standen neben ihr und starrten wie sie schweigend aus dem Fenster. Erst das Türenschlagen des grünen Volvos lenkte ihren Blick ab von jenem ungleichen Paar, das ihren Mann verhört hatte und dabei nicht bewirtet worden war.

Dann entdeckte sie die Brunners. Feierlich angezogen, als gingen sie zur Wahl, schritten sie nebeneinander her, ohne sich anzufassen. Die Polizistin ging auf Malwine zu, sprach auf sie ein und schien sie berühren zu wollen. Malwine schnellte erschrocken zur Seite. Typisch, dachte Luise von ihrem sicheren Fensterplatz aus und spürte, wie sich ihr die Kehle zuschnürte. Dann kamen die Tränen. Endlich.

Er lag auf dem Seziertisch und sah aus, als würde er schlafen. Die Hände waren ordentlich über der Brust gefaltet. Gustav Wiener hatte rechts und links von ihm je drei Kerzen aufgestellt. Die Nachmittagssonne warf durch die Kellerfenster einen rötlichen Schein auf das nun doch etwas entspannter wirkende Gesicht des Toten. Er war schon ganz weit fort.

Franziska nickte Gustav Wiener dankbar zu und machte dann Platz für das Ehepaar Brunner. Unnatürlich laut klang Bruno Kleinschmidts Stimme, als er mit offiziellem Unterton fragte: »Können Sie mit Sicherheit sagen, daß dieser Mann Ihr Sohn ist?« Die Mutter des Toten nickte und nestelte aus dem Ärmel ihres schwarzen Jacketts ein Taschentuch hervor. Sie wischte sich die Augen. Sie ging um ihren Sohn herum und betrachtete ihn von allen Seiten. Einmal hatte es den Anschein, als wolle sie seine Hand berühren, doch dann hielt sie mitten in der Bewegung inne.

Mit auf dem Rücken verknoteten Händen stand ihr Mann neben ihr. Kopfschüttelnd murmelte er: »Der Bub hat ja gar keine Brillen auf. Wo hat er denn bloß die Brillen wieder g'lassen?«

»Trug er immer eine Brille?« fragte Franziska schnell.

»Seit daß er zwölfe ist«, antwortete Hannes Brunner.

»Können Sie uns die Brille beschreiben?«

»Da ist's«, sagte Hannes Brunner, griff nach der Handtasche seiner Frau, öffnete sie umständlich und reichte ein Brillenetui an Franziska weiter. Erstaunt fragte diese: »Hat er die zu Hause vergessen?«

»Ach wo. Das ist die Reservebrillen. Die liegt sonst allerweil auf'm Büfett. Die ist aber genau gleich wie die andere.«

Franziska warf ihrem Assistenten einen vielsagenden Blick zu.

»Würden Sie uns die Brille für ein paar Tage überlassen? Dann hätten mir gleich einen Vergleich, falls doch noch irgendwo am Tatort eine herr'nlose Brillen auftauch'n tät.« Bruno nahm das Etui an sich.

»Ja, ja, freilich. Mir brauchen's ja jetzt eh nimmer.«

»Sie bestätigen also, daß das Ihr Sohn ist?«, fragte Franziska nochmals leise nach.

Beide Brunners nickten.

»Danke. Leider konnte ich Ihnen das hier nicht ersparen. Die gerichtliche Untersuchung ist übrigens jetzt abgeschlossen. Wir können die Leiche zur Beerdigung freigeben. Haben Sie sich schon mit einem Bestattungsinstitut in Verbindung gesetzt?«

Hannes Brunner schüttelte den Kopf.

Seine Frau hatte sich abgewandt und war Richtung Tür gegangen.

»Vielleicht machen Sie das heute noch«, mischte Gustav Wiener sich ein. »So etwas braucht eine gewisse Zeit. Ich habe Ihnen die Telefonnummern und Adressen von den zwei Instituten, die auch am Wochenende erreichbar sind, herausgesucht. Hier sind sie.« Er ging auf Malwine zu und reichte ihr ein Blatt Papier. Stumm, kopfschüttelnd und mit abweisenden Handbewegungen wehrte sie ihn ab.

»Geb'n S' den mir.« Hannes Brunner riß ihm den Zettel aus der Hand. »Mir woll'n jetzt heim.«

Sie hatten nicht einmal danach gefragt, was mit ihrem Sohn passiert war, dachte Franziska, nachdem sie wieder im Wagen saßen. Als würden sie es nicht wissen wollen. Aber möglicherweise hatte sich alles schon im Dorf herumgesprochen, waren auffallend mehr Kunden als sonst in den Brunnerschen Hofladen gekommen, um Neuigkeiten zu erfahren und um untereinander und vor dem einsilbigen Hannes die wildesten Spekulationen auszutauschen. Und dieser mußte höflich bleiben, um seine Kunden nicht zu verlieren.

»Meine Phantasie geht wieder einmal mit mir durch«, murmelte Franziska und griff nach einer Zigarette. Bruno sah sie fragend von der Seite an.

»Sollt ich mich jetzt um den Computer kümmern, Chefin?«

»Sie meinen, auf der Festplatte könnten wir den Schlüssel zu der ganzen Geschichte finden?«

»Wär doch ned ausg'schlossen nicht.«

»Und die Brille? Was halten Sie davon, wenn wir unsere Kollegen von der Bereitschaftspolizei nach der gleichen Brille suchen lassen wie der, die Sie heute von dem Vater bekommen haben? Auf dem Fundamt muß natürlich auch nachgefragt werden.«

»Superidee.«

»Sie sollen gleich heute noch auf diesem Festplatz suchen. Am besten mit Spürhunden. Und dann im weiten Umkreis jenen Bereich abgrasen, der über verwinkelte Feldwege bis zum Fundort der Leiche nach Kleinöd führt. Die sollen überall suchen. Und vor allen Dingen ordentlich. Denn wenn sie die Brille nicht finden, müssen die leider noch mal die Sickergrube durchsieben. Wissen Sie was, wir fahren jetzt doch noch mal beim Präsidium in Landau vorbei, und ich gebe den Kollegen die Anweisung persönlich, damit da keine Mißverständnisse aufkommen.«

»Chefin, wenn Sie denen das selber sagen, nachad finden die die Brillen mit Sicherheit!« nickte Bruno bestätigend.

»Hoffentlich«, sagte Franziska. »Jetzt ist es eh schon bald vier. Ich wollte eigentlich um vier wieder zu Hause sein. Und den Videofilm haben wir uns auch noch nicht angesehen.«

»Der liegt auf Ihrem Schreibtisch. Sie könnten ihn ja mit heimnehmen.«

»Toller Vorschlag.« Sie verzog die Mundwinkel. »Trotzdem. Ich steck ihn mal ein. Aber ob ich ihn mir ansehe, kann ich weder Ihnen noch mir versprechen.«

Bruno zögerte. »Tät'n S' mir denn vielleicht noch die Sonderverfügung unterschreiben wollen, damit ich den Pichlmeier anfordern könnt? Der wär auch ausg'sprochen int'ressiert dran.«

»Woran? Entschuldigung, wir haben zwar davon gesprochen, aber ich weiß nicht mehr genau, um was es ging.«

»Der hat eine Spezialausbildung für'n Umgang mit'm Computer. Und der hat g'sagt, daß er mir heute und die nächsten Tage helfen können wollen tät.«

»Na, wenn das kein Einsatz ist«, nickte Franziska. »Sonntagsarbeit! Klar unterschreib ich die Verfügung.«

Um achtzehn Uhr dreißig war sie endlich daheim. Ihr Zettel vom Vormittag lag unberührt auf dem Küchentisch. Der Kater miaute vorwurfsvoll und schielte, als würde er dafür bezahlt.

»Hat dein Herrchen vielleicht angerufen, mein Süßer?« fragte sie und warf einen Blick auf den Anrufbeantworter. Nichts. »Na großartig. Dann ist er vermutlich in ein Zeitloch gefallen!« Sie merkte, daß sie wütend wurde und fühlte sich ihrem Ärger hilflos ausgeliefert. Unruhig ging sie in der Wohnung auf und ab. Irgend etwas wollte sie doch heute unbedingt erledigen. War es der letzte Umzugskarton, den sie auspacken wollte, hatte sie nicht geplant, die Bilder aufzuhängen?

Mit hängenden Schultern stand sie da. Es hatte keinen Sinn. Wenn Christian sie wirklich verließ, würde sie diese Wohnung sowieso nicht halten können. Dann müßte sie erneut umziehen und packen. Mist, wo konnte er nur stecken? Sein Handy lag natürlich wie immer ausgeschaltet auf dem Schreibtisch. Angeblich litt er unter Strahlungsangst. Vermutlich haßte er es aber nur, immer und überall erreichbar zu sein. Ach zum Teufel, sollte er doch bleiben, wo der Pfeffer wächst! »Irgendwann muß er ja kommen, um seine Sachen zu holen, oder?« fragte sie den Kater. Der stand miauend vor seinem Freßnapf.

Auch ihr Magen knurrte. Am liebsten wäre sie auf der Stelle wieder in die Dienststelle gefahren, um die Spurensicherung von Trab auf verschärften Galopp zu bringen, nachdem die Diensthabenden sich äußerst unwillig gezeigt hatten. »Sie wissen fei schon, daß mir heut Sonntag haben? Doppelt soviel Arbeit mit halber Besetzung, das ham mir gern! Mir kennen übrigens einen, der was bei der Polizeigewerkschaft ist. Der Mensch ist doch schließlich keine Maschin' nicht!« Mit so viel Wut im Bauch wie jetzt würde sie ihnen gehörig die Meinung sagen können. Gleichzeitig fürchtete sie sich davor, in der Garage feststellen zu müssen, daß Christian mit dem Auto auf und davon war.

Sie fror, zündete sich eine Zigarette an, setzte sich an den Küchentisch und starrte aus dem Fenster. In den umliegenden Wohnungen gingen die Lichter an. Hinter den erleuchteten Fenstern waren Paare zu sehen und Familien. Es schien ihr, als sei sie der einzige Mensch auf der ganzen Welt, der allein in einer Wohnung hockte.

»Ich muß einen Plan machen«, beschwichtigte sie sich selbst. »Einen Überlebensplan für den Abend. Mein Kater, wie findest du folgendes Programm: duschen, bequem anziehen, dann ein leckeres Essen vom Chinesen an der Ecke, und zwar ins Haus gebracht, und anschließend ein bißchen Fernsehen und ein Schlückchen Wein. Und wir denken dabei nicht an dein Herrchen, und wir fragen uns nicht, wo er steckt. Wir gehen einfach davon aus, daß er morgen wiederkommt und hoffentlich eine plausible Erklärung für uns hat, denn sonst gibt es wirklich Streß.«

Sie hatte nicht vorgehabt, sich Brunos Videoaufzeichnung anzuschauen. Schon gar nicht allein. Aber der Abend zog sich schier endlos in die Länge und war angefüllt mit düsteren Gedanken und finsteren Vorstellungen. Am Ende ergab sie sich in ihr Schicksal, schob die Kassette in den Recorder, setzte sich mit Block, Bleistift und Fernbedienung an den Tisch, streichelte den schnurrenden Kater auf ihrem Schoß und ließ das Band Sequenz um Sequenz durchlaufen.

Erstes Bild: Das Haus der Langriegers, Schwenk zur offenen Sickergrube und darin der Tote. Neben der Grube dieser Wachtmeister, mit dem Bruno nun zusammenarbeiten wollte. Rundes, glattes Gesicht, schwarzes, glattes

Haar, leicht schräg stehende Augen, Lächeln. Blendend weiße Zähne. Makellos.

Franziska schüttelte verständnislos den Kopf. »Der lächelt ja. Bei diesem bestialischen Gestank, und was er bewacht, sind ja auch nicht gerade die Kronjuwelen! Sag mal, Katerchen, bin ich hier im falschen Film?«

Zweites Bild: Kameraschwenk in die Grube. Das Gesicht Hermann Brunners. Erschrocken aus den Höhlen gequollene, hellblaue, rotgeränderte Augen, die Druckstellen der Brille auf Nasenrücken und Jochbein noch sichtbar. Der Mund leicht geöffnet. Der Kopf verdreht und schief zur Seite hängend. Das weiße Jackett sowie das hellblaue Oberhemd des Toten mit großen dunklen Flecken. Nur der Oberkörper sichtbar. Die Flüssigkeit um ihn herum scheint zu gären. Blasen steigen auf.

Franziska griff nach ihrem Weinglas und nahm einen kräftigen Schluck.

Drittes Bild: Joseph Langrieger kommt aus dem Haus. Bleich, aber frisch geduscht. Sein Haar ist noch naß. »Geht's wieder?« fragt der junge Polizist und schaut direkt in die Kamera, als sei er der Star des Abends. »Geht schon, muß ja! Auf alle Fälle brauch ich jetzt ein paar schnelle Halbe. Das Nübergehn schaff ich wie g'sagt schon allein.« »Gut, ich komm dann nach. Ich hab eh noch was zum tun da.« Der Alte nickt.

Viertes Bild: Auftritt Franziska Hausmann, schemenhaft: »Haben Sie alles erfaßt?« Antwort aus dem Off: »Logisch, Chefin.« »Dann weg hier. Mir ist mittlerweile auch schon übel von dem Gestank.«

Kurzes Flimmern auf dem Video.

Fünftes Bild: Gasthaus Zum Blauen Vogel: Rechts die Theke mit der überrascht schauenden Wirtin. Schwenk durch den Raum: nur zwei von acht Tischen sind besetzt. Schwenk auf die Wanduhr: 0.20 Uhr. Links der Stammtisch. Hier sitzen unter anderem Eduard und Ottilie Daxhuber neben Polizeiobermeister Schmiedinger und dessen

Frau Erna. Ottilie Daxhuber raucht mit erhabenem Eifer. Vermutlich hat sie zu Hause Nikotinverbot. Eduard schaut bedeutungsvoll in die Kamera. Ihm gegenüber sitzt Joseph Langrieger. Schweigsam, zusammengesunken, sich an seinem Bierkrug festhaltend. Seine Hände zittern. Der Mann neben ihm ist Ludwig Pichlmeier. Erna Schmiedinger redet auf ihn ein. Was sie sagt, kann Franziska nicht verstehen. Dann legt die Frau des Polizisten ihre Hand auf die Hände des alten Mannes und wirft ihrem Gatten einen beschwörenden Blick zu. Der steht auf, strafft seine Uniformjacke und ruft in den Raum: »Alle herhör'n. Das da sind die Kolleg'n von der Kripo. Seid's bittschön ein bisserl leiser.« Dann geht er auf die Kamera zu. Bruno schwenkt auf Ludwig Pichlmeier.

Sechstes Bild: »O Gott, wie seh ich denn da aus«, murmelte Franziska und blickte auf eine Frau, deren Ausstrahlung ihr nicht besonders gut gefiel. Ihre Augen funkeln in die Runde und sie wedelt oberlehrerhaft mit dem hochgereckten Zeigefinger: »Noch einmal an Sie alle in Kurzform. Ich weiß, es ist spät, und wir alle sind müde. Ich möchte dennoch von Ihnen allen noch den Namen, die Adresse und die Telefonnummer haben. Und eine Zeitangabe, wann Sie Hermann Brunner zum letzten Mal lebend gesehen haben – auch wenn Sie es nur noch ungefähr wissen sollten. Von jedem eine gesonderte Karte. Ehepaare sind nicht auf einem Blatt zu erfassen. Verstanden?«

Erneuter Schwenk auf Ludwig Pichlmeier. Der flüstert dem Schmiedinger etwas zu.

Franziska ließ das Band ein paar Takte zurücklaufen und stellte den Ton lauter.

»Ja, leck mich doch alles am Arsch, hat die einen Ton am Leib.« »Die kommt ja auch aus Minga«, antwortet sein Vorgesetzter, als sei damit alles erklärt.

Franziska wurde rot und trank einen Schluck Wein.

Siebtes Bild: An den Stammtisch schließt sich ein weiterer Tisch an. Hier sitzen Marlene Blumentritt und ihre

Mutter. Die Tochter ist leicht an dem Rucksack zu identifizieren, den sie immer bei sich trägt. Abwesend lächelnd und mit ordentlich gefalteten Händen sitzt die Mutter kerzengerade auf ihrem Stuhl. Als einzige hat sie ein Wasserglas vor sich stehen. Inmitten all der Geschwätzigkeit bilden die beiden eine kleine und sehr stille Insel. Den Blumentritts gegenüber sitzend und wild gestikulierend redet Charlotte Rücker auf ihren Lebenspartner Bernhard Döhring und auf Ilse Binder ein. Ersterer schaut unwirsch in die Kamera. Er macht den Eindruck, als fühle er sich nicht wohl.

Eine Tür fiel ins Schloß, jemand hustete. Franziska erschrak.

»Hallo, da bin ich wieder.« Christian strahlte sie an.

Sechstes Kapitel

Sie stand hinter der Gardine und sah den Polizeiwagen langsam über die leere Dorfstraße fahren. Selten wirkte der Ort so ausgestorben wie an diesem Montag vormittag. Selten konnte man so gut Luft holen. Doch diese Kommissarin mit ihrem smarten Assistenten mußte natürlich den kostbaren Augenblick der Stille zerstören. Typisch! Der Schönling saß wieder am Steuer. Komisch, in den Fernsehkrimis fuhren sie nie in Polizeiwagen. Da hatten sie richtige Autos und wurden nicht gleich erkannt. Aber vermutlich ist dieser Fall so läppisch, daß sie nur Hilfspolizisten schicken, dachte Marlene. Es irritierte sie überhaupt, daß die zwei seit Tagen wie Einheimische im Ort verkehrten. »Das hätte es nicht gebraucht«, murmelte sie vor sich hin. »Davon wird er auch nicht mehr lebendig«, und sie wunderte sich über ihre plötzliche Traurigkeit.

Bestimmt wollten die Polizisten zu der kleinen Kirche, in der sich so gut wie alle Dorfbewohner gerade aufhielten. Erst das Totengeläut, dann die Seelenmesse. Sie sah dem Wagen nach und seufzte. »Die wissen nichts«, murmelte sie. Die hatten doch keine Ahnung, wie es hier wirklich war. Die dachten, das hier wäre eine Idylle – dabei war es ein Alptraum. Sie waren hier, um einen Mord aufzuklären, doch was war schon ein Mord gegen das, was eigentlich aufzuklären gewesen wäre. Sie wußten nicht, was es hieß, bei jedem Schritt beobachtet zu werden, hinter jeder Gardine Spione zu vermuten, von morgens bis abends kontrolliert zu werden und gleichzeitig so unendlich allein zu sein, mit niemandem sprechen zu können. Es gab Zeiten, da fühlte sie sich eingesperrt und so verlassen, daß sie mit Stühlen und Tischen sprach. Mit der Mutter zu reden hatte keinen Sinn. Sie lebte in ihrer eigenen Welt.

Nicht einmal mit diesem Hermann war ein Gespräch möglich gewesen. Sie hatte es versucht. Aber er hatte nichts verstanden. Sie tastete nach ihrem Rucksack. Der war noch da. Er gehörte zu ihr wie ein Buckel. Er hielt sie am Boden.

»Hallo«, rief die Mutter mit ihrer heiseren und leeren Stimme. »Hallo, ist da jemand?«

Marlene wandte sich vom Fenster ab. »Ja, ich komme.«

Mißtrauisch stand Lydia Blumentritt am Ende der Treppe und hielt den Knauf des Geländers umklammert, als sie die Gestalt ihrer Tochter im Gegenlicht auf sich zukommen sah. »Wer sind Sie, was wollen Sie? Ich kenne Sie nicht.« Die alte Frau machte sich ganz steif und blickte mit starren Augen an Marlene vorbei. »Was tun Sie hier?«

»Natürlich kennst du mich. Ich bin deine Tochter.« Marlene lachte. »Soll ich mich vorstellen?«

»Ja bitte, wenn Sie so freundlich wären.« Die Mutter entspannte sich.

Immer das gleiche Spiel.

»Ich bin Marlene, die Tochter des Hauses, sehr angenehm. Und das«, sie nahm ihre Mutter in den Arm und tat so, als stelle sie sie einem imaginären Gast vor, »das ist Lydia Blumentritt, die ehemalige Leiterin der Zwergschule – jedoch, wie Sie sicher mit einem Blick feststellen werden, keineswegs zwergenwüchsig.«

Lydia Blumentritt lachte und verbeugte sich leicht. »Wo sind unsere Gäste?«

»Im Garten. Ich habe sie in den Garten geschickt.«

»Das ist gut. Und wo ist das?«

»Komm einfach mit. Ich zeige es dir.«

Obwohl dieses Gespräch seit einigen Monaten jeden Morgen bis auf wenige kaum merkliche Varianten gleich ablief, konnte Marlene sich nicht daran gewöhnen. Mit jedem Aufwachen hoffte sie auf ein Wunder, immer wenn sie das Frühstück zubereitete, beschwor sie erneut das Schicksal: Wenn sie mich heute erkennt, wird alles wieder gut. Aber insgeheim wußte sie, daß alles nur schlechter werden konnte. Von Tag zu Tag.

Dabei war es im ersten Jahr so schön gewesen. Die Mutter hatte alles gut gefunden, was Marlene machte. Selbst wenn ihr das Essen angebrannt war, hatte die Mutter nur glücklich gelacht und brav alles aufgegessen. Wunderbar hatte es ihr geschmeckt, hatte sie doch längst vergessen, wie es eigentlich hätte schmecken müssen. Sie hatten viel gemeinsam unternommen, Reisen gemacht, Verwandte besucht. Das war jetzt vorbei. »Bloß keine neuen Eindrücke«, hatte die Ärztin gewarnt. »Keine andere Umgebung und, wenn es geht, auch keine neuen Menschen. So viel Vertrautes und Bekanntes wie möglich. Der Tag wird kommen, an dem sie selbst die einfachsten Dinge neu zuordnen muß.«

Dieser Tag war schneller gekommen, als Marlene gedacht hatte.

Die Mutter trug einen großen weißen Strohhut und schritt im Eiltempo durch den eingezäunten Garten. Hier drehte sie unablässig ihre Runden. Zunächst fünfzehn Meter Richtung Westen. Dort wurde sie von dem Zaun gestoppt, der ihr Grundstück von dem der jungen Langriegers trennte. Verwirrt blieb sie stehen und setzte dann zu einer Linksdrehung an. Nun ging es achtzehn Meter bis zur südlichen Begrenzung. Wie immer fuhr sie dort mit der Hand das Gitternetz des Jägerzaunes nach. Ganz offensichtlich war das ihre Grenze, auch die Grenze ihres Sehens. Der kleine Feldweg und das sich daran anschließende große Feld mit den roten und nun schon sehr dicken Kohlköpfen hatten sich ihrer Wahrnehmung bereits entzogen.

Als das Blaukraut gepflanzt worden war, hatte Marlene an genau diesem Zaun Hermann Brunner kennengelernt.

Lydia Blumentritt schritt den südlichen Zaun ab und stoppte vor den üppig blühenden Cosmea-Büschen der

Nachbarin. Sie reckte den Hals und winkte: »Hallo ... ist da jemand?« Doch Ilse Binder kam nicht wie sonst durch den Garten, um sie zu begrüßen. Lydia Blumentritt hob die Schultern und setzte zu einer halben Drehung an. Dann wanderte sie die östliche Kante ihres Gartens ab.

Marlene war sich sicher, daß neben dem Gedächtnis auch die Beobachtungsgabe ihrer Mutter immer schneller in einem undurchdringlichen grauen Nebelloch versickerte. Denn wie sonst hätte die ehemalige Grundschullehrerin Lydia Blumentritt, die alles zu benennen und erklären gewußt hatte, die Schwerintellektuelle des Dorfes, die einzige, die eine überregionale Zeitung abonniert hatte, wie sonst hätte sie übersehen können, was Marlene immer wieder Angst einflößte: diese schrecklichen Skulpturen im Garten der Binder.

Man kennt nur, was man weiß, stand auf einem der vielen Zettel, die sie in der Keksdose in ihrem Rucksack mit sich herumtrug. Und die Mutter wußte nichts mehr. Also kannte sie auch nichts. Sie kannte nicht den steinernen, moosbesetzten Adonis, der unter einem Holunderbaum stand und dessen makelloser Körper von oben bis unten von Schnecken zugeschleimt wurde. Sie kannte nicht die grauweißen Fabeltiere mit ihren riesigen, fangzahnbewehrten Mäulern und den zwischen tückischen Augen aufgerichteten einzelnen Hörnern, die an Ku-Klux-Klan-Kapuzen erinnerten. Sie kannte auch nicht die bandagierten, menschenähnlichen Gestalten mit ihren verzerrten Gesichtern.

Die Binder müßte verboten werden, dachte Marlene, das ist keine Kunst, das ist Körperverletzung. Sie fischte in ihrem Rucksack nach einem Zettel und notierte sich den Satz. Sie hatte sich angewöhnt, alles, was sie jemandem hätte sagen können, aufzuschreiben und in ihrem Rucksack mit sich herumzutragen. Irgendwann würde dieser Jemand kommen, sie würde die Dose aus ihrem Rucksack herausholen, sie leeren und mit einer neuen Leichtigkeit weiterleben können. Darauf wartete sie. Mit Hermann Brunner hatte sie manchmal gesprochen. Er kam nicht in ihrem Rucksack vor. Alles, was nicht in ihrem Rucksack war, existierte nicht. So einfach war das.

Jetzt steuerte die Mutter wieder auf sie zu. Marlene schraubte ihren Füllfederhalter zu. »Hallo ... ist da jemand?«

»Ja«, antwortete Marlene, »immer noch ich.«

Die Mutter war zu allen freundlich gewesen, auch jetzt lächelte sie jeden mit der ihr eigenen Hilflosigkeit an. Deswegen mußte Marlene ein Gegengewicht bilden, sich abgrenzen, unfreundlich sein, denn wenn auch sie zu jedem nett und verbindlich wäre, würden die Nachbarn ja von morgens bis abends in ihrem Garten stehen. Marlene seufzte und hakte sich bei der Mutter ein. Alles mußte genauso weitergehen wie bisher. Sollte diese Kommissarin doch mit ihrem Schönling von Haus zu Haus gehen und Unruhe stiften. Von ihr würde sie nichts erfahren. Sie wollte nichts mit diesem Brunner zu tun haben. Über ihn gab es keinen Satz in ihrem Rucksack. Er war aus ihrem Leben verschwunden, und das war gut so.

Marlene hatte sehr genau beobachtet, wohin das führte, wenn man mit allen per Du war. Die Binder beispielsweise. Dauernd stand jemand in ihrem Garten oder im Atelier herum. Alle im Dorf schienen stolz darauf zu sein, daß sie den Sommer ausgerechnet hier verbrachte und nicht woanders. Aber woanders hätte man möglicherweise erkannt, daß das, was sie »Kunst« nannte, nichts anderes war als Perversion. Ein aus Gips geschaffener Alptraum. Und auch diese Zeitungsfuzzis hatten keine Ahnung. Sie kamen her, fotografierten die schrägen und bedrohlichen Skulpturen, bauten Scheinwerfer auf, traten Blumen platt, machten sich wichtig und brachten nichts als Unruhe.

Mit Wichtigtuern hatte Marlene noch nie etwas zu tun haben wollen. Und schon gar nicht wollte sie sich mit ihren Nachbarn duzen, und erst recht nicht mit der Binder.

Mit niemandem im Ort wollte sie sich gemein machen. Sie war aus der Stadt zurückgekommen, um die kranke Mutter zu pflegen, und hatte konsequent alle im Dorf gesiezt. An dem Punkt war sie stark gewesen und geblieben. Und das war gut so. Denn was man letztendlich davon hatte, wenn man zu freundlich war, konnte sie jeden Tag mit einem Blick über den Zaun beobachten. Man brachte der Binder Eier, frische Milch, frisches Gemüse. Dabei hatte sie selbst einen so großen Garten und wußte kaum, wohin mit ihrem ganzen Zeug. Ihr Obst machte die Binder ein. Von Juni bis Oktober kochte sie Marmeladen, setzte Rumtöpfe an, buk Kuchen, die in den zwei großen Tiefkühltruhen gelagert wurden. Das ganze Dorf wußte davon. Wer sollte das alles nur essen? Angeblich ernährte sie sich im Winter in ihrer Stadtwohnung davon, igelte sich ein und fraß ihre Vorräte weg. So sah sie auch aus!

Nein, mit so einer wollte Marlene nicht per du sein. Es war schon schlimm genug, daß sie sich mit diesem Hermann geduzt hatte. Insofern war es gut, daß es ihn nicht mehr gab. Zu seiner Beerdigung würde sie nicht gehen. Sie hatte nichts damit zu tun. Sollte doch das ganze Dorf hinlaufen und sich wichtig machen. Sie mußte ohnehin auf die Mutter aufpassen. Die wußte schon seit langem nicht mehr, was eine Beerdigung war. Außerdem bestand die Gefahr, daß sie sich danebenbenahm und plötzlich winkte und lachte, als sei sie auf einem Kindergeburtstag.

»Stell dir vor, diese Kommissarin fällt auf den schlimmsten Schwätzer des Dorfes herein, auf diesen Eduard Daxhuber. Das habe ich selbst gesehen«, sagte sie zu ihrer Mutter und freute sich, als diese nickte. Lydia verstand natürlich nicht, um was es ging. Sie nickte immer nur freundlich und mit diesem schiefen Lächeln, als wolle sie allen sagen: Tut mir nichts.

Marlene schnürte dieses Lächeln die Kehle zu. Es hatte keinen Sinn, mit der Mutter zu reden. Schöner wäre es, ein Haustier zu haben. Von dem würde sie wenigstens nicht erwarten, daß es eine eigene Meinung äußerte. Marlene dachte oft an ihre Kindheit zurück. Wie glücklich war sie damals gewesen, als alle im Ort zu ihnen kamen und die allwissende Frau Blumentritt befragten. Jetzt lachte das Dorf nur noch über Lydia und machte makabre Witze. Sie hatten keine Ahnung von dieser Krankheit.

Vielleicht hätte ich mich nicht opfern sollen, dachte Marlene. Wir hätten uns abwechseln können, meine Geschwister und ich. Jeder ein Jahr. Aber dazu war es nun zu spät. Die Mutter würde sich an keines ihrer anderen Kinder mehr erinnern, nun, da sie schon Schwierigkeiten hatte, Marlene zu erkennen. Außerdem war die Krankheit in den letzten Wochen in eine neue Phase getreten. Jetzt kamen Alpträume dazu. Kleine Bosheiten, Verweigerungen, Trotz, Starrsinn. Das alles hatte die Ärztin ihr vorhergesagt. Sie wußte, daß sie Hilfe bräuchte, irgend jemanden, bei dem sie sich ausweinen konnte. Aber so war das in diesem System. Man kümmerte sich um die Kranken, aber nicht um jene, die sich aufopferten und unter den Kranken litten.

Ihre Zettelwirtschaft, ihre Botschaften an die Zukunft, hatten ihr lange Zeit als einziges Ventil gedient. Seit einigen Wochen hatte Marlene jedoch noch eine andere Möglichkeit gefunden, sich Erleichterung zu verschaffen. Sie spürte, daß es bald wieder so weit sein würde. Ein Drang, dem sie nicht widerstehen konnte. Sobald sie ihm nachgab, fühlte sie sich erlöst und zutiefst befriedigt.

»Sollen wir in die Kirche hineingehen?« fragte Franziska.

Bruno schüttelte den Kopf. »Lieber ned. Bleib'n mir einfach da stehn und schaun mir uns in aller Ruhe an, wer sich da nach dem Hochamt mit wem zusammentut.«

»Stimmt. Könnte interessant werden.« Franziska nickte.

Sie hatte an diesem Vormittag in ihrem Büro angerufen, um den Anrufbeantworter abzuhören. Vielleicht hatte Christian ja am gestrigen Abend eine Nachricht hinterlassen, die sie auf jeden Fall kennen sollte, bevor sie sich heute auf ein längeres Gespräch mit ihm einließ. Bruno war ans Telefon gegangen. Er saß bereits seit sieben Uhr morgens mit dem jungen Pichlmeier vor dem konfiszierten Computer. Die beiden versuchten das Paßwort zu knacken.

»Kleinschmidt, wie wär's mit einer kleinen Landpartie?«

»Sag'n S' einmal, Chefin, muß das denn ständig sein, daß mir da rausfahren? Meinen S' eigentlich ned, daß das mit dem Computer auch irgendwie wichtig ist?«

»Doch, doch natürlich. Aber es geht leider nicht anders. Wir machen auch nur einen kurzen Ausflug. Im Landauer Anzeiger steht, daß heute eine Totenmesse für den jungen Brunner gelesen wird. Kaum jemand aus dem Ort wird sich ein solches Ereignis entgehen lassen. Und Sie wissen doch, vier Augen sehen mehr als zwei.«

»Also, wenn's denn unbedingt sein muß, nachad fahrn mir halt schnell!« Er hatte nicht gerade begeistert geklungen.

Nichts als üble Laune hatte sie dazu getrieben, ihren Assistenten gegen seinen Widerstand mitzunehmen. Schließlich konnte sie selbst den Tag auch nicht so verbringen, wie sie es wollte. Beispielsweise, um mit Christian zu reden, der sich eigenartig bedeckt hielt. Er war bei seiner gestrigen Rückkehr ein bißchen zu freundlich gewesen, ganz so, als habe er ein schlechtes Gewissen. Heute abend würde er ihr nicht auskommen.

Sie hatten sich alle so fein gemacht. Trachtenanzüge und Dirndl. Die Herbstsonne strahlte. Das Herausströmen der Gläubigen aus der Kirche hätte es in seiner Choreographie mit einem Heimatfilm aufnehmen können. Die Frauen schlugen beim Hinausgehen ihr Gesangbuch zu und hielten Ausschau nach ihren Freundinnen, um noch schnell ein paar Worte miteinander zu wechseln, bevor sie heim mußten, um das Mittagessen auf den Tisch zu bringen. Die

Männer setzten unter der Kirchentür ihre Hüte auf und bewegten sich zielstrebig in Richtung Blauer Vogel.

»Getrennte Fraktionen«, murmelte Franziska. »Was machen wir jetzt?«

»Halt'n mir uns an die Frauen«, schlug Bruno vor. »Wie wär's beispielsweise mit der Frau Rücker? Die war doch gestern so ganz speziell mit den Daxhubers. Da, glaub'n S' mir was, brodelt schon allerhand in der Gerüchteküche vor sich hin.«

Charlotte Rücker hatte sich gerade an den Küchentisch gesetzt und mit dem Kartoffelschälen begonnen, als es klingelte. »Bernhard?« murmelte sie vor sich hin, sah auf die Uhr und schüttelte den Kopf. »Ach wo, das kann er ja unmöglich noch ned sein nicht.«

Durch das Dielenfenster sah sie den Polizeiwagen und nickte zufrieden. Es war ja schließlich höchste Zeit, daß man sie auch einmal befragte, wobei sie denen natürlich rein gar nichts erzählen würde. Man mußte ja schließlich zusammenhalten, da im Ort.

»Kommen S' nur rein zu mir«, rief sie Franziska und Bruno zu und öffnete die Tür zu einer eichenfurnierten Einbauküche.

»Sie ham doch g'wiß nix dagegen, gell, wenn ich nebenbei noch schnell das Ess'n vorbereit'? Wiss'n S', zu Mittag kommt allerweil mein Lebensg'fährte zum Ess'n zu mir, die Liebe geht ja auch durch'n Mag'n.« Sie kicherte verschämt und stolz zugleich, band sich eine Kittelschürze über das Dirndl, ließ sich auf der Eckbank nieder und fuhr in aller Ruhe fort, Kartoffeln zu schälen. »Nehmen S' Ihnen doch Platz.«

Franziska und Bruno sahen sich schweigend um. Auf der Küchenfensterbank blühten Usambaraveilchen, der Einbauschrank mit seinen Butzenscheiben und unzähligen kleinen Nischen war vollgestopft mit Reisesouvenirs, Schneekugeln und Miniaturplastikabbildungen berühmter

Gebäude. Glücklicherweise waren die Zwillingstürme des World Trade Center nicht dabei; Franziska atmete auf und hielt Ausschau nach einem Aschenbecher. Schnell wurde ihr klar, daß in dieser Wohnung nicht geraucht werden durfte. Falls der Lebensgefährte von Frau Rücker jemals dieses Laster gehabt haben sollte, so war es ihm zwischenzeitlich sicher gründlich ausgetrieben worden.

»Ich werd Ihnen eh kaum weiterhelf'n können, wissen S'?« durchbrach Charlotte Rücker das Schweigen und warf eine fertiggeschälte und geviertelte Kartoffel in eine Plastikschüssel mit Essigwasser. »Darf ich gleich ganz offen und ehrlich sein zu Ihnen? Ich hab fei ned die geringste Ahnung nicht, was mit dem Brunner g'wesen ist, beziehungsweise, wo der sich allerweil so umeinandertrieb'n hat. Wiss'n S', der g'hört ja eigentlich auch gar ned da her, gell, dem sein Hof liegt ja streng g'nommen irgendwo im Nirgendwo, sozusag'n im Niemandsland, wenn S' so wollen. Dieser Hof g'hört weder zu Kleinöd noch zu einem von den Nachbarorten, und ned einmal einen eigenen Namen ham die. Der Staat sollt sich auch einmal um so was kümmern, ned wahr? Es müßt doch alles seine Ordnung ham, meinen S' ned auch? Man könnt doch zum Beispiel hergehn und Brunnersöd dazu sagen, gell? Oder von mir aus auch Brunnersgau oder Brunnershuckel ...«

»Ja.« Franziska unterbrach sie. »Wie auch immer. Erzählen Sie uns einfach ein bißchen was über die Leute hier in Kleinöd.«

»Über uns're Leut? Ja, meinen Sie denn damit, daß ich meine Nachbarn denunzier'n soll, oder wie oder was?« Frau Rückers Stimme wurde schrill. »Mir sind fei eine ganz eine wunderbare Dorfgemeinschaft, wissen S'? Vor allem die, die allerweil schon da g'lebt ham, und zu denen zähl ich mich in meine Augen auch, wenngleich ich zwischendurch auch schon einmal eine Zeitlang weg g'wesen bin von da. Man hat halt in die Stadt zum Arbeiten gehn müss'n, ned wahr? Man hat halt schaun müss'n, daß irgendwie ein Geld reinkommt! Aber jetzt, auf meine alten Tag, bin ich wieder da, z'rück zu den Wurzeln, wenn S' denn so wollen. Da g'hör ich her, und da hab ich auch meinen Partner kenneng'lernt. Ich bin immer selbständig g'wesen, ich hab immer auf mich selber schaun müssn, und jetzt bin ich Ende Fünfzig und in Frühpension gangen, und jetzt darf ich auch einmal ein Glück erleben, gell? Ein Glück, das was alle andern mit Zwanzig schon erlebt ham, das was für die meisten jetzt längst schon wieder dahingangen ist, ned wahr, weil die das Glück ja gar ned zum schätzen g'wußt ham. Wissen S', man weiß halt erst im Alter, was so eine Partnerschaft wirklich wert ist, und natürlich lernt man auch dann erst, daß so was kein Selbstgänger nicht ist, daß schon ein jedes auch was dafür mach'n muß.«

»Gibt es viele Scheidungen hier im Ort?« fragte Franziska.

Frau Rücker sah sie verständnislos an. »Wie kommen S' denn jetzt auf so was?«

»Na ja, Sie haben doch gerade gesagt, es sei für die meisten anderen schon vorbei.« Franziska spürte, daß Ihre Frage einen ungeduldigen Unterton hatte. Sie zwang sich zu einem Lächeln.

»Der Herr steh mir bei, so war das natürlich auch wieder ned g'meint. Bei uns im Dorf, da hat freilich noch alles seine Richtigkeit und Ordnung, bei uns, gell, da ist die kleine Welt halt noch heil! Bei uns, da gibt's keine Skandale ned wie in der Stadt! Nehmen mir doch zum Beispiel einmal die Daxhubers her, ned wahr, die sind immer noch verheiratet, trotzdem daß die schon längst die Silberhochzeit hinter sich ham.« Sie unterbrach sich kurz. »Obwohl ... das Kind war ned dag'wesn nicht. Ned einmal zu so einem Anlaß.« Sie senkte den Kopf. Auf ihrem Doppelkinn zitterte ein Leberfleck mit vier langen Haaren. »Das hatt's schon sauber g'wurmt, wissen S'? Kein Wunder nicht, daß die Otti was mit dem Herz hat.«

»Die Daxhubers haben ein Kind?«

Was für eine unnötige Frage! Aber jetzt war sie ihr schon herausgerutscht.

»Ein Madl, Corinna heißt's. Mit achtzehn war's mit einem Mal weg. Fort für immer. Gleich nach ihrem achtzehnten Geburtstag.«

»Wann war das?«

»Mein Gott, wie lang wird das denn jetzt her sein ...? Auf alle Fälle schon viel länger, als daß wie ich wieder daher z'rückzogen bin. Die ist jetzt gewiß schon Mitte Dreißig. In dem Alter sollt man sich eigentlich doch ausg'sponnen ham, gell, und seine armen alten Eltern wieder einmal besuchen, ned wahr?«

Bruno nickte voller Anteilnahme.

»Aber die, ja mei, die war halt allerweil schon komisch, bei der, da ist, wenn S' mich frag'n tät'n, Hopf'n wie Malz verloren ... Angeblich macht's heut irgendwas beim Fernsehn, gell, aber g'sehn hab ich die da auch noch nie ned. Na ja, mir kann's eh wurscht sein. Oder aber auch«, sie wies mit ihrem Schälmesser auf die gegenüberliegende Straßenseite, »nehmen mir doch einfach die Binder.«

»*Die* Binder?« fragte Bruno nach, und er betonte das *die* so, als wüßte er über Kunst und Kunstkritik Bescheid und sei entzückt, von dieser berühmten Frau zu hören.

Damit eroberte er augenblicklich Frau Rückers Herz.

»Richtig! *Die* Ilse Binder. Ich bin übrigens sehr, sehr gut mit ihr bekannt.«

»Und *die* lebt da bei Ihnen im Dorf?« Brunos Stimme überschlug sich vor Bewunderung. Franziska warf ihm einen strengen Blick zu. Es war nicht nötig, so zu übertreiben.

»So ist es.« Charlotte Rücker nickte würdig. »Und Sie, die ist fei ned einmal verheiratet, jedenfalls ned im üblichen Sinn. Die ist sozusag'n total mit ihrer Kunst liiert. Ein Mann tät die da ja bloß ablenken, wissen S'.«

Bruno nickte schon wieder verständnisvoll. Franziska fragte sich, wohin dieses Gespräch eigentlich führen sollte, was um alles in der Welt Bruno damit nur wieder zu bezwecken glaubte.

»Über zwanzig Jahr kommt die schon einen jeden Sommer da raus zu uns und arbeitet in ihrem Haus. Ihre Scheune hat sie sich zu einem Atelier umbauen lass'n, das heißt, genau g'nommen hat sie sich ein altes G'wächshaus von England kommen und da hinstellen lass'n, wo früher eine Scheune war«, berichtete Charlotte Rücker so stolz, als habe sie selbst diese Maßnahmen veranlaßt. »Das Haus, müssen S' nämlich wissen, das hat's damals von ihrer Tante geerbt g'habt. Schon als Kind, wie die Tante noch g'lebt hat, war's oft dag'wesn. Da war's auch noch völlig normal. Wie mir alle halt, ned wahr? So, und jetzt kommt's eben allerweil jeden Mai, und im Oktober fahrt's nachad wieder, gell, zurück in die Stadt, wo's auch noch eine Wohnung hat. Da macht's dann ihre Entwürfe. Und fast in einem jeden Sommer hat's dann eine neue Kollektion dabei, Sie, das ist fei jedesmal spannend, glauben S' mir das?«

Franziska zuckte bei dem Wort »Kollektion« zusammen. Sie ist doch keine Schneiderin, lag ihr auf der Zunge, doch dann besann sie sich und fragte: »Und was ist mit den anderen?«

»Mit den andern Leuten im Dorf?«

»Exakt.«

»Ja mei, was gäb's da schon groß zum sagen? Da wär'n dann noch ein paar Zug'reiste, aber die kenn ich ned näher. Kennen in dem Sinn, gell, kennen tu ich eigentlich nur noch die Schmiedingers. Die kenn ich nämlich noch von früher. Bei denen war ich sogar auf der Hochzeit, ned wahr, und die sind auch immer noch zusammen! Freilich, der Adolf nimmt's mit der ehelichen Treue ned ganz so genau, gell, jedenfalls erzählt man sich das im Dorf. Sie wissen ja, wie die Leut so red'n, nix Genaues weiß ich allerdings auch ned. Seine Frau laßt ihm halt auch alles durchgehn. Die Erna, die hat eine Engelsgeduld, sie weiß ja auch genau, daß er am Ende sowieso wieder zu ihr z'rückkommt. Er braucht halt immer einmal wieder seine kleinen Abenteuer, ned wahr? Wissen S', probiert, also, probiert hat er's nämlich bei mir auch schon einmal.« Sie straffte sich. »Aber ich bin eine anständige Frau! Bei mir geht da gar nix! Bei mir, da beißt so einer auf Granit, das dürfen S' mir ruhig glauben, aber selbiges kann natürlich ned eine jede von sich behaupten.«

Bruno nickte zustimmend. »Und was ist mit den Langriegers?«

»Gehen S', wie kommen denn Sie jetzt plötzlich auf die Langriegers? Die sind doch im Urlaub, oder? Ja mei, ein ganz ein nettes Paar ist das, zwei Kinder haben's halt, lieb sind die meistens, mei, manchmal auch ein bisserl wild, wie Buben einfach so sind, ned wahr. Aber, ach wo, keine Scheidung steht da mit Sicherheit ned zur Debatte. Glauben S' mir eins, auf dem Dorf passiert so was ned so leicht. In der Großstadt, in derer Anonymität da, wo eines das andere ned kennt nicht, da ist so was immer leicht möglich, gell, da ist das ja gang und gäbe. Aber bei uns, da schaut noch ein jeder nach seine Mitmenschen, mir passen halt noch aufeinander auf, im besten Sinn natürlich. Mir sorgen noch füreinander. Wissen S', was ich mein?«

»Klar wissen wir das«, murmelte Franziska und schlug die Beine übereinander. Sie wollte so schnell wie möglich raus und rauchen. Das hier brachte nichts. Doch Bruno war die Ruhe selbst.

»Und der alte Langrieger?«

»Sie meinen den Sepp, bei dem das mit dem Brunner passiert ist?«

»Genau den.«

Frau Rückert seufzte. »O mei, der Sepp, der hat's ned leicht, das ist keine einfache G'schicht mit denen.«

»Erzählen S' doch einmal.«

»Sie, ich weiß fei ned, ich mein, meinen S' wirklich, daß des jetzt da herg'hört? Wissen S', dem Sepp seine Frau ist halt allerweil ein wenig komisch. Um alles und jedes macht sich die Sorg'n, immer ist's irgendwie bedrückt, und ständig heult's Rotz und Wasser. Er hätt wirklich was Besser's verdient, der Sepp, wirklich wahr. Aber trotzdem, er kümmert sich und tut und macht und sorgt für sie, also, wenn S' mich frag'n tät'n, nachad ist diese Ehe schon letztlich in Ordnung. Der Sepp ist im Grunde ein ganz ein lieber Kerl, der tut keiner Flieg'n was zuleide, das könnt der ja gar ned, gell wissen S', und wenn er wirklich einmal mit seinen Enkeln schimpft oder daß ihm dann halt einmal die Hand ausrutscht, dann werden die das schon brauchen, ned wahr, wer möcht ihm denn so was verdenken. Also, mit dem Tod von dem jungen Brunner hat der g'wiß nix zum tun, nie und nimmer ned, glauben S' mir das! An so was dürften S' eigentlich ned einmal denken nicht!«

»Ach wo, der steht unsererseits unter keinem besonderen Verdacht ned«, beruhigte Bruno sie.

»Wollen S' wissen, wer mir wirklich ned ganz geheuer ist? Das ist das Paar auf Hausnummer elf. Diese Frau Ascher und der Herr Moll. Also, ich weiß ned … Die sind ned einmal miteinander verheiratet, und das, obwohl die sogar Kinder haben! Das kann doch ned richtig sein, oder? Also, ich find so was jedenfalls ned in Ordnung nicht! Ich mein, wenn ich jetzt, zum Beispiel, ned heirat, weil ich ned mag, nachad ist das was ganz was anderes, dann ist das halt ganz allein meine Sache, ned wahr, weil ich hab ja schließlich keine Familie nicht. Aber die, bei denen, das ist doch mehr als wie komisch …«

»Was ist denn so komisch an denen?«

»G'schieden sind's, alle zwei, gut, das kann halt passieren. Aber daß man sich dann auch noch wild zusammentun muß, mitsamt der Kinder aus den jeweils ersten Ehen, ein Bub und ein Madl, also wirklich! Und das langt denen ja immer noch ned! Stellen S' Ihnen nur vor, jetzt ham die auch noch Zwillinge kriegen müssen miteinander, und die zwei kleinen Mädeln müssen jetzt in derartig versaute Familienverhältnisse großwerden! Großer Gott, das sind schon arme Würmer! Außerdem essen die allesamt kein Fleisch nicht! Und das G'müs, denen ihr G'müs, das bauen die in ihrem Garten ohne einen Kunstdünger an, und dann spritzen S' das ganze Jahr auch gar nie nix, so daß nix wie Würmer und Schnecken drin sind in dem verschrumpelten Zeug. Biologisch soll das dann sein, das müssen S' Ihnen einmal vorstellen! So was G'spinnert's, das ist doch ned normal, oder?«

Brunos Schweigen schien ihr als Zustimmung zu genügen.

»Wie alt sind denn die Kinder aus den ersten Ehen?« fragte Franziska.

»Mei, älter schon. Das Madl hat grad den Führerschein g'macht. Die wird eh nimmer lang bei denen wohnen bleiben. Die will raus, die will was erleben! Mein Lebensgefährte sagt allerweil, das wär ein ganz ein scharfes Luder.« Sie biß sich auf die Lippen. »Tschuldigen S', das ist mir jetzt bloß so rausg'rutscht. Das g'hört ja jetzt wirklich ned daher. Der Bub, ja mei, wie alt wird der denn sein, vielleicht so um die fünfzehn, sechzehn.«

Sie stockte und erschrak.

»Aber was den Mord am Brunner betrifft, also, da dürfen S' wirklich auch von denen niemand ned verdächtigen. Weil das wär dann ja doch hinten höher als wie vorn, wenn sich ein jeder schon verdächtig machen tät, bloß weil er kein Fleisch nicht mag, gell? Aber komisch sind die, so viel steht fest, und da bleib ich auch dabei. So, so … so eigenbrötlerisch. Die machen nix für die Gemeinschaft. So was kümmert die gar ned. Dabei müßten doch wirklich alle zusammenhalten in so einem kleinen Dorf, ned wahr, ein jeder müßt sich einbringen, müßt auch einmal was teilen können und anderen was abgeben mög'n, und sollt halt ned immer bloß allerweil ganz an sich allein denken. Was meinen denn jetzt nachad Sie dazu?«

»Da haben S' auch wieder recht.« Bruno blieb weiter ungerührt.

»Was den Mord betrifft, also, da kommt sowieso niemand aus Kleinöd ned in Frage. Das kann ich Ihnen ja gar ned oft genug sagen. Ich mein schon bald, da verschwenden S' hier bloß Ihre Zeit und unsere Steuergelder, hahaha.«

»Wer behauptet denn, daß wir nur hier im Ort nach dem Mörder suchen würden?« Bei Franziska war nun endgültig der schon sehr dünn gewordene Geduldsfaden gerissen. Sie suchte den Augenkontakt mit dieser Frau. Doch die wich ihrem Blick sofort aus und zog es vor, Bruno auf eine ausgesprochen unverschämte Art und Weise anzuschmachten. Was für eine unangenehme Person, dachte Franziska. Selbstgerecht und egozentrisch ohne Ende. Das ist die Sorte, von der der eigentliche Schrecken ausgeht. Der alltägliche Terror.

»Warum sonst wär'n Sie denn dann da bei mir?« schoß Frau Rücker sofort zurück.

»Ja mei, mir müssen uns doch einfach erst mal einen allgemeinen Überblick verschaffen«, beruhigte Bruno sie. »Erzählen S' uns ruhig noch ein wenig was von den Leuten da im Dorf.«

»Ja freilich, sonst noch was! Von mir erfahren Sie original gar nix mehr! Ich red überhaupt nie ned über keine fremden Leut nicht! Wissen S' was, ich will eigentlich nur in Frieden g'lassen werd'n, niemand was Böses ned wünschen und meine Ruhe haben. Endlich, endlich in meinem Leben geht's mir jetzt, wo ich mit meinem Lebensg'fährten zusammen bin, auch einmal wirklich gut! Und so wie ich jetzt ned wollen tät, daß mir desweg'n irgendwer neidig wär, genausowenig möcht ich mich in das Leben von irgendwelche andern Leut einmischen. Wenn jetzt gleich der Herr Döhring kommt, dürfen S' selbstverständlich auch mit ihm selber reden. Der ist an sich für alles offen. Aber ich kann Ihnen jetzt schon versichern, daß der auch nix ned weiß nicht. Erstens einmal, sind mir alle einfach nur g'schockt von diesem grauslichen Vorfall. Und zweitens wohnt der Herr Döhring ja in einem ganz andern Ort. Wissen S', das sind hier einfach ned die gleichen Verhältnisse wie in einer Großstadt. Die drei, vier Kilometer, die was mir auseinander sind, des wär in München oder in Berlin gar nix, da tät man wahrscheinlich bald schon von Nachbarschaft reden. Aber da bei uns heraußen, ned wahr, da ist das nächste Dorf schon fast so was wie ein fremdes Land. Was natürlich auch wieder Vor- wie Nachteile hat.«

»Freilich, ich weiß doch genau, was Sie meinen, ich bin doch auch vom Land.«

Bruno, der Frauenheld, dachte Franziska. Was will der nur von der Rücker? Warum schmeichelt er sich denn gar so ein? Peinlich, dieses verständnisvolle Gesülze. Den nehme ich mir nachher zur Brust.

»Aber es gibt doch noch mehr Zug'reiste in Kleinöd, oder? Ned bloß die alternativen Jungbauern, von denen mir vorhin g'redet ham.« Brunos Stimme hatte nach wie vor etwas Einschmeichelndes.

»Alternative Jungbauern, hahaha, das g'fällt mir. Das muß ich mir ja direkt merken! Ein wunderbarer Ausdruck.« Frau Rücker lachte nochmals laut und hemmungslos. Dann besann sie sich.

»Die Frau Bachmeier halt, die neue Frau vom Bachmeier Franz, das ist auch eine Zug'reiste. Und eine Ausländerin auch noch! Irgendwie chinesisch kommt mir die vor. Er fahrt in der Früh allerweil in die Stadt rein, ned wahr, allerweil so um Sechse in der Früh, und vor Achte auf d'Nacht kommt der eigentlich nie heim. Sie ist den ganzen lieb'n langen Tag allein und werkelt viel im Garten. Kinder ham die keins, jedenfalls ist mir nix bekannt. Vielleicht sind's ja auch gar ned verheiratet, obwohl, des wär ja heutzutag kein Hinderungsgrund mehr, wie man an dem Moll und der Ascher seh'n kann. Aber wenn er nie daheim ist, kann er rein technisch schlecht kein Kind nicht zeugen.« Sie warf Bruno einen schmachtenden Blick zu. »Perserkatzen zücht's, die Frau Bachmeier. Sie wissen schon, das sind diese langhaarig'n Viecher, die man von früh bis spät nix wie frisier'n muß. Der Eduard hat mir das verzählt. Den kennen S' ja schon, den Daxhuber Eduard. Na ja, mit irgendwas muß man sich halt beschäftigen, ned wahr?« Sie kicherte.

»Wissen S' ned vielleicht zufällig die Hausnummer?«

»Warten S' einmal, die wohnen direkt neben die Schmiedingers, das müßt dann die Hausnummer zwei sein, ach wo, die Nummer vier tät ich sag'n.«

»Herr Bachmeier und seine erste Frau sind geschieden?«

»Ja, was glauben denn nachad Sie, ich bin doch kein Auskunftsbüro nicht!« wies Frau Rücker Franziska zurecht.

Na, großartig, die Sympathie scheint ja auf beiden Seiten zu sein, dachte Franziska. Sie spürte, daß sie bei diesem Gespräch nur ein Zaungast war und die Verhandlungsführung weiterhin gänzlich Bruno überlassen mußte. Gleichzeitig fragte sie sich immer mehr, was das Ganze eigentlich sollte. Irgend etwas Wesentliches würden sie von dieser Frau gewiß nicht erfahren.

Bruno hingegen strahlte die Rücker an, die schon vor geraumer Zeit damit aufgehört hatte, ihre Kartoffeln zu schälen, und fragte mit verschwörerischem Unterton: »Was war denn der Hermann eigentlich so für ein Mensch? Man macht sich doch g'wiß seine Gedanken, wenn jemand so tragisch ums Leben kommt.«

»Das können S' aber laut sagen!« Frau Rücker seufzte und setzte ihre wirkungsvollste Betroffenheitsmiene auf. »Unscheinbar war der allerweil, ein ganz ein stiller und schüchterner. Ich hab ja kaum mit ihm g'sproch'n, Sie müssen wiss'n, ich red ned gern recht viel nicht. Von Haus

aus bin ich ein eher schweigsamer Mensch. Zuhör'n muß man können, das ist das A und O im Leben! Das sag ich dem Herrn Döhring auch den ganzen Tag! Reden ist halt einmal bloß Silber, Schweigen ist hingegen Gold!«

»Da haben S' recht.« Bruno spielte eisenhart den Verständnisvollen. Franziska trat ihm kräftig auf den Fuß und tippte vielsagend auf ihre Uhr.

»So, Frau Rücker, nachad sagen mir zwei einstweilen dankschön. Hat uns g'freut, mit Ihnen zum reden. Vielleicht sehn wir uns ja noch einmal. Der Fall ist ja scheinbar doch eher kompliziert, so richtig sind mir jedenfalls noch ned vorankommen. Falls Ihnen noch was einfällt, lassen S' es mich bittschön gleich wissen. Ich wär Ihnen wirklich sehr verbunden.« Er reichte ihr seine Visitenkarte. Sie studierte sie aufmerksam.

»Herr Kleinschmidt, Sie sind ein ganz ein guter Kommissar, und Sie werden Ihren Fall g'wiß baldigst g'löst haben. Das spür ich einfach, das dürfen S' mir ruhig glauben!«

Bruno verbeugte sich leicht. »Wollen mir's hoffen.«

»Was war das denn?« fuhr Franziska ihn draußen an und suchte hektisch in ihrer Tasche nach Zigaretten und Feuerzeug. »Sie sind ein guter Kommissar, und Sie werden ihren Fall bald gelöst haben. Das spüre ich. Ha, ha, ha!«

»Sie wollten doch ums Verrecken, daß ich heut mit da rauskomm. Deshalb hab ich das halt so interpretiert, daß ich mich Ihrer Ansicht nach vor Ort irgendwie noch viel stärker einbringen sollt.«

»Ach so! Dann war Ihre bühnenreife Vorstellung von grade eben mit mir in der Nebenrolle also lediglich als eine Art Abstrafung gedacht? Ganz große Comedy, Kleinschmidt, Komödienstadel live, das muß man Ihnen lassen!«

»So tät man das unter den Umständen vielleicht sogar sehen können.« Bruno konnte sich nur mühsam ein Grinsen verkneifen.

»Das habe ich nicht verdient.«

»Vielleicht hab ich den Bogen ein bisserl überspannt. Tut mir leid. Aber die ist ja auch wie die Sau derart auf mich abg'fahren, da hat mir das Ganze irgendwann erst so richtig Spaß g'macht. Wie so ein Spiel, wissen S'?«

»Sie haben ihr Honig ums Maul geschmiert, da könnte einem schlecht werden. Megapeinlich war das.«

»Immerhin hab ich jetzt auch eine Informantin da im Ort. Und zwar g'wiß ned die allerschlechteste.«

»Meinem Informanten, diesem Daxhuber, trauen Sie wohl nicht?«

»Ach was, so viel wie der Alten trau ich dem leicht zu, aber vier Aug'n sehn halt nun einmal mehr als wie zwei. Und ich bild mir auch ein, daß ich diesen Spruch heut schon irgendwo mal g'hört hätt!«

Siebtes Kapitel

Auf der Rückfahrt schwiegen sie sich an. Am Horizont braute sich ein Gewitter zusammen. Die Luft im Inneren des Wagens war schwül und drückend. Als sie gegen vierzehn Uhr die Stadtgrenze von Landau erreichten, fielen schon die ersten Regentropfen. Beide atmeten erleichtert auf. Bruno fuhr Franziska heim, immer noch still, aber jetzt gelassener, und auch Franziska merkte, daß sie keine Lust mehr hatte, mit ihm über den Vormittag zu diskutieren. Sie war ärgerlich, jedoch sicherlich auch wegen Christian. Als sie die Wagentür öffnete, sprach Bruno aus, was ihn anscheinend die ganze Zeit schon beschäftigte:

»Also, ich find das ned so gut, wenn mir uns so stark auf Kleinöd konzentrieren und fast ausschließlich da rumstochern, bloß weil da die Leiche g'funden worden ist. Der Hermann war ein Einzelgänger. Dem kommen mir nie auf die Schliche, wenn mir allerweil nur andere über den reden lassen. Die wissen doch alle nix von dem. Der hat doch bloß über sein Computer Kontakt mit der Welt g'habt. Wenn S' mich frag'n, nachad finden mir den Schlüssel zu unserm Fall in dem Rechner drin.«

»Mag sein«, murmelte Franziska, steckte sich noch schnell eine Zigarette an und lehnte sich in den Beifahrersitz zurück. »Was aber, wenn Sie das Paßwort nicht knacken? Ich habe da so meine Erfahrungen. Und nicht gerade gute. Das hat nämlich nichts mit Können zu tun, sondern eher mit Glück und Intuition. Auch Ihr Herr Pichlmeier ist sicher kein Experte auf dem Gebiet der Verschlüsselungstechnik.«

»Das können doch Sie im Moment wirklich noch gar ned beurteilen«, widersprach Bruno. Er hörte sich beleidigt an.

»Wissen Sie was?« schlug Franziska vor. »Sie verfolgen Ihren Weg per Computer, und ich vertraue meinem Gefühl. Und mein Gefühl sagt mir, daß die ganze Geschichte doch etwas mit diesem Dorf zu tun hat. Es riecht sozusagen danach.«

»Das kommt bloß daher, weil Sie Ihnen in denen Dorfstrukturen ned so b'sonders gut auskennen. Ich bin in der Kleinstadt aufg'wachsen. Ich find das Verhalten von den Daxhubers, der Rücker und wie's grad nur alle heißen, einfach ned wirklich außerg'wöhnlich nicht. So ist das halt nun einmal auf'm Land.«

»Dieses Herumgeschwätze, ohne was zu sagen? Das finden Sie ganz normal? Mir kommt es vor, als habe da jeder seine Leiche im Keller – Entschuldigung, das ist vielleicht im Augenblick nicht der richtige Vergleich.«

»Wie wär's denn dann mit einer Leiche in der Grub'n?« schlug Bruno vor.

Franziska lächelte gequält.

Langsam öffnete sie die Autotür und seufzte. »Gut. Wir reden morgen weiter. Genießen Sie den Rest des Tages.«

»Ich schau noch einmal im Büro vorbei. Falls mir des Teil knacken sollt'n, meld ich mich sofort bei Ihnen.«

»Na dann, viel Glück.«

Franziska stieg aus dem Wagen und winkte Bruno hinterher.

»Was bildet der sich eigentlich ein?« murmelte sie, während sie langsam die Haustür aufschloß. »Tut da irgend einen Crash-Kurs-Experten auf und macht ein Theater, als könne er jetzt locker den Geheimcode des Bundesverfassungsschutzes knacken. Wenn er sich weiterhin auf diesen Computer versteift, muß ich den Fall wohl alleine lösen.«

Christian schlief noch. Nachmittags um zwei. Sie verspürte den Impuls, ihn zu wecken, wußte aber gleichzeitig, daß damit der Ehekrach vorprogrammiert war. Und noch mehr Streß brauchte sie heute wirklich nicht.

Hektisch suchte sie in der Vorratskammer, auf dem Kräuterbalkon und in der Kühltruhe nach irgend etwas Eßbarem, fand die Zutaten für eine »Saltimbocca«, setzte sich an den Tisch, schälte Kartoffeln und zitierte für sich diese schreckliche Frau Rücker. »Liebe geht ja auch durch den Magen – möglicherweise hat Bruno sogar recht mit seiner Dorfstruktur«, flüsterte sie in Richtung des sie scharf beobachtenden Katers, »aber Leute, die selbstgerecht sind und gleichzeitig dumm – ach, was sag ich da, die Klugen sind ja von Haus aus nicht selbstgerecht, also solche Menschen, mit denen will ich nichts zu tun haben.«

Der Kater kratzte sich mit einer Pfote hinter dem Ohr, als zöge er ihre Reden in Zweifel.

»Nun gut«, räumte sie ein, »ich hätte mir von Anfang an einen anderen Job suchen sollen. Andererseits, und das mußt du zugeben, unterstützt meine Abneigung gegen Selbstgerechtigkeit genau meine These, die da sagt, daß man sich beruflich mit genau den Dingen befaßt, die einem am meisten widerstreben. Als ginge es darum, etwas zu überwinden. Was meinst du dazu?«

Schiely wandte den Blick von ihr ab, konzentrierte sich auf die Mikrowelle und maunzte ungeduldig. Er wartete darauf, daß das Kalbfleisch für die Saltimbocca auftaute. Sie schnitt ihm ein besonders großes Stück ab, als ginge es darum, ihn auf ihre Seite zu ziehen.

»Du kochst?« Christian stand gähnend in der Tür. »Ich dachte, wir könnten heute mal ausgehen. Es gibt Neuigkeiten.«

»Warst du nicht schon lang genug unterwegs?« schoß sie zurück. »Nein, ich will mit dir reden. Und da ist es besser, wenn wir zu Hause bleiben.«

Er hob die Schultern. »Wie du meinst. Dann gehe ich mal duschen.«

Der Rotwein stand auf dem Tisch. Sie lehnten sich satt zurück und rauchten.

»Wo warst du?« fragte Franziska.

»Verreist.« Er lächelte unsicher. »Ich brauchte ein bißchen Urlaub.«

Franziska starrte ihn fassungslos an. »Du bist einfach weggefahren, ohne mich zu informieren? Ich glaub es nicht! Und wohin ging die Reise?«

»Nach Genf.« Er sagte das so, als sei es das Selbstverständlichste der Welt.

Franziska blickte auf ihre Hände. Sie zitterten. Ganz ruhig bleiben, ermahnte sie sich. Mach die Dinge nicht komplizierter, als sie sind! Vielleicht hat das alles nichts zu bedeuten, vielleicht ist ja noch was zu retten. Mein Mann fährt übers Wochenende nach Genf und hinterläßt mir nicht einmal eine Nachricht!

Vorsichtig hob sie den Kopf und schaute zu ihm hinüber. Er schenkte sich Rotwein nach. Seine Hände waren ruhig. Er wirkte fröhlich und entspannt.

»Sag mal«, meinte sie nach einer Weile, »habe ich dir jemals erzählt, daß mein Vater Urlaube haßte? Er verreiste nie, und um so mehr verurteilte er die Reisen seiner Mitarbeiter.«

»Nein.« Christian lachte. »Wie kommst du jetzt darauf?«

Sie hob die Schultern. »Er war Filialleiter in einem kleinen Edeka-Markt und Chef von drei oder vier Angestellten. Immer wenn seine Mitarbeiter in Urlaub fuhren, hatte er das Empfinden, sie würden ihm damit zeigen, daß sie sich auch woanders wohl fühlen konnten, daß sie es gut aushielten ohne ihn. Es war eine persönliche Kränkung. Er fuhr ja nie in Urlaub. Darauf war er stolz. Unter uns gesagt: Er fuhr nur deshalb nicht in Urlaub, weil er sich vor den Stunden fürchtete, die er mit meiner Mutter allein hätte verbringen müssen. Er hatte keine Ahnung, was er mit ihr hätte anfangen können. Nicht mal ein paar Tage lang. Sie litt sehr darunter. Später ist sie mit mir verreist. Da konnte ich ihn verstehen.«

Sie lachte kurz und hilflos, konnte aber nicht aufhören mit ihrer Erzählung.

»Wenn seine Leute zurückkamen, fanden immer die gleichen absurden Gespräche statt. Der Braungebrannte prahlte und strahlte, und mein Vater machte ihm mit inquisitorischer Schärfe alles madig. Das ging ungefähr so: ›Natürlich haben wir uns erholt. Bestens sogar.‹ – ›In der Zeitung stand aber, das Meer sei voller Algen.‹ – ›Okay, das Wasser war nicht gerade sauber. Aber die haben eben etwas zu bieten, was es bei uns nicht gibt: Sonne und Wärme.‹ – ›Und schlechtes Essen.‹ – ›Die kochen eben anders. Aber es stimmt, von diesem Zeug, das in viel zuviel Olivenöl schwimmt, hatten wir alle Darmgeschichten. Trotzdem, wir fahren auch nächstes Jahr wieder hin.‹ – ›Der Südländer als solcher macht gern Lärm.‹ – ›Na gut, daß die Disco bis morgens um vier geöffnet war, hat uns schon ein bißchen gestört. Aber weißt du, einmal haben wir eine Bootsfahrt gemacht – so eine herrliche Fahrt. Vollmond über dem Meer. Das muß man erlebt haben.‹ – ›Vollmond hatten wir hier auch. Und billiger.‹ – ›Billiger, ja … Da spart man das ganze Jahr auf diesen Urlaub – und schon ist alles wieder vorbei, und das Geld ist leider auch futsch.‹ – ›Genau! Du wärst besser hiergeblieben.‹ So ging das hin und her. Mein Vater arbeitete so lange an seinen Mitarbeitern, bis diese ihren Urlaub fast bereuten.«

Christian lachte.

Franziska sah ihn nachdenklich an. »Du und ich, wir haben nur einmal Urlaub gemacht. Weißt du noch? Unsere Hochzeitsreise vor sieben Jahren. Du als mein zweiter Mann, ich als deine zweite Frau. Wir haben uns nicht eine Sekunde miteinander gelangweilt. Ich wäre gern mit dir zusammen nach Genf gefahren …«

»Du hattest keine Zeit«, unterbrach er sie schnell. »Du hast ja nie Zeit.«

»Und wenn ich Zeit habe, hast du keine. Trotzdem,

wenn wir wollen, finden wir einen gemeinsamen Termin. Bitte, laß es uns versuchen.«

Er schwieg, wandte ihr den Rücken zu und ging zum Fenster.

»Mit wem warst du in Genf?« Jetzt stellte sie die Frage, vor der sie sich die ganze Zeit gefürchtet hatte.

Er grinste und strahlte sie entwaffnend an. »Allein. Ich habe recherchiert für ein Buch, das ich übersetzen werde. Es geht um die Kunst der Verschlüsselung und um Firewalls.«

»Ist das wahr?«

»Natürlich ist das wahr. Es ging alles so schnell. Ich habe dieses unsägliche Zeitbuch abgeliefert und gleich den Folgeauftrag bekommen. Es ist eine Art Sachbuch – als Roman geschrieben, aber die Fakten stimmen. Es ist genau das Buch, von dem ich immer geträumt habe. Und es spielt in Genf, in der Innenstadt von Genf. Da habe ich mir gedacht, da du eh mit deinem Fall beschäftigt bist, fliege ich mal schnell rüber und schaue mir alles an. Außerdem wird der Verleger mir die Reisekosten erstatten. Es war klasse. Ich bin mit dem Stadtplan durch die Straßen gewandert, habe mir Notizen gemacht und viel fotografiert – und jetzt freue ich mich schon darauf, mit der Arbeit zu beginnen. Endlich mal ein Buch nach meinem Geschmack. Ich sage dir, diese Stadt bringt uns Glück.«

»Welche Stadt?«

»Landau.«

»Hoffentlich hast du recht. Mit meinem Fall komme ich nämlich gar nicht weiter.«

»Franziska, du bist gerade mal drei Tage an diesem Fall dran. Setz dich doch nicht so unter Druck.«

»Ich bräuchte dringend erfahrenere Mitarbeiter. Dieses Landei Bruno ist ja im Grunde ein netter Kerl, aber mit einem Mordfall schlicht und einfach überfordert. Er hält sich für clever, dabei ist er nur naiv. Er wickelt die alten Mädels aus dem Dorf um seinen Finger und denkt, daß die ihm dann Informationen zuspielen. Dabei wollen die sich nur wichtig machen. Die werden das Durcheinander nur vergrößern. Außerdem fällt er jetzt sowieso flach.«

»Wieso, ist er krank geworden?«

»Nein, aber er hat es sich partout in den Kopf gesetzt, den Computer des Opfers knacken zu wollen. Er vermutet, daß das Geheimnis seines Todes in den Tiefen der Festplatte zu finden ist.«

»Interessant. Möglicherweise kann ich ihm dann sogar ein paar Tips geben.«

»Er hat schon einen Experten.«

»Erzähl, wen?«

»Einen der beiden Dorfpolizisten, auch so ein Schönling. Der behauptet, er habe mal eine Fortbildung zu dem Thema gemacht.«

»Wäre ja interessant zu wissen, was man da so lernt.«

»Ist mir eigentlich schnuppe. So wie ich das sehe, sind die jedenfalls noch wochenlang mit dem Teil beschäftigt. Und ich kann vor Ort alleine recherchieren. Denn wenn ich Bruno zum Mitkommen zwinge, hängt er mir nur wie ein Klotz am Bein oder spielt die beleidigte Leberwurst.«

»Manchmal findet auch ein blindes Huhn ein Korn. Sieh doch nicht alles so pessimistisch.«

Er starrte wie gebannt auf den weichen, dunklen Nackenflaum, der aus dem hochgestellten Kragen eines karierten Freizeithemdes ragte, welches lässig in eine gebügelte Jeans gestopft war. Die Zuneigung, die ihn in diesem Moment erfaßte, war größer als alles, was er bisher an Gefühlen erlebt hatte. Sein Herz klopfte wie wild.

»Servus, bist irgendwie weiterkommen?« fragte er und wunderte sich über seine Stimme, die nur leicht brüchig klang.

»Ich weiß ned recht, eigentlich ned unbedingt wirklich.« Ludwig Pichlmeier lehnte sich zur Entspannung nach der längeren Phase einseitiger Sitzhaltung vor dem

Rechner weit im Sessel zurück, reckte und streckte sich, dehnte seinen makellosen, durchtrainierten Körper. Seine Gesichtszüge waren ebenmäßig. Ein verschmitztes Lächeln umspielte seine Mundwinkel. Die Iris seiner braungrauen Augen war mit winzigen honigfarbenen Flöckchen gesprenkelt. Seine Nasenflügel bebten leicht im Rhythmus seiner Atemzüge.

Bruno hätte sich dieses faszinierende Schauspiel gern aus der Nähe angesehen, wußte aber nicht so recht, wie er es anstellen sollte.

»Klingt ned grad nach einem entscheidenden Durchbruch nicht.«

»Ach wo, nix haut ned hin.«

»Geh weiter, laß dich ned drausbringen, das schadet gar nix. Man lernt ja auch ständig durch das dazu, was man praktisch ausschließen kann. Quasi durch trial and error halt, wie die Amis dazu sagen tät'n. Vielleicht hast dich ja auch einfach in irgendwas verrennt? Was hast denn zuletzt grad ausprobiert?«

»Die ham doch Rindviecher zücht. Wie ich klein war, ham mir daheim auch noch eine Landwirtschaft g'habt. Ich hab vorher alle Kuh- und Stiernamen eingeben, die was mir eing'fallen sind: Alma, Maxl, Berta, Caro, Torro ...«

»Du hast daheim Kühe g'hütet? Der Hammer. Und dann bist ein G'setzeshüter g'worden.« Bruno kam sich reichlich blöd dabei vor, als er einen solchen Sermon absonderte, aber etwas an diesem Ludwig ließ ihn reagieren wie ein kleines, schüchternes und zugleich albernes und glückliches Kind. Und er konnte sich einfach nicht dagegen wehren.

»Freilich. Grad wollt ich meine Schwester anrufen und fragen, ob ned ihr vielleicht noch irgendein Name einfallen tät. Oder hast du die zündende Idee?«

»Mir wissen ja praktisch nix von dem. Mir können den doch nur total schwer einschätzen. Vielleicht hat er ja seinen Nachnamen verhunzt oder seinen Vornamen verdreht. Oder er hat den Namen von irgendeiner Katz oder einem Hund g'nommen, die was er als Kind auf einem Bauernhof bestimmt g'habt hat.«

»Das wär auch möglich.«

»Könnt am End sein, daß mir die Eltern noch einmal nach so was fragen müßten – aber scharf bin ich da wirklich ned drauf. Mir wär's schon wesentlich lieber, wenn mir das Paßwort einfach so rauskriegen tät'n.«

»Mir könnten ja erst einmal noch ein paar Testläufe starten«, schlug Ludwig Pichlmeier vor.

»Hast denn noch Zeit?«

»Massig sogar. Ich hab heut eh nix anderes nimmer vor«, sagte Ludwig und sah Bruno erwartungsvoll an.

Dessen Knie zitterten. Er zog sich einen Stuhl heran, setzte sich ganz langsam und vorsichtig neben Ludwig vor den Bildschirm und holte tief Luft. »Okay, dann laß uns die Sache einmal von der logischen Seiten her angehn. Wieviel Buchstaben hat denn so ein Paßwort normalerweise?«

»Sechse bis zehne, maximal, tät ich sag'n.«

»Das Wort ›Brunner‹ hast sicher schon eingeb'n?«

»Freilich, gleich als allererst's. In sämtliche Varianten: Brunnen, Brünn, Brunn, Braun, Brause …«

»Und an Hermann?«

»Ganz genau so: Herr, Mann, Frau, Dame, Herm, Hannes, Hans, Her, Man …«

»›Her Man‹, wie der Ami sag'n tät – das hätt mir aber irgendwie gar ned schlecht g'fallen!«

»Meinst denn, daß unser Hermann ein Mutterbuberl war?«

Bruno dachte an Frau Brunner. Nein, die hatte nicht ausgesehen, als sei sie eine starke Mutter, die ihr Kind voll im Griff hatte. »Das könnt man so jetzt auch wieder ned behaupt'n. Aber was weiß man schon. Fast nix wissen mir ned.«

»Der da weiß schätzungsweise einen ganzen Haufen über ihn«, murmelte Ludwig und streichelte den Computer. »Da drin könnt sein Tagebuch versteckt sein.«

»Wer schreibt denn heutzutag schon noch ein Tagebuch?«

»So was heißt nur mittlerweile ganz anders. ›Journal‹ oder ›Weblog‹ oder in der Art. Aber der Name wär ja vollkommen wurscht, ein Haupttreffer für uns wär's halt, wenn alle seine Aktivitäten in so was zeitlich festg'halten wär'n.«

»Ich weiß schon, was du meinst. Aber unser Tagebuch, jetzt sag'n mir halt einfach mal so dazu, hat, falls es denn existiert, ein ganz ein hund'sverreckt's Vorhängeschloß! Weißt was? Wenn mir das Paßwort heut rauskrieg'n, dann lad ich dich zum Ess'n ein. Was meinst?«

»Das ist ein Wort!« Ludwig schnalzte zur Bekräftigung mit der Zunge, beugte sich wieder tief über die Tastatur und fügte nach einer kurzen Pause etwas leiser hinzu: »Aber falls mir das Schloß wider Erwarten heut doch noch ned aufbringen sollt'n, nachad gehn mir trotzdem später miteinand essen. Dann zahlt halt ein jeder selber, ist doch eh g'hupft wie g'sprungen, wer zahlt.«

»Genauso mach'n mir das! Darf ich ein bisserl näher rutsch'n mit meinem Stuhl?« fragte Bruno.

»Freilich, komm nur her! Mir werden doch da vor dem Rechner grad noch Platz ham nebeneinand, mir zwei!«

Die Mutter hatte sich schlafen gelegt. Endlich. Marlene hatte die Rollos in ihrem Zimmer so dicht geschlossen, wie sie es sonst nie tat. Die Mutter sollte glauben, es sei Nacht. Sie sollte in ihrem Bett bleiben und sich nicht rühren, bis Marlene wiederkam. Es ging nicht anders. Sie mußte weg.

Der alte Passat sprang sofort an. Das war ein Zeichen. Ein gutes Zeichen. Auch wirkte das Dorf so ausgestorben, daß sie sich in der Hoffnung wiegen konnte, niemand habe sie gesehen. Sie fuhr schnell und zügig. Sie fühlte sich frei. Wie ein kleines braves Tier hockte der Rucksack auf dem Beifahrersitz.

Sie wußte keinen Satz, den sie hätte niederschreiben können, um festzuhalten, warum sie jetzt und in dieser Eile aufbrach. Sie wußte nur, daß es sein mußte. Und so murmelte sie vor sich hin: »Was du heute kannst besorgen, das verschiebe nicht auf morgen.« Ihn noch einmal sehen. Ein letztes Mal. Das war die Lösung.

Was für ein Glück, daß sie gerade am Fenster gestanden hatte, als Eduard Daxhuber und Adolf Schmiedinger laut diskutierend und mit ausladenden Gesten vom Frühschoppen nach dem Kirchenbesuch nach Hause wankten. Nicht einmal das Fenster hatte sie zu öffnen brauchen. Auch so war jedes Wort zu verstehen gewesen. Die erstaunte Frage des Nachbarn: »Im Krankenhaus? Wieso denn das? Der ist doch hin! Maustot ist der!« ebensogut wie die Antwort des Polizisten:

»Weil da die Pathologie ist. Da ham's den aufgschnitten. Und jetzt liegt der halt allerweil noch dort umeinander. Aber am Mittwoch soll er eingraben werd'n. Ich hab's heut früh von meine Kollegen erfahrn. Die Leiche ist freigeb'n worden.«

Und nachdem sie das gehört hatte, hatte sie gewußt, was zu tun war.

Ohne nachzudenken, fuhr sie zum Krankenhaus und flüsterte immer wieder diese eine Zeile vor sich hin: »Was du heute kannst besorgen ...« Gelegentlich war Rettung in solchen Ritualen zu finden, und mit Rettungsmanövern kannte sie sich aus. Jahrelang hatte sie immer bis zwölf gezählt. Ein Dutzend Zahlen mußte durchgezählt sein, bevor sie eine Antwort gab. Sie hatte den Ruf genossen, klug und nachdenklich zu sein, wohlüberlegt zu reagieren. Doch dann hatte man ihr aus heiterem Himmel mangelnde Spontaneität vorgeworfen und daraus einen Entlassungsgrund formuliert. »Die Geschäfte gehen nicht gut, wir brauchen Verkäufer, die die Leute an sich binden, auf sie einreden, sie überzeugen können.«

Absurd, absurd war das alles. Was gab es denn schon an Überzeugungsarbeit zu leisten, wenn sich jemand ein Wasserglas kaufen wollte, eine Schere, ein Messer, einen Korkenzieher? Die Leute waren dankbar, wenn man ihnen zuhörte, ihnen Zeit ließ, ihre Gedanken in Sätze umzuwandeln. Sie wollten nicht dauernd unterbrochen werden. Zwölf war eine gute Zahl gewesen. Doch die Zahl verband sich mit ihrer Kündigung bei dem Haushaltswarengeschäft, und sie konnte sie nicht mehr benutzen. Eine Komposition mit Rhythmus und Stil. Ein Dutzend eben. Eine harmonische Einheit.

Sie hielt am Straßenrand an, schrieb die Ziffern Eins und Zwei auf einen Zettel und ließ diesen in den Tiefen ihres Rucksackes verschwinden. Wenn der eine käme, der sie verstünde, dann könnte sie ihm auch von der Zwölf erzählen.

Der Parkplatz vor dem Krankenhaus war fast leer. Das mittägliche Gewitter hatte die Luft gereinigt, und ein bajuwarisch weiß-blauer Himmel wie aus der Bierwerbung spiegelte sich in den Pfützen. Sie wußte, zu wem sie wollte und nach wem sie fragen mußte, hängte sich den Rucksack über die Schultern und ging zielstrebig auf den Eingangsbereich der Klinik zu.

Als sie seinen Namen nannte, schüttelte die Schwester in Ordenstracht an der Pforte verneinend den Kopf.

»Wann tät der eing'liefert worden sein sollen?«

»Ich schätze am Freitag. Vielleicht auch erst am Samstag. Es ist wichtig, wirklich, ich muß zu ihm.« Sie redete schnell und gehetzt. Ihre Worte verhakten sich ineinander und wurden zu einem festen Band, an dem sie sich entlanghangeln konnte.

Die Nonne starrte auf den Computerbildschirm. »Ich find den grad ned. Auf keinem von den Zimmern liegt der nicht.«

»Vielleicht ist er …« Marlenes Stocken war gespielt, sie brauchte die Atempause. Sie fühlte sich wie eine Bergsteigerin, die sich an einem festen Seil bis zu einer Aussichtsplattform hochgekämpft hatte und die nun dringend eine Pause benötigte.

»Von uns gangen?« fragte die Nonne und schlug ein Kreuz.

Marlene nickte.

»Da muß ich dann in eine andere Datei einischaun.« Die Nonne bewegte die Computermaus mit flinken Fingern. Sie war um die Sechzig und schien dieses neue Spielzeug richtig gern zu mögen. Sie starrte auf den Bildschirm und murmelte liebevoll, als ginge es darum, ein störrisches Kind zur Vernunft zu bringen: »Geh zu, geh weiter, mir ham schließlich ned den ganzen Tag Zeit, schick dich ein bisserl. Aha, jetzt rattert der Kasten, da ham mir ihn ja, den Brunner«, brummte sie erfreut, dämpfte jedoch im gleichen Moment ihre Stimme und bedachte Marlene mit einem mitleidigen Blick.

»Der weilt in der Tat nimmer unter uns nicht. Ja mei, Sie Ärmste, Sie. Der Herr sei seiner Seele gnädig und segne Ihnen, mein Kind!«

»Kann ich ihn noch einmal sehen? Bitte! Ich muß ihn noch einmal sehen, sonst glaube ich das nicht.« Wer war das, die da so aus ihr sprach, mit diesem Drängen, dieser gespielten Sehnsucht?

»Ich weiß ned recht, das ist fei ganz und gar unüblich. Das tät ich eigentlich gar ned wirklich erlauben dürfen.«

»Aber wo ist er denn jetzt? Bitte, ich muß ihn sehen!«

»Wart'n S' einen Moment.« Sie griff zum Telefon, und Marlene erkannte an ihrem Blick, daß sie gewonnen hatte. Da war jemand, der sich um sie kümmerte. Nur um sie. Tränen traten ihr in die Augen, und sie suchte nach einem Taschentuch. Immer mußte sie auf die Mutter aufpassen und für sie sorgen – und nun sorgte sich auch einmal jemand um sie.

»Herr Wiener? Preiset Gott den Herrn, daß Sie noch da sind! Ich hätt da wen da, ein junges Madl. Sie sagt, sie tät ganz unbedingt den verstorb'nen Herrn Brunner noch einmal so gern sehn wollen, das arme Hascherl. Ja,ja, das weiß ich schon selber, aber könnt man da denn ned auch einmal eine Ausnahme nicht machen? Schon allein zwecks der Barmherzigkeit? Ach, gehn S' weiter, hörn S' mir doch bloß damit auf, der Röder muß ja wirklich auch ned alles wissen nicht!«

Marlene wandte sich ab und weinte. Wann hatte zuletzt jemand etwas für sie getan?

»Kommen S' nur mit.« Die Nonne stand plötzlich neben ihr. Sie war klein und zierlich. Hinter der Empfangstheke des Krankenhausempfangs hatte sie furchteinflößend und mächtig gewirkt. Marlene fragte sich, ob die Anmeldung des Krankenhauses vielleicht mit einem Vergrößerungsglas versehen war, damit die, die nach innen schauten, vor der stillen Größe erstarrten, während diejenigen, die nach außen blickten, nichts als ein Gewusel kleiner bittstellender Zwerge sahen.

»Da ist der Aufzug. Da fahrn S' jetzt nunter in den Keller. Der Herr Wiener holt Ihnen ab.«

Marlene nickte.

Eigentlich hätte Gustav Wiener an diesem Montag nachmittag frei gehabt. Doch irgend etwas hatte ihn trotzdem in die Pathologie getrieben; fast als habe er Erbarmen mit der Einsamkeit des Toten, der dort immer noch lag und erst am späten Nachmittag für seine letzte Reise in einen Sarg gebettet werden sollte. Das Bestattungsunternehmen hatte sich am Vormittag über sein Handy gemeldet und mit ihm einen Termin zur Umbettung der Leiche vereinbart.

Jetzt war er zwei Stunden vor der vereinbarten Zeit da, betrachtete Hermann Brunner und murmelte vor sich hin: »Dir haben sie aber ganz schön übel mitgespielt, und niemand ist da, der dich betrauert.« Es ging ihm oft so bei den Toten, die im Keller bei ihm und Dr. Röder landeten. Fast immer dachte er, das hätte auch ich sein können, und in das Mitleid mit den Verstorbenen mischte sich große Erleichterung darüber, daß er selbst noch lebte und nicht auf diesem Tisch lag, der Wissenschaft und der Neugier Fremder preisgegeben.

Als Schwester Edburga vom Empfang anrief und ihm sagte, daß eine junge Frau den Toten unbedingt sehen mußte, hatte er innerlich so etwas wie Erleichterung verspürt. »Es gab also doch jemanden in deinem Leben, alter Junge. Das tröstet mich, macht mich aber fast ein bißchen neidisch – denn wer will schon mit jemandem wie mir etwas zu tun haben. Mit einem Leichenfledderer.«

In den vergangenen drei Tagen hatte er oft mit dem Toten gesprochen, es war ein Gefühl von Vertrautheit entstanden. Er hatte sich das Leben dieses Hermann vorgestellt, dessen gewaltsamen Tod dabei aber bewußt ausgeklammert. Da lag der Bruder oder Freund, den er sich immer gewünscht hatte. Er stellte sich vor, sie hätten viel miteinander geredet, und dieser stille Mann hätte ihn verstanden. Es war schade, daß er ihn erst jetzt kennengelernt hatte, nun, da es zu spät war. Auch dieser Gedanke war ihm vertraut, und insgeheim ahnte er, daß er auf die Toten all jene guten Eigenschaften projizierte, die er an den Lebenden vermißte.

Er zog sich einen frischgestärkten Arztkittel an und ging zum Aufzug, um die Fremde in Empfang zu nehmen. Sie war ihm schon allein deshalb sympathisch, weil sie den gleichen Freund oder Bruder gehabt hatte, um den auch er nun trauerte.

Sie trat in den kalten Flur hinaus und sah ihn ängstlich an.

»Kann ich ihn noch einmal sehen?«

Gustav Wiener war froh, daß er die Leiche so sorgfältig aufgebahrt hatte. Er nickte huldvoll und ging voraus. »Kommen Sie mit.«

Sie blieb im Abstand von einem halben Meter vor dem Stahltisch stehen. Er beobachtete sie genau. Sorgfältig strich sie sich das aschblonde Haar aus der Stirn. Sie faltete die Hände und legte sie wie zur Beruhigung über ihren Magen. Dann schluckte sie.

»Wollen Sie mit ihm alleine sein?« fragte Gustav Wiener.

»Nein, nein, ist schon gut so.«

Auf leisen Sohlen schlich Gustav Wiener in eine abgedunkelte Ecke des Raumes und setzte sich auf Richard Röders ledernen Schreibtischstuhl. Sollte sie ruhig denken, daß er hier der Chef war, sollte sie ruhig Vertrauen zu ihm fassen. Wie gut, daß er sich noch schnell den weißen Kittel übergezogen hatte! Insgeheim freute es ihn, daß Hermann diese nette Freundin gehabt hatte. Wie seine Schwester sah sie jedenfalls nicht im entferntesten aus. Sie schien auch wirklich um ihn zu trauern. Ihre Augen nahmen von jedem Teil seines Körpers Abschied. So wäre er selbst auch gern einmal betrachtet worden. Vielleicht müßte er abnehmen, um eine solche Frau für sich zu gewinnen – oder sich den Schnauzer abrasieren. Seit Wochen stand ein haarwuchsförderndes Mittel in seinem Schrank, mit dem er die immer kahler werdenden Stellen auf seiner Kopfhaut bearbeiten wollte. Er beschloß, heute damit zu beginnen. Er hätte schon längst damit beginnen sollen!

»Er sieht so anders aus«, murmelte sie plötzlich.

»Er ist seit einer Woche tot. Der Tod verändert die Menschen.«

»Ja.« Sie nickte. »Er sieht fast glücklich aus. Ganz ruhig. Und dieses Hemd, das habe ich nie an ihm gesehen. Es steht ihm gut. Werden Sie ihn so bestatten? Entschuldigen Sie die Frage. Es irritiert mich. Ich wußte nicht, daß …« Sie verstummte.

»Ich bestatte ihn überhaupt nicht. Das macht das Beerdigungsinstitut.«

»Es ist eigenartig.« Ihre Stimme klang brüchig, und er bemerkte, daß ihre Schultern zuckten. Sie weinte. »Ich kannte ihn kaum. Aber ich wußte, ich mußte ihn noch einmal sehen. Mein Vater ist schuld. Mein Vater. Er ist an allem schuld.«

Gustav Wiener schwieg. Er wartete darauf, daß sie weitersprach. Sollte der Vater dieser Frau der Mörder sein? Er mußte unbedingt herausbekommen, wie sie hieß. Dann würde er es diesem Schönling von Kommissar aber zeigen!

»Wissen Sie, als mein Vater starb, war ich grad verreist. Ich kam zwar noch pünktlich zur Beerdigung, aber der Sarg war schon geschlossen. Ich habe ihn nicht mehr gesehen. Und noch immer glaube ich, daß er nicht wirklich gestorben ist, daß er irgendwo lebt und mich und sich verleugnet.«

Gustav Wiener beugte sich vor, doch sie sprach schnell weiter.

»Natürlich habe ich den Totenschein gesehen, natürlich habe ich zusammen mit meiner Mutter seine Schränke leergeräumt. Aber ganz tief in meinem Inneren habe ich mir nicht vorstellen können, daß er in diesem Sarg liegt. Nein, ich glaube es immer noch nicht. Immer noch warte ich auf ihn. Er soll zurückkommen und sich um meine Mutter kümmern. Und deshalb bin ich jetzt hier. Ich wollte Hermann noch einmal sehen. Damit ich ihn nicht später immer wieder über die Straße gehen sehe, so wie ich meinen Vater jahrelang noch zu sehen meinte, damit ich ihm nicht mehr zuwinke, weil ich glaube, er steht auf dem Feld. Jetzt weiß ich, daß ich das alles nicht mehr denken werde. Jetzt sehe ich, daß er nie wieder durch unser Dorf gehen kann.«

»Und das macht Sie traurig«, stellte Gustav Wiener verständnisvoll fest.

»Nicht Trauer. Man könnte eher von Klarheit sprechen. Ich akzeptiere seinen Tod.«

»Das ist das Beste, was Sie machen können.«

Sie sah ihn lange an. »Kann sein. Er ist der erste Tote, den ich sehe. Jetzt bin ich schon zweiundvierzig und sehe zum erstenmal in meinem Leben eine Leiche. Ich habe es mir schlimmer vorgestellt. Ist das nicht komisch?«

»Nein, ich kenne das auch von mir. Die Dinge, die mir angst machen, stelle ich mir immer schrecklich vor, doch die Wirklichkeit ist nicht so fürchterlich, wie man glaubt.«

Die Mutter fiel ihr ein. Sie schüttelte den Kopf. »Es gibt Wirklichkeiten, die sind so entsetzlich, daß man sie sich nicht vorstellen kann.«

»Sie stehen unter Schock«, sagte Gustav Wiener und schälte sich langsam aus dem Chefsessel von Doktor Röder. »Soll ich Ihnen ein Beruhigungsmittel geben?«

»Die wirken schon lange nicht mehr!«

»Was nehmen Sie denn?«

»Baldrian, Johanniskraut, Hopfentee.«

»Interessant.« Er stand dicht neben ihr. Sie roch sauber. Sie roch nach Kernseife und den Handtüchern seiner Kindheit. Ihre Augen waren graugrün, sehr hell und jetzt gerade rot gerändert. »Das sind leichte Mittel. Wenn ich Ihnen mal etwas Stärkeres verschreiben soll – hier ist meine Handy-Nummer.« Er ging zum Schreibtisch, nahm einen Zettel von dem Block, auf dem *Dr. Richard Röder* aufgedruckt war, strich Richard Röder durch, ließ den Doktor stehen und schrieb seinen Namen und seine Telefonnummer. »Sie können mich jederzeit anrufen. Und ich würde Ihnen gerne helfen. Und ich würde Sie gern wiedersehen.« Er erschrak vor seinem Mut. In dieser Situation! Wie peinlich!

Sie schien nicht ärgerlich zu sein. »Wenn das alles hier vorbei ist – vielleicht.«

»Kann ich Sie irgendwo erreichen?«

»Später, in zwei Wochen oder so. Ich muß mich erst wieder fangen.«

»Okay, ich verspreche Ihnen, daß ich mich erst in vierzehn Tagen bei Ihnen melde. Schreiben Sie mir Ihre Telefonnummer auf?«

Sie nickte.

»Wie heißen Sie?«

»Ma... Ma...« Sie stockte. »Marlene.«

»Marlene!« Er ließ sich den Namen auf der Zunge zergehen. Wie angenehm war der Geschmack dieser drei Silben. Er würde sie vor sich hersagen, wann immer er Lust auf Schokolade hatte, und er wußte, daß er nun endlich mit seiner lang geplanten Diät beginnen konnte. »Marlene, wenn Sie aber das Gefühl haben, daß Sie mich schon eher brauchen: Bitte, bitte melden Sie sich!«

»Ist gut.« Erneut sah sie den Toten an. Ja, jetzt war es gut. Jetzt konnte sie gehen.

Achtes Kapitel

Es fiel ihr schwer, ihm zu glauben. Er war so aufgedreht, so glücklich. Zuletzt hatte sie ihn so erlebt, als ihre Liebe noch jung war.

Franziska schlief unruhig, wartete insgeheim auf ihn, aber Christian saß an seinem Computer, legte Dateien an, entwarf Thesauren, in denen er schwierige Worte zwischenlagerte, und das Klappern der Tastatur war wie das Geprassel schwerer Regentropfen an ein Fenster. Im Halbschlaf sah sie Hermann Brunner an diesem Fenster stehen und in die Nacht starren. Erneut überkam sie das Gefühl, auf allen Ebenen versagt zu haben, denn mit der Lösung des Falles war sie keinen Schritt weitergekommen, und morgen würde schon die Beerdigung sein.

Vielleicht schrieb Christian ja gar nicht an seiner Übersetzung, sondern verfaßte hymnische E-Mails an jene Frau, mit der er in Genf gewesen war. Nein, diesen Gedanken verbot sie sich. Wenn sie jetzt auch noch anfing, eifersüchtig zu werden, oder gar ihrem Mann hinterherrecherchierte, würde sie nichts mehr geregelt bekommen. Sie zog sich die Bettdecke über den Kopf. Der Kater, der es sich zwischen ihren Füßen bequem gemacht hatte, miaute vorwurfsvoll, reckte sich und wanderte mit erhobenem Schwanz in Christians Arbeitszimmer.

Geweckt wurde sie mit einer Tasse Kaffee. Christian hatte die ganze Nacht durchgearbeitet, aber er strahlte.

»Macht dir dein neues Buch so viel Freude?« fragte sie.

»Ja.« Er nickte. »Ich kann jetzt genau das tun, was mich wirklich interessiert – und das Tolle daran ist, ich werde auch noch dafür bezahlt.«

»Beneidenswert.« Sie reckte sich. »Gehst du jetzt schlafen, oder machst du heute durch?«

Er hob die Schultern. »Ich weiß noch nicht. Und was steht bei dir auf dem Programm?«

»Zunächst werde ich ins Präsidium fahren. Brauchst du den Wagen? Sonst nehme ich ihn.«

»Nur zu, ich brauche ihn heute nicht.«

»Dort schaue ich mir dann die Computerexperten an, und da die sicher noch keinen Schritt weitergekommen sind, fahre ich alleine raus nach Kleinöd und rede mal mit Ilse Binder.«

»Ilse Binder? Du meinst aber nicht zufällig die Bildhauerin, oder?«

»Du kennst sie?«

»Es gibt in Genf eine Ausstellung ihrer Objekte. Ich hatte kurz überlegt, mir die Skulpturen anzusehen. Die sollen ja ziemlich gespenstisch sein, aber gleichzeitig faszinierend. Jetzt aber mal ehrlich: *die* Binder lebt in Kleinöd?«

»Nur im Sommer, wenn ich das richtig verstanden habe.«

»Glaubst du, sie könnte etwas mit dem Mord zu tun haben?«

»Nein. Das kommt mir sehr unwahrscheinlich vor. Ich will mit ihr über das Dorf reden. Irgendwo in oder zwischen diesen vierzehn Häusern ist etwas geschehen, über das alle schweigen. Und dieses Etwas ist der Schlüssel.«

»Du vertraust deiner Intuition?«

»Ja.« Franziska nickte. »Die Intuition führt zu Fakten, hoffentlich. Und mit den Fakten kann ich dann auch wieder intuitiv umgehen. Noch mal hoffentlich.«

»Weißt du schon, wann du heimkommst?«

»Nein, wieso?«

»Ich lade dich heute abend zum Essen ein. Du erzählst mir von der Binder, wir feiern meinen neuen Auftrag – es wäre schön, wenn es nicht zu spät würde.«

»Ich ruf dich an, sobald ich es abschätzen kann.«

Nein, da gab es keine andere Frau. Er war wirklich wegen seines Buches glücklich. Ein Kind, das endlich sein Lieblingsspielzeug bekommen hatte. Franziska lächelte auf dem Weg ins Büro. Wenigstens an dieser Front hatte sich der Nebel etwas gelichtet.

Sie öffnete die Tür zu ihrem Büro und sah die zwei gebeugten Rücken und die beiden Hinterköpfe. Säuberlich gepflegtes und akkurat frisiertes Haar. Einmal blond und einmal schwarz. Penibel gebügelte Hemden. Designerjeans. Aufs sorgfältigste geputzte Schuhe. Gebannt starrten die beiden Männer auf den flackernden Computerbildschirm. Sie flüsterten miteinander. Der eine betätigte die Computermaus, der andere tippte schnell und rhythmisch sechs- bis zehnbuchstabige Worte in das Anmeldungsfeld.

Sie erkannte Brunos Stimme. »Scheißdreck, wieder nix.«

»Und, Paßwort geknackt?«

Die beiden schreckten hoch.

Bruno drehte sich um. »Servus Chefin. Leider sind mir grad noch ned völlig entscheidend weiterkommen.«

Ludwig Pichlmeier stand langsam auf, drehte sich um, grüßte sie mit einem Nicken, murmelte etwas Unverständliches und rollte den Drehstuhl, auf dem er gesessen hatte, an Franziskas Schreibtisch zurück.

»Sie geb'n uns aber schon noch einen Tag Zeit?« Brunos Stimme klang bittend. Schon wieder ein kleiner Junge, der sein Spielzeug nicht verlieren wollte. »Vom Feeling her sind mir im Grunde nämlich schon gar nimmer so arg weit von einem Ergebnis ned weg.«

»Das glauben Sie doch selber nicht. Dicht vorbei ist auch daneben. Entweder Sie haben den Schlüssel, oder Sie haben ihn nicht. So ein Paßwort knackt man doch nicht, wie man ein Kreuzworträtsel löst.«

»Aber der hat oft schon so komisch g'flimmert. Die fraglichen Wörter ham mir uns dann sofort aufg'schrieben.« Auch die Stimme des Wachtmeisters Pichlmeier hatte einen bettelnden Unterton.

»Also gut, dann fahre ich eben heute mal alleine raus. Aber wenn Sie in vierundzwanzig Stunden immer noch nicht weiter sind, muß ich Sie wieder für Ermittlungen vor Ort abziehen, Bruno, das werden Sie doch verstehen!«

»In vierundzwanzig Stunden ham mir den Schleier von dem Geheimnis mit Sicherheit g'lüpft, das versprech ich Ihnen.«

»Hoffentlich.« Franziska ging an den beiden vorbei zu ihrem Arbeitsplatz.

»Was ist das denn?«

Auf dem Schreibtisch lag ein Umschlag.

»Ach, der Umschlag da. Der ist vorhin für Ihnen abgeben word'n. Soll ein Fax drin sein. Was weiß denn ich, warum die auf der Poststelle das Fax in ein Kuvert einig'steckt ham. Wahrscheinlich, damit ich das ned aus Versehn lesen könnt. Wird schon was Privates sein.«

»So ein Quatsch.«

Sie öffnete den Umschlag und sagte mit hämischem Unterton: »Donnerwetter. Sieh mal einer an. Kaum sind vier Tage vergangen, schon liefert der Herr Schmiedinger sein Protokoll. Vermutlich ist er nicht früher dazu gekommen, weil wir ihm den besten Mann abgezogen haben.«

Der Nacken von Ludwig Pichlmeier färbte sich dunkelrot. Er drehte sich nicht um.

Franziska überflog das Protokoll und las den letzten Absatz laut vor: »Der Unterzeichnende hat die weiteren Ermittlungen in diesem Fall an die Kriminalpolizei Landau in Person von Hauptkommissarin Franziska Hausmann abgegeben. Gezeichnet Adolf Schmiedinger, Polizeiobermeister. – Da haben Sie es«, seufzte Franziska mit gespielter Verzweiflung. »An uns wurde alles abgegeben, also sind wir es auch, die den Fall lösen müssen! Alles klar?«

»Mir machen doch eh, was mir tun können. Der

Mensch ist allerdings keine Maschine immer noch ned!«
erwiderte Bruno.

Franziska fuhr nicht gerne Auto. Als Streifenpolizistin
hatte sie damals zu viele Unfälle gesehen, zu viele Ver-
kehrsopfer, die ihr Leben lang von einem Augenblick der
Unachtsamkeit gekennzeichnet bleiben sollten, und sie
fragte sich oft, wieso sich der Mythos des rasenden Kommissars so hartnäckig in Krimis und Fernsehserien hielt. Ja
klar, das hatte etwas mit Action zu tun, mit wilden und
spannungsgeladenen Verfolgungsjagden, aber die Wirklichkeit war, wie immer, ganz anders.

Behutsam lenkte sie ihren kleinen Wagen durch das Indu-
striegebiet, blieb lange hinter einem Laster hängen, den
Bruno sicher schon dreimal überholt hätte, und freute sich,
als sich das weite Land vor ihr öffnete. Die Felder waren
noch mit Nebelbänken überzogen. Von Tau be-
netzte Blau- und Weißkrautköpfe würden glitzern, sobald erste Sonnenstrahlen sie erreichten. Aber noch war
es nicht so weit. Sie zündete sich eine Zigarette an und stellte beiläufig fest, daß sie wieder einmal so ziemlich alles vergessen hatte: ihre Dienstwaffe, das Diktiergerät, einen
Schreibblock nebst Stift, das Diensthandy und die Handschellen – na ja, die würde sie ja heute wohl nicht brauchen.

Vermutlich würde Eduard Daxhuber wieder hinter seiner Werkstattür lauern und im Sinne der Polizei das Dorf
beobachten. Aber heute kam die Kommissarin inkognito,
in einem Wagen, den er noch nicht kannte – und allein.
Wenn sie es schaffte, ungesehen an ihm vorbeizukommen,
würde er sicherlich den ganzen Tag damit beschäftigt sein,
die wildesten Spekulationen über ihren Verbleib anzustel-
len. Franziska grinste.

Das Hoftor zu Ilse Binders Anwesen stand offen, und
Franziska fuhr so weit hinein, daß Eduard Daxhuber zwar
das Heck des Wagens würde erkennen können, nicht aber
die Person, die darin saß.

Sie warf einen Blick auf die Uhr. Acht Uhr fünfzehn. Sie hätte sich gern noch eine Zigarette angezündet und dabei über ihre Fragen nachgedacht, aber die Vorstellung, daß Eduard Daxhuber mit einem Fernglas in der Hand den Hof umrunden könnte, war ihr so unangenehm, daß sie aus ihrem Auto stieg und mit der Faust an die Haustür klopfte. Es gab weder Klingel noch Türklopfer. Vermutlich hatte Ilse Binder nicht einmal ein Telefon. Nur Künstler konnten sich so etwas erlauben.

Die Tür wurde sofort aufgerissen – von einer schweißüberströmten Frau Binder in einer Dampfwolke. Ein Duft von Kräutern und Essenzen erfüllte das Haus.

»Sie? Das ist aber eine nette Überraschung. Kommen Sie herein.«

Mit einer ausladenden Umarmung zog Ilse Binder Franziska in den Flur und schob sie in die Küche. Hier war alles voller Nebelschwaden und so heiß, daß Franziska sich japsend auf einen Stuhl fallen ließ. Der große, mitten im Raum stehende Holzofen glühte. Auf der Kochplatte simmerten drei riesige Töpfe.

»Um Gottes willen, was wird das denn?«

»Meine Sauna«, grinste Ilse Binder. »Nein, ich koche nur Saft ein.«

»So früh am Morgen?«

»Seit fünf. Holundersaft. Ich konnte nicht schlafen. Da hab ich den Ofen eingeheizt und losgelegt. Wollen Sie mal probieren? Er schmeckt köstlich – die reinste Vitaminbombe.«

Sie holte eine große Tasse aus dem Büfett und löste die Klemmzange am Gummischlauch des Entsafters. Die dunkelrote Flüssigkeit schoß sprudelnd daraus hervor. Dann klemmte sie die Zange wieder fest und hängte sie samt Schlauch in eine Bindfadenschlinge, die am Topfdeckel befestigt war. »So hat meine Großmutter das auch schon gemacht«, erklärte sie. »Eigentlich ganz praktisch. Dampfentsaften. Das bringt einen zu den Wurzeln des Daseins zurück.« Sie reichte Franziska die Tasse mit dem jungfräulichen Gebräu.

»Ihre Küche sieht aber im Moment eher nach Dampf als nach Saft aus.«

»Das gehört nun mal dazu. Apropos Dampf? Sollen wir auch gleich eine dampfen?« Ilse Binder holte Zigaretten und Aschenbecher. »Vormittags kümmere ich mich um mein leibliches Wohl – allerdings selten so früh wie heute. Dabei kommen mir die besten Ideen. Wenn ich weiß, in der Küche ist schon alles geschafft, habe ich einen ganz anderen Blick auf meine Figuren und sie auf mich – wie man's nimmt. Aber deswegen sind Sie sicher nicht gekommen.«

Franziska nippte an dem heißen Saft. Er schmeckte köstlich und wirkte wie ein schwerer Cognac auf nüchternen Magen. Das Blut schoß ihr in den Kopf, Schweißperlen bildeten sich auf ihrer Stirn.

»Ich gebe Ihnen ein Fläschchen mit. Ein Glas davon heiß getrunken, und Sie schwitzen jede Erkältung raus.«

»Ich schwitze jetzt schon.«

»Das ist gut. So werden Sie den Winter ohne Erkältung überstehen. Aber Sie haben recht. Es ist hier wirklich ein bißchen zu heiß.« Sie öffnete zwei Fenster. »Besser so?«

»Ja.«

Franziska fühlte sich wohl in der Küche dieses zweihundert Jahre alten Bauernhauses, in dem die Zeit stehengeblieben zu sein schien. Ilse Binder sah aus wie eine, die sich weder um ihre Figur noch um irgendwelche Kleiderordnungen Gedanken machte. Selbstbewußt stakste sie mit ihren kurzen O-Beinen, die in schwarzen und teilweise durchlöcherten Leggins steckten, über den Holzboden ihrer Küche, schürte das Feuer, überprüfte den Wassergehalt im unteren Drittel der Dampfentsafter und ließ sich dann breitbeinig in einen Küchenstuhl fallen.

»Also, was führt Sie zu mir?«

»Ich wollte mit Ihnen über das Dorf plaudern, über die Leute hier. Einfach so, um mir ein Bild zu machen.«

»Ein geschlossenes System, oder?«

»Wie bitte?«

»Sie haben das Gefühl, daß dieser Ort ein geschlossenes System ist, bei dem Fremde draußen bleiben.«

»Genau.« Franziska nickte und zündete sich eine Zigarette an. »Außerdem bin ich ja nicht nur fremd, sondern auch noch als Schnüfflerin unterwegs – ich nehme an, daß man so über uns spricht.«

»Aber nein, ganz im Gegenteil, alle reden beinahe hochachtungsvoll von den Kommissaren aus der Stadt. Man traut Ihnen so ziemlich alles, zumindest aber den Röntgenblick zu. Was meinen Sie, wie hier geputzt und gewaschen wird, in Erwartung Ihres Besuches.« Sie lachte ihr tiefes und ansteckendes Lachen. »Wehe, Sie verhören nicht jeden einzelnen von uns! Nur wer verhört wird, wird ernst genommen! Der klägliche Rest wird es schwer haben, denn wen Sie am Ende nicht für wichtig genug für ein Verhör befunden haben, der wird auch in der Hierarchie der Dorfgemeinschaft entsprechend an Achtung verlieren. Was für ein Glück ich doch habe, daß Sie heute bei mir sind! Das Warten hat ein Ende! Aber mal ganz im Ernst: Sie bringen einfach Spannung in den hiesigen Alltag. Nicht, daß ich ernsthaft glauben würde, einer von hier könne etwas mit dem tragischen Tod dieses Brunner zu tun haben. Nein, das kann ich mir beim besten Willen nicht vorstellen. Aber Sie könnten ja per Zufall und dank Ihres geübten Blickes hier allerlei Dinge entdecken oder gar ansprechen, über die seit Ewigkeiten hinweggeguckt wird.«

Die durchsichtigen Abzapfschläuche der Dampfentsafter hatten sich erneut mit der dunklen Flüssigkeit gefüllt. Ilse Binder sprang auf.

»Jetzt muß ich den Saft auf Flaschen ziehen. Bleiben Sie einfach sitzen. Danach machen wir einen Spaziergang durch den Garten, und ich zeige Ihnen mein Atelier.«

Sie spülte die bereitgestellten Flaschen mit kochendem Wasser aus, warf rote Mostkappen in sprudelndes Wasser und machte sich geschickt an die Arbeit. Innerhalb von zehn Minuten hatte sie sechs Flaschen gefüllt.

»Wie, mehr kommt da nicht raus? So viel Arbeit für sechs Flaschen Saft?«

»Doch, doch, ich krieg noch mal die gleiche Menge, aber erst in etwa einer Stunde. Bei Ihnen kommt ja auch nicht immer gleich alles raus. Oder haben Sie in den vergangenen Tagen schon größere Ermittlungserfolge gehabt?«

»Kann man so nicht unbedingt behaupten.«

»Eben.« Ilse Binder stieg in ihre gelben Gummistiefel.

Der Garten war ein Traum in Weiß. Levkojen, Astern, Rosen, weißblühender Lavendel, Stockrosen, Gladiolen, Sommerflieder. »Wissen Sie, ich konzentriere mich in jedem Jahr auf eine Farbe. Letztes Jahr war es Lila, vorletztes Jahr Gelb und im Jahr davor Rot. So sieht alles immer wieder neu aus. Ich hasse nichts so sehr wie Gewohnheiten. Ich brauche rosafarbene, gelbe oder weiße Sommer, damit sich meine Erinnerungen mit diesen Farben verbinden.«

»Das gefällt mir.« Franziska stapfte neben dieser runden und lebenslustigen Frau her und dachte darüber nach, daß sich weite Felder ihrer Erinnerung an Verbrechen orientierten: Einmal hatte der Selbstmord eines elfjährigen Mädchens einen Sommer überschattet, ein andermal war ein ganzes Frühjahr damit vergangen, plötzliche Todesfälle in einem Altenheim aufzuklären. Schließlich hatte an einem Weihnachtsabend ein amoklaufender Familienvater seine Frau und seine drei Kinder umgebracht. Die eigentlichen Schuldigen an dieser Raserei waren die Kollegen, die Nachbarn und das sogenannte soziale Umfeld gewesen. Doch die konnten naturgemäß nicht dafür bestraft werden. Dann dieser schlimme Herbst, die Wochen nach dem elften September. Und der Tote dieses Jahres war nun eben Hermann Brunner. Sie seufzte.

»Das ist ein Elend«, murmelte Ilse Binder und beugte sich über ein Beet mit den Stengeln von Gladiolen, deren

Köpfe abgetrennt worden waren und in der näheren Umgebung verstreut herumlagen.

»Was ist denn hier passiert?« Franziska war wieder in der Gegenwart.

»Irgend jemand läuft nachts durchs Dorf und köpft wahllos Blumen. Nicht nur bei mir. Auch in den anderen Gärten, bei der Rücker, den Daxhubers, den Blumentritts. Sogar bei den Schmiedingers, obwohl der Adolf Polizist ist! Ich weiß nicht, was das soll! Wir hatten schon eine Art Nachtwache organisiert – aber es hat nichts genützt. Es passiert auch nicht in jeder Nacht, nur gelegentlich. Anfangs dachte ich, es hänge mit den Mondphasen zusammen. Aber es gibt keinen Rhythmus, keine Ordnung.«

»Wer macht denn so was und warum?« wollte Franziska wissen.

»Also eins steht wohl fest: Wer auch immer so was tun mag, wird wohl kaum wirklich glücklich und zufrieden mit seinem Leben sein. Eine Zeitlang hatte ich sogar diesen Brunner in Verdacht. Aber da das sinnlose Blumensterben weitergeht, obwohl er nicht mehr am Leben ist, kann er es ja nicht gewesen sein. Ich hätte freundlicher zu ihm sein sollen. Andererseits – sein dauerndes Herumhängen hier im Dorf war mir einfach suspekt. Ich hatte ihm zwischendurch schon das Schlimmste unterstellt.«

»Er war oft hier im Ort?«

»Mir schien, er ließ sich einfach treiben. Oft hing er in der Nähe des Briefkastens herum. Und immer mit diesem hilflosen Lächeln.«

»Wer leert den Briefkasten?«

»Ingo Dressler, unser Briefträger.«

»Wieso habe ich von dem noch nichts gehört?«

»Er wohnt nicht hier, er wohnt in Adlfing. Im gleichen Ort wie die Gefährdung von Frau Rücker.«

»Welche Gefährdung?«

»Ihre Lebensabschnittsgefährdung namens Bernhard Döhring. Wobei ich mich manchmal frage, für wen die

Sache gefährlicher ist. Ein kleiner Scherz, verzeihen Sie.«

»Ich gehe davon aus, daß Herr Döhring ausgezeichnete Nerven hat«, stellte Franziska fest.

»Die braucht er auch.« Ilse Binder nickte. »Er kommt übrigens meistens gegen elf. Wenn Sie noch ein Stündchen bei mir bleiben, mache ich Sie mit ihm bekannt.«

»Ist nicht nötig. Ich denke, ich habe Herrn Döhring schon indirekt kennengelernt.«

»Aber nicht den Briefträger!«

Kopfschüttelnd untersuchte Franziska das verwüstete Gladiolenbeet. »Was sagt denn Herr Schmiedinger zu den Blumenattentaten? Gab es mal eine Spurensicherung?«

»Ja, zu einer Zeit, als die Wege aufgeweicht und schlammig waren, hat er mal Abdrücke von Fußspuren gemacht. Meine Güte, das war ein Aufwand. Alle mußten zuschauen, und Eduard Daxhuber wußte alles besser. Aber was daraus geworden ist ... Komisch, keiner hat sich mehr darum gekümmert.«

»Ich könnte mich gelegentlich darum kümmern.«

»Das wäre wunderbar! Ja, da wäre ich Ihnen wirklich dankbar.« Sie nahm die gebrochenen Blüten und marschierte durch das taubedeckte Gras in Richtung Komposthaufen. Franziska folgte ihr. Sie hatte nasse Schuhe und nasse Strümpfe, aber immer noch so viel Holundersaft im Blut, daß ihr die Kälte nichts ausmachte.

Am Rande des Gartens standen lebensgroße Steinfiguren. Nackte, grünspanüberwucherte junge Männer und Frauen mit klaren und leeren Gesichtern, überkrustet von Pickeln aus Schneckengehäusen, glänzend von Schneckenschleim. Franziska schüttelte sich. Sie glaubte, den Schneckenschleim körperlich zu spüren.

»Meine Engel«, murmelte Ilse Binder. »Eine Erinnerung an meine Anfangsphase. Damals habe ich mit Stein gearbeitet. Zu aufwendig, zu langwierig, zu unwiderruflich. Ich war die Meisterschülerin eines Steinmetzen, der sich auf Grabkunst spezialisiert hatte. Heute gibt es ja leider keine Grabdenkmäler mehr. Nun haben sie ihren Platz in meinem Garten gefunden. Mit diesen Figuren fing alles an. Neue Materialien, neue Formen, neue Ausdrucksweisen und neue Deutungsmöglichkeiten für die Kritiker. Als Künstler muß man vor allem an die Kritiker denken. Je mehr sie in etwas hineindeuten können, um so wesentlicher erscheint ihnen das Werk. Diese Lektion habe ich schnell gelernt. Kommen Sie mit, ich zeige Ihnen was.«

Sie gingen in einen Stall. Durch die vergitterten Fensteröffnungen pfiff der Wind. Auf dem rotgefliesten Fußboden hatte sich eine ganze Arche Noah urweltlicher Tiere versammelt: schwanzlose graue Hunde mit kurzen, dicken Beinen, schweren Krokodilsköpfen und übergroßen Zähnen, entenfüßiges, kugelförmiges Federvieh mit Köpfen auf Giraffenhälsen, zwölfbeinige Katzen mit tellergroßen Augen, stachlige Dinosaurier mit Totenkopfschädeln, pferdefüßige aufgerichtete Böcklein mit mehreren Penissen und verzerrten Donald-Duck-Gesichtern, riesige, eiförmige Milben mit zangenartigen Freßwerkzeugen, alle zementgrau und stumpf, als seien ihre versteinerten Körper erst vor wenigen Stunden aus Unmengen von Schutt und Asche befreit worden.

»Mein Gott«, murmelte Franziska. »Das ist ja gespenstisch.«

»Es berührt Sie«, stellte Ilse Binder fest. »Nur darum geht es. Um diesen leichten Schauer. Das wird heutzutage oft mit Kunst verwechselt. Diesen Markt kann ich gut bedienen. Das ist kein Geheimnis. Ich rede ganz offen darüber, aber kein Kritiker geht darauf ein. Alle sehen sie andere Dinge darin: Archaisches, Unbewußtes, Metaphorisches, Provokatives. Nur nicht das, was es ist: ein Spiel mit Formen. Und jetzt zeige ich Ihnen mein Atelier. Es scheint noch etwas zu dauern, bis der Briefträger kommt. Vielleicht kriegt heute ja auch niemand Post.«

Sie überquerten den Hof. Im gegenüberliegenden Haus bewegten sich hinter geschlossenen Fenstern die Gardinen. »Wir stehen unter ständiger Beobachtung der Daxhubers«, kommentierte Ilse Binder leise.

Das Atelier war das ehemalige Treibhaus, von dem Frau Rücker schon so stolz erzählt hatte. Ilse Binder hatte es auf einem alten englischen Landsitz entdeckt, gekauft und in Einzelteilen nach Kleinöd schaffen lassen. Hier war es auf ein neues Fundament gesetzt und mit einer Fußbodenheizung ausgestattet worden. Wollweißfarbene Nesselvorhänge bauschten sich im Wind. Auf Unmengen von Tischen türmten sich Farbtöpfe, Pinsel, Flaschen, Dosen, zerschnittenes Blech und Stofffetzen. Hinter diesen Tischen stand eine Armee nackter Schaufensterpuppen. »Sie sehen, ich bin von den Tieren auf die Menschen gekommen«, lachte Ilse Binder und streichelte eines der Geschöpfe, in das sie die Kleiderpuppen verwandelt hatte. »Die Umkehrung des Schönheitswahns, so hat es einer meiner Kritiker genannt. Während der Mensch immer vollkommener wird, halte ich die Unvollkommenheit fest. Buckel, Verwachsungen, Geschwüre. Schlimme Erfahrungen, die sich in Haltung und Gestik manifestieren. Ich übertreibe dabei, weil ich einfach gerne übertreibe. Das hat Ottfried zum Wahnsinn getrieben. Meine Übertreibung und meine Unordnung.«

»Ottfried?«

»Ottfried war mein erster Mann und die erste von vielen kleinen Katastrophen.«

Wie eine glückliche, fette Erdgöttin hockte sie inmitten ihrer nackten Schaufensterpuppen und schien stolz zu sein auf das Chaos in ihrem Atelier, auf ihr kleines, konfuses Universum.

»Alles, was ich anfasse, verfällt augenblicklich dem Gesetz der Entropie. Ich kann nichts dagegen tun – und ehrlich gesagt, ich will es auch nicht. So entsteht eine eigene Dynamik, der ich mich unterordne, der ich neugierig zuschaue, denn aus dieser Dynamik entwickeln sich meine Figuren, wenn Sie verstehen, was ich meine.«

Franziska betrachtete die Skulpturen und nickte. Sie versuchte zu verstehen.

»So wie ich das Chaos brauche, brauchte Ottfried die Ordnung. Wir heirateten, zogen zusammen und trennten uns schon nach wenigen Wochen. Alles an ihm war so entsetzlich ordentlich und tadellos. Nie habe ich ihn mit einer rutschenden Socke gesehen, niemals mit einer schief sitzenden Krawatte. Das Tüchlein in seinem Anzugrevers war aufs ordentlichste gebügelt, die Haare lagen naß gekämmt in Reih und Glied, sogar die Wimpern schienen gleich lang zu sein. Makellose Hände, niemals Schmutz unter den Fingernägeln. Es gab nichts Abweichendes, alles entsprach genau der Norm. Ich aber habe ein Faible für das Regelwidrige, nur auf dieser Grundlage kann ich künstlerisch arbeiten. Für Ottfried war mein Chaos Sabotage.« Sie lachte ihr lautes und gackerndes Lachen, und Franziska stimmte ein.

»Der arme Ottfried. Wissen Sie, daß ich ihm manchmal einen Pickel gewünscht habe? Eine winzige Unregelmäßigkeit? Eine Bügelfalte an unvorhergesehener Stelle, ein Loch im Strumpf, einen abgebrochenen Fingernagel.« Ilse Binder seufzte. »Er brauchte die Ordnung. Sie war sein Schutz vor der bösen Welt, eine Art Mauer, hinter der er sich verschanzte. Und immer waren die anderen schuld. Aber vergessen wir die Männer! Lassen Sie uns noch ein bißchen in der Sonne sitzen, eine Zigarette rauchen und auf den Briefträger warten.«

Dichte, taubenetzte Spinnweben glänzten in der Morgensonne. Heute würde ein richtig schöner Altweibersommertag werden. Franziska setzte sich neben Ilse Binder auf die Holzbank. Was tue ich eigentlich hier? fragte sie sich. Diese Frau ist mir sympathisch, aber mit dem Fall hat sie nichts zu tun, und insofern vergeude ich meine Zeit.

Im Anwesen rechts von ihnen wurde die Haustür geöffnet, und Marlene Blumentritt trat mit ihrer Mutter ins Freie.

Die Mutter ging wie ferngesteuert durch den Garten, die Tochter setzte sich auf die Bank vor dem Haus, den Rucksack geschultert. Franziska warf Ilse Binder einen verstohlenen Blick zu.

»Eine Zeitlang dachte ich, sie sei schwanger«, murmelte Ilse Binder plötzlich.

»Wen meinen Sie?«

»Natürlich die Tochter. Wen sonst.« Ilse Binder lachte. Leise. Damit die Nachbarn sie nicht hörten. »Aber dann hat sie ihr Bäuchlein gegen den Rucksack getauscht. War wohl auch vernünftiger so. Wie hätte die erst ihr Kind herumkommandiert – bestimmt noch ärger als ihre Mutter.«

»Sie mögen sie nicht«, stellte Franziska fest.

»Das kann man so nicht sagen.« Ilse Binder seufzte. »Eigentlich tut sie mir leid. Sie schließt sich aus der Gemeinschaft aus. Anfangs dachte ich, es sei eine Art von Arroganz, daß sie mit uns anderen nichts zu tun haben will, als würde sie sich für etwas Besseres halten. Aber das stimmt nicht. Es ist eine große Unsicherheit. Ich halte sie für eine äußerst unglückliche Frau. Aber jeder ist schließlich selber für sein Schicksal verantwortlich. Es hätte sicher auch eine andere Lösung für sie gegeben, als ausgerechnet hier als Kindermädchen der Mutter ihr Leben zu verbringen.«

»Hatte sie was mit dem jungen Brunner?«

»Das kann ich mir nicht vorstellen. Sicher, geredet haben die bestimmt mal miteinander. Schließlich grenzt sein Feld an ihren Garten. Aber der war ja auch so verklemmt.«

»Sie behauptet, ihn nicht zu kennen.«

»Kommt bestimmt drauf an, was man unter Kennen versteht. Die junge Blumentritt neigt dazu, jedes Wort auf die Goldwaage zu legen. Natürlich weiß sie, wer er ist, sorry, wer er war – aber näher gekannt hat sie ihn bestimmt nicht.«

Franziska nickte und nahm sich vor, die Karteikärtchen noch einmal genau durchzusehen. Was hatte die Blumentritt geschrieben? »Ich weiß nicht, wer er ist«?

Kurz vor elf. Auf der Straße klingelte ein Fahrrad. »Das wird der Briefträger sein.« Ilse Binder schoß hoch und rannte Richtung Straße. Mit ihren Leggins, den gelben Gummistiefeln und dem rot-weiß-quergestreiften Pullover sah sie aus wie ein Hydrant auf kurzen schwarzen Beinchen. Franziska hörte sie rufen: »Herr Dressler, Herr Dressler. Kommen Sie herein. Ich muß dringend mit Ihnen sprechen.«

»Ich hab aber eigentlich gar keine Zeit ned. Bis Mittag muß ich die Post austragen ham.«

»Nur kurz, bitte. Es ist wichtig!«

»Hausmann, Kriminalpolizei. Ich hätt nur eine kurze Frage, Herr Dressler. Ist Ihnen in letzter Zeit im Zusammenhang mit dem hiesigen Briefkasten irgend etwas Ungewöhnliches aufgefallen?«

Allerdings, jawohl, da hätten nämlich des öfteren unfrankierte und unbeschriftete Briefe im Kasten gelegen, antwortete Ingo Dressler, ohne lange zu überlegen. Das habe ihn überaus geärgert. Denn wie solle man einen Brief zustellen, wenn weder Adresse noch Absender zu erkennen wären und überdies die Briefmarke fehle? Da habe er die Sendungen ja nicht einmal mit einem saftigen Strafporto zurückgehen lassen können!

»Haben Sie die Briefe geöffnet?«

»Wie käm denn nachad ich als Postbote dazu, daß ich einen fremden Brief aufmachen tät? Außerdem war'n die Umschläge eh leer. Ein einzig's Mal hab ich einen gegen das Licht g'halten. Und der war leer.«

»Und was haben Sie mit diesen Umschlägen gemacht?«

»Wegg'schmissen halt. Was hätt ich denn sonst damit mach'n solln?«

»Wohin denn?«

»In die Papiertonne, zum Altpapier. Da beim Haus Nummer elf, da steht eine Papiertonne.«

»Wann fanden Sie den letzten derartigen Brief?«

»Mei, das wird jetzt circa zehn oder zwölf Tag her sein.«

»Sind die Papiertonnen zwischenzeitlich geleert worden?« Franziska wandte sich an Ilse Binder.

»Ich weiß es nicht. Aber Eduard Daxhuber hat sicher einen Müllplan. Wenn der die Tonnen rausstellt, tun alle es ihm nach. Soll ich ihn rufen?«

»Das hat jetzt auch keine große Eile mehr. Aber wenn wir tatsächlich noch einen dieser Briefe finden könnten, wäre ich stark an etwaigen Fingerabdrücken interessiert.«

Neuntes Kapitel

Die Papiertonnen würden in zwei Tagen geleert werden. Eduard Daxhuber hatte diese Information an sie weitergegeben, als sei er Besitzer und Verwalter der Mülldeponie in einem. Nun wich er nicht mehr von Franziskas Seite. Mit stolz geschwellter Brust begleitete er sie zum Haus Nummer elf.

»Da sind wir ja gerade noch rechtzeitig gekommen«, murmelte diese erleichtert. Es störte sie kaum, daß der selbst ernannte Dorfsheriff neben ihr herlief, auf sie einredete und beflissen seine Hilfe anbot.

Am Zaun des Hauses von Lena Ascher und Eric Moll hing der einzige Zigarettenautomat des Dorfes. Franziska widerstand mühsam der Versuchung, eine Schachtel zu ziehen. Sie hatte das eigenartige Gefühl, als würde sie damit ihre Autorität in Frage stellen. Sie läutete an der Hausglocke. Eduard Daxhuber in seinem blauen Arbeitsoverall zog den Bauch ein und stellte sich in Positur. »Wo ist denn heut der Assistent?«

»Der macht Schreibtischarbeit«, gab Franziska ausweichend zur Antwort.

»Wenn S' einen Zeug'n bräucht'n«, bot er sich an.

»Das könnte durchaus möglich sein. Eine gute Idee. Danke.«

Niemand öffnete.

»Die arbeit'n wahrscheinlich noch«, meinte Eduard Daxhuber. »Und die Kinder sind sicher noch in der Schul. Die sind ja eigentlich nie alle miteinander daheim. Wenn er Frühschicht hat, hat sie Spätschicht und umkehrt.«

»Das stelle ich mir ziemlich anstrengend vor«, sagte Franziska. »Aber jetzt sind beide nicht da. Sind etwa Ferien?«

Eduard Daxhuber schüttelte den Kopf. »Dabei hätt'n die das ja wirklich nimmer notwendig«, rutschte es ihm raus.

»Was?« wollte Franziska wissen.

»Ach nix, ist schon gut. Es gehn halt so G'rüchte um.«

»An Gerüchten bin ich besonders interessiert.«

»Man sollt da eigentlich ned viel drauf geb'n«, meinte Eduard Daxhuber. »Und außerdem geht's mich ja auch gar nix an.« Er sah zur Seite. Franziska warf ihm einen nachdenklichen Blick zu.

»Wissen Sie, wo die Mülltonnen stehen?«

»Freilich. Ein jeder weiß das.« Er öffnete das Tor und ging um das Haus herum. Sie folgte ihm.

Die Tonnen standen in einem Geräteschuppen zwischen Fahrrädern, Brennholzstapeln und einem riesigen Berg Alteisen. Franziska zögerte. Sollte Ingo Dressler wirklich um das ganze Haus herumgelaufen sein, zwei Tore geöffnet haben, und das alles nur, um einen leeren Briefumschlag zu entsorgen? Einen unbeschrifteten Briefumschlag? Wenn er ihn nun mit nach Hause genommen hätte, um ihn für seine nächste eigene Post zu verwenden? Auf dem Lande war man sparsam. Da wurde nicht so schnell etwas weggeworfen. Auf alle Fälle war es wichtig, jeder noch so kleinen Spur nachzugehen. Polizeiarbeit ist nun einmal überwiegend akribische Kleinarbeit.

»Ich nehme die Tonne mit.«

»Was?« Eduard Daxhuber riß die Augen auf. »Ja, wohin denn und warum?«

»Nach Landau. Zur Analyse. Tja, jetzt bräuchte ich natürlich so etwas wie Tesakrepp, um sie zuzukleben. Meinen Sie, sie paßt in mein Auto? Ich würde sie am liebsten gleich einpacken. Dann muß nicht extra ein Wagen von der Spurensicherung herkommen, und meine Leute können sie noch heute untersuchen.«

Eilfertig wühlte Eduard Daxhuber in den Taschen seines Overalls und brachte mehrere Bindfäden zum Vorschein. Geschickt band er die Tonne zu.

»Die geht leicht in Ihnen Ihr Auto eini. Müss'n mir halt den Rücksitz umleg'n. Wart'n S', gehn S' her, ich helf Ihnen schon. Was soll denn überhaupt da drin sein?«

»Reine Routine«, antwortete Franziska. »Wir suchen nach einem bestimmten Brief.«

»Was?« Er erschrak und zuckte zusammen. »Ja, nach was für einem Brief denn, und warum denn grad akkurat in der Tonne von Nummer elf?«

»Irgendwo muß man ja anfangen, wenn man akkurat arbeiten will.«

Um halb zwölf war die blaue Papiertonne in ihrem Wagen verstaut. Sie ärgerte sich, daß sie keine Sicherheitshandschuhe dabeihatte und kein Handy. Es wäre gut gewesen, die Kollegen von der Spurensicherung vorzuwarnen. Von Eduard Daxhubers Telefon wollte sie auf keinen Fall anrufen, wer weiß, was dieser selbsternannte Sheriff für Rückschlüsse zöge. Vielleicht würde sich auf dem Weg zu Frau Schmiedinger eine Telefonzelle finden.

Was hatte Ilse Binder gesagt? »Wehe, Sie verhören nicht jeden einzelnen von uns. Nur wer verhört wird, wird ernst genommen und sein Ansehen in der Dorfgemeinschaft behalten.« Eduard Daxhuber hatte sich auf jeden Fall seinen Platz schon gesichert. Was für eine verrückte Welt. Bisher waren ihr nur Leute begegnet, die nichts mit der Polizei zu tun haben wollten.

Adolf und Erna Schmiedinger wohnten in Hausnummer zwei, ganz am Anfang des Dorfes. Die Frau des Polizisten putzte die Fenster zur Straßenfront und winkte Franziska begeistert zu, als diese auf der gepflasterten Einfahrt des Hauses parkte. Erna Schmiedinger mußte wie der Blitz die Treppe hinuntergesaust sein, denn sie hatte die Tür schon geöffnet, ehe Franziska aus ihrem Wagen ausgestiegen war. Die Kommissarin hatte das Empfinden, fast sehnsüchtig erwartet worden zu sein.

»Ja, was ist denn das? Ham S' denn eine Aschentonne beschlagnahmt?« stellte die Frau mit dem runden, offenen Gesicht und dem hochtoupierten blonden Haar mit Kennerblick fest. »Hätt ich mir gar ned denkt, daß ein so ein großes Trumm in ein so ein kleines Auto einipassen tät. Von wem ham S' denn nachad die abg'staubt?«

»Vermutlich ist da nichts drin, was uns weiterhelfen könnte«, gab Franziska ausweichend zur Antwort. »Aber man muß schließlich jeder Spur nachgehen. Ihr Mann macht das doch sicher auch so, nicht wahr?«

»Ja, freilich. Gehn S' nur weiter, kommen S', kommen S' nur rein, immer nur eini in die gute Stub'n! Darf ich Ihnen einen Kaffee anbieten?«

»Gerne.«

»Wie ham S' denn die Tonne da einibracht?«

»Mit Hilfe von Eduard Daxhuber.«

»Ach der, ja freilich, der ist ja immer da. Ganz wurscht, ob man den grad brauch'n kann oder ned.« Sie seufzte. »Seitdem der nix mehr arbeitet nicht, tut sich der ja um alles kümmern. Und am allerliebsten um die Sachen, die was ihn keinen feuchten Dreck ned angehn. Das sagt sogar mein Mann auch allerweil, obwohl die zwei ja ganz dicke Spezln sind. Aber wenn er Ihnen hat helfen können, dann ist das ja in dem Fall g'wiß ned schlecht nicht g'wesen.«

»Ich kann mir vorstellen«, meinte Franziska beiläufig, »daß es manchmal anstrengend ist, jemanden um sich zu haben, der sich in alles einmischt. Aber er ist sehr hilfsbereit und unterstützt mich, wo er kann. Meine zweite Hand sozusagen.«

»Woll'n mir das hoffen. Der sagt nämlich auch bloß das, was der sag'n will. Mehr sagt der nie ned. Selbst mein Adolf hat bei dem schon einmal auf Granit bissen.«

»Ihr Mann? In welchem Zusammenhang?«

»Mei, das wär eine lange G'schicht. Das war damals, wie die arme Frau Bachmeier g'storben ist. Die erste Frau Bachmeier. Mein Mann hat halt seinerzeit das G'fühl ned losbracht, daß der Daxhuber Eduard da mehr davon g'wußt hätt, als wie daß er g'sagt hat.« Sie unterbrach sich. »Aber jetzt kommen S' doch wirklich erst einmal mit eini. Ich freu mich ja so, daß Sie bei mir sind.«

Franziska glaubte es ihr. Erna Schmiedinger strahlte.

»Wie war das denn damals mit dem Tod von Frau Bachmeier?«

»G'heißen hat's, sie wär von der Autobahnbrück'n nunterg'fall'n. Du lieber Gott, das müßt ja jetzt auch schon bald wieder über ein Jahr her sein. Wie doch die Zeit vergeht! Aber mehr weiß ich da auch ned, mein Mann redet ja sonst so gut wie nie ned über seine Arbeit nicht.«

Das ganze Haus roch nach Essig und Zitrone. In den Dielenfliesen hätte man sich spiegeln können. Franziska sah auf ihre schmutzigen Schuhe. »Die ziehe ich besser aus, oder?«

»Mei, wenn's Ihnen nix ausmach'n tät.« Frau Schmiedinger lachte unsicher und besann sich dann. »Sie können's aber auch anlassen, ich wisch dann halt einfach hinterher schnell raus.«

»Um Gottes willen, ist ja schon schlimm genug, daß ich hier einfach so reinplatze, ohne jede Voranmeldung.«

»Gehen S', überhaupt doch ned. Ich wollt doch sowieso grad einen Kaffee trink'n. Um die Zeit trink ich eigentlich immer einen Kaffee, statt einem Mittagess'n. Ich koch eigentlich bloß noch auf d'Nacht warm, wenn mein Adolf heimkommt. Man muß ja auch ein klein's bisserl auf die Figur acht geb'n.« Sie kicherte verschämt.

»Ach, das haben Sie doch gar nicht nötig«, log Franziska und fragte sich insgeheim, warum Frauen, sogar die besten Freundinnen, immer wieder dieses Spiel spielten. Die eine behauptete zu Recht: Ich muß abnehmen, und die andere widersprach. Und beide wußten, daß sie log. Sie beschloß, jetzt nicht darüber nachzudenken. Weder über ihre eigene Figur noch über die Figur von Erna Schmiedinger. Und schon gar nicht über Diäten und die schon so oft aufgeschobene Fastenkur. Wenn sie an Diätkliniken dachte, hatte sie immer ein ganz bestimmtes Bild vor Augen: Dann schlurften Frauen wie Erna Schmiedinger in Jogginganzügen über die Flure und tauschten angesichts der kargen Essensrationen Rezepte über Sahnetorten und Mayonnaise-Kartoffelsalate aus. Andere Gesprächsthemen kamen in Franziskas Phantasie nicht vor, und das war auch der Grund, warum sie bisher noch nie eine Schönheitsfarm mit kalorienreduzierter Kost besucht hatte.

Die Küche blitzte, als habe sich ein Inspektor vom Gesundheitsamt angemeldet. Auf dem Tisch lag eine blauweiß karierte Tischdecke mit Bügelfalten, nichts stand herum, alles war ordentlich weggeräumt. Erna Schmiedinger bot Franziska einen Platz am Tisch an, öffnete demonstrativ die Tür zum anschließenden Wohnzimmer, damit die Kommissarin auch dort einen Blick hineinwerfen konnte, und machte sich an der Kaffeemaschine zu schaffen.

Natürlich strahlte auch das Wohnzimmer in frisch geputztem Glanz, kein Staubkörnchen flog herum, und auf dem Wohnzimmertisch dampfte ein Apfelkuchen. Den stellte Erna Schmiedinger nun auf den Küchentisch und holte Schlagsahne aus dem Kühlschrank. Sie packte ihrer Besucherin ein extra großes Stück auf den Teller. »Aber allerweil nur Diät halten kann man ja auch ned.«

»Da haben Sie völlig recht.« Franziska verspürte Hunger. Sie schob sich einen Bissen Kuchen in den Mund.

»Köstlich!« murmelte sie. »Einfach wunderbar.«

»Was tät man sonst schon so machen sollen den ganzen Tag, als Hausfrau?« Erna Schmiedinger entschuldigte sich fast. »Putz'n, koch'n, back'n – gut, daß mir wenigstens noch einen Gart'n ham.«

»Und Kinder?«

»Leider ned.« Sie hob bedauernd die Schultern.

»Und haben Sie nie daran gedacht zu arbeiten?«

»Das wollt der Adolf ned ham. Ned einmal halbtags. Er find't halt einfach, daß eine Frau ins Haus g'hört. Ich sag's

Ihnen, allerweil immer nur daheim, manchmal ist das fei ganz schön langweilig.«

»Ja.« Franziska nickte verständnisvoll. »Ich wüßte auch nicht, was ich den ganzen Tag allein in der Wohnung unternehmen sollte. Irgendwann ist halt alles gemacht. Wahrscheinlich würde ich dann lesen. Das stelle ich mir manchmal für mein Rentenalter vor.«

»Wenn der Adolf in Rente ist, dann kauf'n mir uns ein Wohnmobil und fahr'n damit in der Weltg'schicht umeinand«, verkündete Erna stolz. »So weit, wie mir nur grad kommen. Zuerst nach Rußland, nachad in die Mongolei, dann nach China, bis nach Indien. Drei, vier Jahr lang. Da werd'n mir dann nix wie Fotos mach'n den ganzen Tag, und ich werd ein Reisetagebuch schreib'n.«

»Was für ein Traum, was für ein Ziel«, murmelte Franziska. »Darum beneide ich Sie.« Sie schob sich erneut ein Kuchenstück in den Mund und stellte sich den niederbayerischen Polizisten in seiner Uniform inmitten einer Gruppe von sibirischen Schamanen vor, während seine Frau auf dem Wochenmarkt Kartoffeln, Möhren, Eier und Salat in ihren Einkaufskorb packte und ein eiskalter Wind über die Steppe wehte. Ein eigenartiges Bild.

»Gibt's denn eigentlich schon was Neues im Fall Brunner?« fragte Erna Schmiedinger und beugte sich interessiert vor. »Hat am End die Aschentonne was damit zum tun?«

»Nein, da sind wir leider noch nicht weitergekommen. Aber ich war heute morgen bei Frau Binder. Wir sind gemeinsam durch ihren Garten gegangen …«

»Ein Traum, der Garten, find'n S' ned auch?« Erna Schmiedinger unterbrach sie.

»Ja«, Franziska nickte. »Leider waren wieder sehr viel Blumen über Nacht geköpft worden. Das hat sie sehr traurig gemacht.«

»Bei uns ganz genauso«, bestätigte Erna Schmiedinger. »Eine Schand ist das, ich möcht bloß einmal wiss'n, wer so was tut. Den ganzen Sommer über geht das jetzt schon so dahin. Mein Mann kümmert sich allerdings schon drum.«

»Das habe ich gehört. Unter anderem bin ich auch deshalb gekommen. Frau Binder sagte, Ihr Mann habe mal Fußabdrücke von dem Blumenattentäter genommen. Wann war das?«

»Lass'n S' mich überlegen. War's Mai oder Juni? Das war auf jeden Fall damals, wo's so viel g'regnet hat.«

»Wissen Sie, wo die Abdrücke jetzt sind?«

»Soviel ich weiß, bei uns in der Garage. Zuerst hat er's auf die Wache mitg'nommen g'habt, aber nachad hat er's wieder mit heimbracht. Damit er beim nächsten Mal einen Vergleich hat, hat er g'sagt. Aber dann ham mir allerweil bloß noch so ein schönes Wetter g'habt, und da war der Boden nimmer weich genug, als daß er noch einmal hätt Abdrück nehmen können. Wiss'n S', bei uns ist der Boden von Haus aus knüppelhart. Ein reiner Lehmboden.«

»Könnten Sie mir die Gipsabdrücke raussuchen?«

»Ich?«

»Ja.«

»Ich weiß ned so genau, ob's dem Mann auch recht wär. Sollt'n mir ned lieber warten, bis daß er kommt?«

»Wann ist denn sein Dienst zu Ende?«

»Normalerweise kommt er immer so zwischen fünfe und siebene.«

»Das ist reichlich spät. Denn stellen Sie sich nur mal vor, der Blumenkiller könnte etwas mit dem Fall Brunner zu tun haben! Vielleicht hat der junge Brunner ihn ja beim Blütenköpfen erwischt? Und das war sein eigentliches Verhängnis!«

Erna Schmiedinger riß die Augen auf. »Auf die Idee sind mir fei noch gar nie ned kommen nicht.«

»Ist auch nur eine Hypothese. Andererseits denke ich, man muß alles überprüfen.«

»Ja freilich, das sagt der Mann auch immer. Sonst sagt er ja ned viel. Von seine Fälle verzählt er mir ja nie nix, aber daß man einer jeden Spur nachgehn muß, und wär's auch noch so klein, da legt er Wert drauf, das ist für ihn das A und O als Polizeibeamter – das hör ich jedesmal, wenn mir uns einen Krimi anschaun. Nachad weiß er allerweil alles besser.« Sie seufzte. »Und ich krieg immer bloß die Hälfte von der Handlung mit, weil er mir ständig in den Film hineinredet.«

Franziska lachte. »Sie haben es auch nicht leicht!«

»Ach wo, g'wiß ned. Aber wiss'n S' was: Ich werd ihm in dem Fall einfach sagen, daß das in Ihnen Ihrem Auftrag war. Daß das Ihnen Ihre Idee war, die Fußabdrücke vom Blumenkiller mit denen vom echten Killer zum vergleich'n. Falls er Ihnen anruft, tät'n Sie ihm das doch bestimmt auch so sag'n?«

»Natürlich, keine Frage. So ist es ja auch.« Was war los mit dieser Frau? Wovor hatte sie Angst? Vor dem harmlosen Herrn Schmiedinger? Vielleicht hatte Ludwig Pichlmeier mehr Informationen. Franziska sah Erna Schmiedinger nachdenklich an.

»Stellen Sie sich vor, Ihr Mann würde Ihnen Behinderung der Polizeiarbeit vorwerfen.«

»Das tät ich dem fei sogar zutraun.« Die Frau des Polizisten klang mit einem Mal verbittert.

»Er wird stolz auf Sie sein, daß Sie mir die Sachen gegeben haben. Alles läuft perfekt. Nicht nur Ihr Haushalt, auch die Kooperation.«

Erna Schmiedinger lächelte geschmeichelt. »Das sag'n S' jetzt aber bloß so, gell …?« Es war ihr anzusehen, wie sehr sie sich über das Kompliment freute.

»Wissen Sie was«, schlug Franziska vor. »Sie suchen mir die Abdrücke jetzt raus, und wenn es Ihnen recht ist, würde ich gern inzwischen von Ihrem Telefon aus kurz in meiner Dienststelle anrufen, um die Spurensicherung zu informieren. Das ist doch besser, als wenn die mit ihren ganzen Untersuchungsausrüstungen hierherkommen müßten.«

Ihr Gegenüber nickte ergeben. »Um Gottes willen, des wär dem Adolf sicher ned recht, wenn's bei uns alles untersuchen tät'n, bloß weil er seine Pflicht getan und die Fußabdrück g'nommen hat. Und am End käm dann auch noch der Daxhuber Eduard rüber und tät mithelfen mögen wollen. Wart'n S' g'schwind, ich bring Ihnen das Telefon.«

Franziska wartete, bis die Frau in der Garage verschwunden war, und wählte Brunos Nummer. Er meldete sich sofort und schien überaus glücklich zu sein.

»Chefin, stell'n S' Ihnen vor, mir ham's.«

»Was?«

»Das Paßwort.«

»Ach was, tatsächlich? Wie heißt es denn?«

»Fontane. Brunner, Brunnen, Fontäne, Fontane – das ist doch eigentlich voll easy. Daß mir da ned eher draufkommen sind!«

»Herzlichen Glückwunsch, das hätte ich Ihnen ehrlich gesagt nicht unbedingt zugetraut. Und jetzt?«

»Jetzt schaun mir uns grad die Dateien an. Hochinteressant. Unglaublich. Da werden S' schaun. Wann kommen S' denn rein?«

»Zwischen drei und vier. Sagen Sie doch bitte der Spurensicherung, daß sie unbedingt auf mich warten sollen. Ich bringe zwei Sachen mit, die noch heute geprüft werden müssen.«

»Was bringen S' uns denn Schönes mit?«

»Später – ich kann jetzt nicht so lange sprechen.«

Die Werkstatt hinter der Garage war das Reich Adolf Schmiedingers, und es war seiner Frau untersagt, sie zu betreten. Aber wie hätte sie das der Kommissarin erklären können, die so verständnisvoll auf sie eingegangen war und die sie für eine gute Hausfrau hielt. Sie war seit fast dreißig Jahren mit Adolf verheiratet und noch nie in seiner Werkstatt gewesen, die aus einem Anbau am Kopfende der

Garage bestand. Sie wußte nicht einmal, ob sie die Tür würde öffnen können. Aber diese Bedenken hatte sie für sich behalten, denn was für ein Licht hätte es auf ihre Ehe geworfen, wenn die Kommissarin von diesem verbotenen Raum gewußt hätte? Vorsichtig drückte sie die Klinke hinunter, und tatsächlich, die Tür war nicht abgeschlossen.

Wie groß die Werkstatt war! Das hatte sie nicht gewußt! Ein Raum von vier mal fünf Metern mit drei großen Fenstern, zwei in Richtung Westen, eins in Richtung Norden. Diese Fenster waren seit ihrem Hochzeitstag nicht mehr geputzt worden, und vermutlich auch nicht in den Jahren davor. Eine dicke Staubschicht und Unmengen von Spinnweben filterten das Licht. Unterhalb der Fenster hatte Adolf sich eine L-förmige Werkbank eingerichtet. An der fensterlosen Seite des Raumes standen ein großer Sessel, der früher einmal gelb gewesen sein mußte, mittlerweile aber die Farbe von braunem Flußschlamm angenommen hatte, sowie eine tütenförmige Stehlampe aus den sechziger Jahren und ein Nierentischchen. Links neben dem Sessel eine fast leere Kiste Bier, rechts ein Stapel mit Zeitschriften. Zerfleddert sahen die Zeitschriften aus und abgegriffen.

Erna Schmiedinger griff mit spitzen Fingern danach. Sie schlug eine auf und ließ sie sofort wieder fallen. Es waren Pornos. Ihr wurde schwindlig, und sie meinte, sich übergeben zu müssen. Wie ein Film lief ihre Ehe vor ihr ab, vor allen Dingen die Nächte ihrer Ehe. In einem geflochtenen Papierkorb unterhalb der Werkbank lagen benutzte Papiertaschentücher. Die hatte er wahrscheinlich genommen, wenn er in diesen Pornos blätterte, und Erna Schmiedinger stellte sich vor, daß sie angefüllt wären mit seinem Samen – der gebraucht worden wäre, um ein Kind zu zeugen.

Ich darf mich jetzt ned so aufregen, dachte sie. Die Kommissarin darf nix merken, unter keinen Umständen nicht. Und vor allem darf's ned in die Werkstatt kommen. Wenn die das sehn tät!

Hektisch begann sie zu suchen und fand tatsächlich die verstaubten Gipsabdrücke. Außerhalb der Werkstatt in einem Regal – vor der Tür zum verbotenen Raum. In ihre Erleichterung, daß sie weiterhin so tun könne, als wisse sie von nichts und als habe sie seine Werkstatt niemals betreten, mischte sich eine tiefe Traurigkeit. Sie fühlte sich betrogen und hintergangen und verraten, und sie fürchtete sich davor, ihm jemals wieder in die Augen zu schauen. Sie fühlte sich schuldig wegen dieser Hefte, als sei sie selbst darin abgebildet und müsse sich nun in alle Ewigkeit schämen.

Sie blieb draußen im Wind stehen, der ihr das Haar zerzauste, in jeder Hand einen Abdruck der Fußspuren des Blumenkillers. Schließlich holte sie tief Luft und ging langsam ins Haus zurück.

»Sie haben sie tatsächlich gefunden! Ich wollte gerade nach Ihnen schauen. Das ist ja wunderbar. Haben Sie vielleicht eine Plastiktüte für mich?«

Erna Schmiedinger nickte und öffnete wortlos einen Schrank in der Diele. Hier lagen die Plastiktüten, ordentlich gefaltet und gestapelt. Sie holte eine der größten hervor. In der hatte sie vor gar nicht so langer Zeit zwei neue Daunenoberbetten für sich und ihren Mann nach Hause getragen und sich darauf gefreut, neben ihm einzuschlafen und aufzuwachen.

»Ja, die ist wunderbar.« Franziska lächelte. »Ich bringe die Sachen gleich zur Spurensicherung nach Landau. Danke für den köstlichen Kuchen. Ich melde mich spätestens morgen bei Ihrem Mann. Sagen Sie ihm das?«

»Mach ich«, murmelte Erna Schmiedinger. »Richt ich ihm aus.«

Nur noch eine Zigarette. Nein, das war eindeutig zuwenig. Franziska drehte in der Auffahrt und fuhr mitsamt der konfiszierten Papiertonne und den Gipsabdrücken in der großen Plastiktüte zurück in den Ort. Im Rückspiegel sah

sie Frau Schmiedinger zaghaft winken, blaß und ange-
strengt wirkte sie mit einem Mal.

Vielleicht ist ihr eine Maus über den Weg gelaufen,
dachte Franziska und grinste. Man weiß ja nie. Diese
toughen Landfrauen, alles haben sie im Griff, aber bei
einer Maus oder einer Spinne kommt die alte Panik hoch.
Na ja, Kollege Adolf wird's schon richten.

Damit hätte sie rechnen müssen. Vor dem Zigaretten-
automaten stand Eduard Daxhuber und redete auf einen
etwa vierzigjährigen Mann in blauen Latzhosen ein. Der
schüttelte immer wieder den Kopf. Franziska fuhr vor, und
Eduard Daxhuber öffnete beflissen ihre Autotür.

»Na, haben Sie Ihren Irrtum eingesehen?« fragte der
Mann mit der Latzhose. »Das finde ich sehr vernünftig.«

»Dann sind Sie also Herr Moll.« Franziska nickte ihm
zu.

»Erik Moll«, ergänzte Eduard Daxhuber.

»Hatten Sie eigentlich einen Durchsuchungsbefehl?«
wollte Erik Moll wissen und machte sich an Ihrem Kofferraum zu schaffen, um seine Tonne wieder in Besitz zu nehmen.

»Das Ding bleibt drin!« stellte Franziska klar. Augen-
blicklich schob der selbsternannte Hilfssheriff seinen
Nachbarn zur Seite und baute sich schützend vor dem
Beweismaterial auf.

»Einen Durchsuchungsbefehl kann ich Ihnen jederzeit
bringen«, sagte Franziska.

»Aber was zum Teufel suchen Sie denn in meiner
Tonne? Da ist nichts Besonderes drin!« Erik Molls Stimme
kippte vor Wut.

»Wenn Sie nichts zu verbergen haben, müssen Sie sich ja
auch nicht so aufregen. Kann mir jemand von Ihnen einen
Fünfer wechseln?«

»Deswegen sind Sie gekommen?«

»Ja.«

Erik Moll wandte sich wütend ab. Sein graues Haar war im Nacken zu einem Pferdeschwanz gebunden.

Eduard Daxhuber wühlte in seinen Taschen. »Bittschön, da schaun S' her, zwei Zwickel und eine Mark, Schmarrn, einen Euro mein ich, hahaha.«

»Danke.«

Franziska bediente den Automaten und riß die Zellophanhülle von der Schachtel herunter.

»Herr Moll, geben Sie mir bitte Ihre Telefonnummer? Ich rufe Sie an, sobald die Papiertonne freigegeben wird.«

»Und wie lang kann das dauern?«

»Kommt drauf an. Wenn wir Glück haben, bringe ich sie Ihnen morgen schon zurück. Brauchen Sie sie denn so dringend?«

»So ein Schwachsinn! Und dafür zahlen wir auch noch Steuern!«

»Sie wollen doch auch, daß der Mord an Hermann Brunner aufgeklärt wird.«

»Ehrlich gesagt, ist mir das scheißegal. Ich weiß, daß ich es nicht war, und alles andere interessiert mich nicht. Und ich finde es unglaublich, daß Sie einfach so in meinen Papieren wühlen. Es gibt doch noch so was wie eine Privatsphäre.«

»Eine interessante Haltung«, murmelte Franziska und öffnete die Tür zu ihrem Wagen. »Also, Ihre Telefonnummer?«

»Haben Sie was zum Schreiben?«

»Nehmen S' den derweil!« Eduard Daxhuber hielt ihr einen Stift hin. Der Mann war wirklich für alles gerüstet.

Sie notierte die Nummer auf der Zigarettenschachtel, warf sie auf den Beifahrersitz und drehte den Zündschlüssel um. »Ich muß los. Wir sehen uns morgen.«

Wie konnte man sich nur wegen einer Papiertonne so aufregen! Mir wäre es nicht nur egal, wenn jemand mein Altpapier beschlagnahmte. Es wäre mir sogar ganz recht, dachte Franziska und gab Gas.

Sie schienen sie schon erwartet zu haben. Insgeheim mußte Franziska lächeln. Heute schien man sie überall zu erwarten. In der Spurensicherung hätte man ihr beim Versuch, die Papiertonne mit einem Ruck aus dem Auto zu ziehen, fast den Kofferraum demoliert. Dann war der neue Praktikant in Windeseile mit den Gipsabdrücken der Fußspuren verschwunden, als hätte er nun endlich die Aufgabe gefunden, auf die er während seines Studiums vorbereitet worden war und auf die er schon seit Ewigkeiten wartete.

»Nach was sollen wir denn eigentlich suchen?« fragte Herr Kamp von der Spurensicherung und öffnete mit behandschuhten Fingern die Papiertonne.

»Nach einem leeren Briefumschlag. Von dem bräuchte ich die Fingerabdrücke – alle. Falls er zugeklebt war, gibt es vielleicht auch noch so was wie eine Speichelprobe. Das wäre besonders interessant für uns!«

»Na, Sie sind ja witzig! Hätten Sie nicht vielleicht sonst noch ein paar Wünsche? Das mit der Speichelprobe können Sie gleich vergessen. Da geht gar nichts. Und falls wir tatsächlich einen einzelnen leeren Umschlag da drin finden sollten – Fingerabdrücke sind in so einem feuchten Verhau wie da drin sicher schon längst verwaschen.«

»Suchen Sie trotzdem. Wieso geht das mit der Speichelprobe nicht?«

»Weil wir gar nicht die Ausrüstung dahätten, mit der wir so was in Landau untersuchen könnten. Dazu bräuchten wir ein richtiges Labor, wo man dann auch gleich eine DNA-Analyse machen könnte und dieses ganze neumodische Zeug.«

»Dann wird es eben eingeschickt, und zwar an ein Labor, das so etwas untersuchen kann. Immerhin geht es um Mord.«

Hans Kamp nickte ergeben. »Von mir aus. Einschicken könnten wir es schon, vorausgesetzt natürlich, daß Sie mit dem Etat von Ihrer Abteilung für die externe Rechnung geradestehen. Das ist nämlich nicht ganz billig, wissen Sie. Und dauert auch seine Zeit.«

»Und von den Fußabdrücken möchte ich wissen, ob sie mit welchen von denen identisch sind, die wir am Tatort genommen haben. Bis wann werden Sie das feststellen können?«

»Das geht schneller, die müssen wir ja nur miteinander vergleichen. Wo kann ich Sie denn erreichen?«

»Ich bin in meinem Büro.«

Kamp hatte schon gehört, daß mit der neuen Kommissarin ein frischer Wind in die Dienststelle gekommen sei, aber daß sie so bestimmt und autoritär auftrat, irritierte ihn nun doch ein wenig. Andererseits sollte er sich gut mit ihr stellen, denn womöglich wäre sie in der Lage, nicht nur für ein vernünftiges Labor zu kämpfen, sondern auch noch zu gewinnen?

Diese Aussicht beflügelte ihn, er kippte die Tonne auf die mitgebrachte Sackkarre und zog sie hinter sich her. Bald würde es anders aussehen an seinem Arbeitsplatz: Tageslichtlampen, Tische und Schränke aus Chrom, Mikroskope, Pipettenständer, Zentrifugen und dazwischen mehrere hübsche und sehr junge Praktikantinnen, die ihn anhimmelten und wegen seines Wissens bewunderten. Kein Vergleich zum momentanen Praktikanten Florian Glas, der sich nur jeden zweiten Tag rasierte und immer mit der gleichen Jeans daherkam.

»Sie haben das Paßwort also assoziativ herausgekriegt. Alle Achtung!« Franziska stellte ihre Tasche auf den Schreibtisch und ließ sich in ihren Sessel fallen, den Ludwig Pichlmeier eilfertig an seinen Platz zurückgeschoben hatte. Sie zündete sich eine Zigarette an und sah zufrieden in die Runde.

»Mei, mir ham halt letztlich auch das notwendige Quentchen Glück g'habt«, meinte Bruno bescheiden und lächelte stolz.

»Ja wirklich, viel Glück.« Sie nickte ihm zu. »Insgeheim habe ich nämlich nicht daran geglaubt, daß Sie heute auch nur ein Fitzelchen weiterkommen. Aber um so besser. Jetzt werden wir erfahren, wer Hermann Brunner wirklich war – oder wir haben zumindest die Chance, es herauszufinden. Also: Welche Geheimnisse verbergen sich in diesem Rechner?«

»Also, stell'n S' Ihnen vor, der muß doch tatsächlich ein recht reges Liebesleben g'habt ham«, sagte Bruno. »Nicht der Rechner, sondern der Tote. So, wie der ausg'schaut hat und nach allem, was mir bisher von ihm wissen, kann man sich's zwar eher ned leicht vorstellen nicht, aber seine Notizen lassen kaum einen Zweifel, die sind ziemlich eindeutig.«

»Und Sie sprechen wirklich von Hermann Brunner? Sind Sie sich da ganz sicher?«

»Logisch. Der hat E-Mails und Liebesbriefe an eine Frau g'schickt, die er, oder sie sich selber, Margarita nennt.«

»Margarita? Und der Nachname?«

»Da wiss'n mir nix.«

Franziska beugte sich vor. »Gibt es eine E-Mail-Adresse?«

»Ham mir keine g'funden.«

»Das gibt's doch gar nicht.«

»Wenn ich's Ihnen doch sag. Der wird die Adress auswendigg'lernt ham. Das Adreßbuch ist leer. Die Schreiben selber sind bloß als editierte Texte abg'speichert, ohne Briefkopf. Posteingang und -ausgang, da wo die Adressen vom Programm automatisch g'speichert worden wär'n, hat er komplett g'löscht, vermutlich ned nur vor seinem Tod, sondern jedes Mal, wenn er im Internet war. Überordentlich, übergenau, übervorsichtig. Sie ham ja sein Zimmer g'sehn, das sagt doch eigentlich schon alles.« Bruno seufzte.

»Dann treten wir also wieder auf der Stelle. Mist.« Franziska drückte ihre Zigarette aus und ging zu dem konfiszierten Computer.

»Muß ned unbedingt sein, da könnt man schon noch etliches rausholen«, mischte Ludwig Pichlmeier sich ein. »Mir bräucht'n halt mehr Zeit. Mir müßt'n uns die Briefe in aller Ruhe durchlesen. Außerdem ham mir noch eine Datei im Outlook g'funden, die tatsächlich ein bisserl an ein Tagebuch erinnert. Ein jeder Schmarren steht da drin: Termine fürs Pflanzen wie für die Ernte, Wetterbeobachtungen, Schlachtprotokolle, Wurscht- und Käsrezepte und dazwischen Sätze wie: ›Hab mit der Margarita gesprochen.‹ Der hat die Frau also offensichtlich doch persönlich kennt. Das war kein bloßer virtueller Kontakt ned. Der hat g'wußt, wie die ausschaut, der hat die regelrecht beobachtet. Das war eine aus Fleisch und Blut, die hat in seinem Umkreis g'lebt, und da wird's auch noch zum finden …«

»Er hat für sie geschwärmt. Na und?« unterbrach Franziska ihn. »Vermutlich hat sie nicht einmal etwas davon gewußt, ziemlich sicher auch nicht geahnt, daß die verliebten E-Mails ausgerechnet von dem jungen Brunner kommen. Wie soll uns diese Spur weiterhelfen in Richtung Mörder?«

»Das kann ich Ihnen so auf Anhieb auch noch ned konkret sagen.« Ludwig Pichlmeier blieb hartnäckig. »Aber es könnt doch durchaus sein, daß er ihr irgendwas erzählt hat. Vielleicht hat er sich ja von irgendwem bedroht g'fühlt. Mir täten unbedingt rauskrieg'n soll'n, wer die Frau ist.«

»Schon wieder ein neues Rätsel! Und da Computer und Internet heute so selbstverständlich sind wie Telefon, kann jede oder jeder in Frage kommen. Sogar in Kleinöd habe ich praktisch in allen Wohnungen so ein Teil gesehen. Bei den Daxhubers, Frau Rücker, Frau Binder … gab es eigentlich auch bei Joseph Langrieger einen Computer?« Sie sah Bruno Kleinschmidt fragend an.

»Ned, daß ich wüßt. Aber sein Bub, der in Urlaub ist, der hat bestimmt auch einen – oder die Enkel.«

Franziska seufzte. »Na ja, jetzt warten wir erst einmal ab, was die Spurensicherung bezüglich meiner Mitbringsel zutage fördert.«

Als sei das ein Stichwort gewesen, läutete genau in diesem Moment das Telefon.

Es war Florian Glas.

»Und?« fragte Franziska. Sie hörte aufmerksam zu und nickte immer wieder. »Das ist ja endlich mal was Handfestes. Großartig. Da hat mich meine Intuition doch nicht getrogen. Jetzt können wir also auf der Schiene weiter ermitteln. Vielen Dank.« Sie legte auf.

»Wissen Sie was?«

Kleinschmidt und Pichlmeier schüttelten gleichzeitig den Kopf.

»Die Fußabdrücke des Blumenkillers und des Mörders sind identisch.«

»Um Gottes will'n, was soll denn das jetzt wieder für einer sein, dieser Blumenkiller?« wollte Bruno wissen.

»Ach, die Geschichte kennen Sie ja noch gar nicht. Seit ungefähr einem Jahr läuft jemand nachts durch Kleinöd und köpft die Blumen.« Franziska wandte sich an Pichlmeier. »Ihr Chef, der Herr Schmiedinger, ist der Sache vor einigen Monaten nachgegangen und hat frische Gipsabdrücke von den Fußspuren genommen. Hat er Ihnen eigentlich davon erzählt?«

Ludwig Pichlmeier schüttelte den Kopf. »Da wüßt ich jetzt nix nicht davon, so arg lang bin ich allerdings auch noch ned da draußen in dem Kaff.«

»Na ja, das war wohl auch eher eine private Ermittlung. Zum Glück ist er aktiv geworden. Die Beweismittel hat mir heute seine Frau überlassen.«

»Das heißt dann also praktisch, daß der Mörder tatsächlich in Kleinöd zum suchen ist. Irgendeinen Durchreisenden können mir ab jetzt ja eindeutig ausschließ'n«, stellte Bruno fest.

»Genau.« Franziska triumphierte. »Und das war von Anfang an mein Gefühl.«

Bruno sah einen Augenblick lang betreten zu Boden. »Aber dafür hab ich gleich auf'n Computer g'setzt«, rückte er dann seine bevorzugte Vorgehensweise ins rechte Licht.

»Genau, auf den Computer und auf Ihre Spezialinformantin Frau Rücker.« Die Kommissarin zwinkerte ihm zu.

Erneut klingelte das Telefon. Franziska sah auf das Display und meldete sich. »Ja, Herr Kamp?«

»Jetzt wissen wir, warum der Herr Moll seine Papiertonne nicht freigeben wollte.«

»Ach was, erzählen Sie.« Eine Zigarettenlänge lang hörte sie schweigend und kopfschüttelnd zu. »Nein, das ist ja unglaublich!« Sie lachte. »Wenn ich das meinem Mann erzähle … O Gott, ich habe ja völlig vergessen, ihn anzurufen. Danke, Herr Kamp, das hilft uns zwar nicht direkt bei unseren Ermittlungen, ist aber immerhin gut zu wissen. Wirklich äußerst kurios.«

Pichlmeier und Kleinschmidt sahen sie neugierig an.

»Tut mir leid, meine Herren, aber ich habe meinem Mann versprochen, heute ausnahmsweise einmal früher heimzukommen. Und jetzt ist es schon gleich sieben. Das Mollsche Kuriosum kläre ich morgen auf, wenn es Ihnen recht ist. Mit unserem Fall hat es nämlich nichts zu tun. Aber es ist wirklich komisch. Und wie sind Ihre Pläne?«

»Mir werden uns jetzt erst noch einmal den Terminkalender im Outlook vornehmen. Und nachad gehn mir wieder schön was essen, gell, Wiggerl?« Bruno Kleinschmidt sah Ludwig Pichlmeier fragend an.

»Genauso mach'n mir das.« Bemüht, nicht zu bereitwillig Kleinschmidts schmachtenden Blick zu erwidern, strich sich Ludwig Pichlmeier über seinen Waschbrettbauch. »Ich hab einen Hunger als wie ein Wolf.«

»Wenn ich Ihnen einen Tip geben darf: Exportieren Sie doch einfach den Terminkalender in ein Textverarbeitungsprogramm, und löschen Sie dann alles raus, was nichts mit unserem Fall zun hat.«

»Ja, Sie wär'n fei schon lustig! Ein toller Tip! Und wie tät'n mir dann Ihrer Ansicht nach riechen soll'n, was da jetzt dazug'hört und was ned? Vielleicht ist ja zur Lösung des Falles am Ende grad ein Schlachttag von entscheidender Bedeutung oder doch irgend ein Wurschtrezept!«

Zehntes Kapitel

Schon wieder so ein schöner Tag. Wann hatte es jemals einen so leuchtenden Herbst gegeben? Nicht, solange sie noch in der Großstadt gelebt hatte. Oder hatte sie damals noch keinen Blick dafür gehabt? Sie hatten in dieser Nacht miteinander geschlafen. Es war eine Rückkehr in ein verloren geglaubtes Land gewesen. So nah waren sie sich seit Monaten nicht mehr gekommen. Franziska atmete tief durch. Sie fühlte sich entspannt und ausgeglichen, aufgehoben in den Händen ihres Mannes, ein kleines Kätzchen, das jemand an sein Herz drückt. Es machte ihm nichts aus, daß sie nicht mehr so schlank war wie früher und ihre Haut nicht mehr so straff. Er hatte sie begehrt, und sie hatte ihn begehrt, und alle Zweifel waren verflogen. Sie war lebendig. Und Lebendigsein fühlte sich gut an. Ausgesprochen gut.

Sie summte die Melodie eines alten Chansons vor sich hin, während sie ihren Schrank nach angemessener Kleidung für die Beerdigung von Hermann Brunner durchsuchte.

»Na, du bist vielleicht drauf!« Christian stand grinsend in der Tür und sang das Chanson von Jacques Brel: »Adieu, Émile, je vais mourir. C'est dur de mourir au printemps, tu sais. Mais je pars aux fleurs, la paix dans l'âme…«

»Du kennst das Lied?«

»Ja klar. Du summst es immer, wenn du melancholisch bist.«

»Wirklich? Und ich dachte, ich sei heute relativ ausgeglichen.«

»Ich kenn dich eben ein bißchen besser als du dich selbst. Wie wär's mit Frühstück?«

»Nicht schlecht.« Sie sah auf die Uhr. »Aber schnell, denn gleich holt Bruno Kleinschmidt mich ab.«

»Ach ja, heute ist ja die Beerdigung.«

»Vielleicht sollte ich etwas Dunkles anziehen, obwohl ich ihn ja nicht kannte«, murmelte sie und griff nach einem grauen Jackett.

»Jetzt, da er tot ist, kennst du ihn vermutlich besser als alle, die ihn kannten, während er noch lebte.«

»Ja, das stimmt. Aber ich denke, daß Bruno und dieser Pichlmeier noch mehr von ihm und über ihn wissen. Sie haben schließlich die ganze Nacht an dem Computer herumgefuhrwerkt. Zumindest hat er das vorhin am Telefon behauptet.«

Bruno fuhr in einem Polizeiwagen vor. Das war Franziska nur recht. Jeder wußte, daß Hermann Brunner gewaltsam ums Leben gekommen war, und alle, die zu der Beerdigung erscheinen würden, rechneten vermutlich damit, daß auch die Kriminalpolizei anwesend sein würde. Sie sollten auf ihre Kosten kommen.

»Haben Sie meine Regieanweisungen weitergeben können?« fragte Franziska ihn, als sie im Auto saßen und sie sich die dritte Zigarette an diesem Morgen angezündet hatte.

»Ja freilich. Der Pichlmeier weiß logisch Bescheid, und mit dem Schmiedinger hab ich auch schon g'redet. Der weiß zwar ned so genau, was Sie mit Ihrer Idee bezweck'n, aber das muß er ja ned unbedingt wiss'n. Er macht's jedenfalls, alles andere wär ja auch noch schöner g'wesen.« Bruno grinste. »Der ist sozusag'n Wachs in Ihnen Ihrer Hand.«

»Haben Sie dem Schmiedinger auch gesagt, was wir gestern abend noch erfahren haben?«

»Daß die Fußabdrücke identisch sind? Davon weiß der noch nix. Irgendwie bin ich gar ned so weit kommen, als daß ich dem davon was erzählt hätt.«

»Das ist auch gut so. Es würde ihn nur ablenken.«

Bruno fuhr schnell und schweigend. Franziska drückte ihre Zigarette aus. Kurz vor Adlfing schien Bruno sich an etwas zu erinnern, und er fragte: »Was war denn da gestern eigentlich los, mit der Aschentonne von diesem Moll?«

Franziska lachte laut. »Das können Sie sich nicht vorstellen. Die Geschichte ist zu absurd. Aber ich erzähl es Ihnen im Schnellverfahren. Nur daß Sie sich dann nichts anmerken lassen, gleich, während der Trauerfeier.«

»Sowieso ned.«

»Also, dieser Herr Moll hat bei einer Quizsendung im Fernsehen mitgemacht und dabei fünfhunderttausend Euro gewonnen.«

Bruno pfiff anerkennend.

»Genau. So ziemlich alle im Dorf haben diese Sendung gesehen, aber niemand hat mit seinen Nachbarn darüber gesprochen. Jeder tut so, als habe er keine Ahnung. Da sehen Sie mal, wie gut diese Leute schweigen können – wenn sie es nur wollen.«

»Das war mir schon klar.«

»Dann hat jeder einzelne einen kleinen Erpressungsbrief geschrieben. Na ja, nicht jeder, aber fast. Zum Beispiel unser Obergehilfe, der gute Herr Daxhuber, Frau Rücker, der junge Langrieger – die Sendung scheint vor seiner Reise ausgestrahlt worden zu sein. Vielleicht hat er sich sogar die Reise damit finanzieren wollen, wer weiß. Außerdem Frau Waldmoser, Herr Schmiedinger und dieser Herr Bachmeier. Das ist einer, den wir bisher noch gar nicht befragt haben. Er wohnt in Nummer vier.«

»Das ist mir doch eine scheinheilige Bagage! Was haben's denn da so g'schrieben?«

»Das Übliche, der Standarderpressungsversuch bei Lottogewinnen und dergleichen: ›Sie wollen doch sicher nicht, daß alle Nachbarn von Ihrem Gewinn erfahren. Wenn Sie mir die und die Summe überweisen, bleibt die Information unter uns.‹ Es waren übrigens ganz unterschiedliche Summen. Die Spannweite reichte von zweitausend bis fünfundzwanzigtausend Euro.«

»Meinen S' denn, daß der was zahlt hat?«

Franziska schüttelte den Kopf. »Nein. Er hat alle Briefe zerrissen und in den Papierkorb geworfen. Aber unser guter Herr Kamp hat die Puzzles fein säuberlich wieder zusammengesetzt. Ist das nicht eine wunderbare Geschichte?«

»Aber hallo.« Bruno nickte. »Ich kenn jedenfalls keinen, der schon einmal das Glück g'habt hätt, zu so einer Sendung überhaupt bloß eing'laden zum werden. Vom G'winnen, und dann auch noch so viel, brauchen mir erst gar ned reden.«

»Gibt es denn bei Ihnen schon was Neues, ich meine, was den Inhalt des Computers betrifft?«

»Mir kennen jetzt den Server.«

»Na bitte, das ist doch schon was.«

»Jetzt bräucht'n mir allerdings eine richterliche Verfügung, dann könnt'n mir uns alle Mails anschaun, die wo an und von dem Brunner g'schickt worden sind.«

»Da sehe ich nun wirklich kein Problem. Immerhin geht es um die Aufklärung eines Mordes. Ich hoffe, Sie haben es schon veranlaßt?«

»Hab ich noch ned, ich wollt lieber erst mit Ihnen drüber reden.«

»Junge, wir verlieren nur Zeit! Kostbare Zeit! Haben Sie Ihr Handy dabei?«

Er nickte.

»Okay, dann rufen Sie jetzt sofort in Landau an und bringen die Dinge auf den Weg.«

Jede Beerdigung erinnerte sie an die Beerdigung ihres ersten Mannes. Auch jetzt dachte sie wieder an ihn. Was hätte er getan? Wie hätte er reagiert? War ihr Plan vernünftig? Sich an ihn zu erinnern tat nicht mehr so weh wie in den vergangenen Jahren. Nicht nur die Lebenden, auch die Toten schienen irgendwann Frieden zu finden.

Die kleine Kirche war überfüllt. Der geschlossene Sarg stand rechts vom Altar. Sonnenstrahlen in allen Regenbogenfarben fielen durch die Bleiglasfenster auf den Buchenschrein. Der Organist spielte ein Requiem. Als Franziska sich durch die Reihen hindurchgedrängt hatte, sah sie, daß Hannes und Malwine Brunner in der ersten Reihe rechts vom Mittelgang saßen. Allein. Wie zwei Aussätzige. Als sei ihr Unglück ansteckend. Sie blieb etwa zehn Meter von ihnen entfernt im Gang stehen und fragte sich, woher die vielen Leute kamen. Kamen sie wegen Hermann Brunner oder wegen seiner Eltern, oder einfach nur aus Neugier?

Das Dorf Kleinöd schien geschlossen angetreten zu sein. Direkt hinter den trauernden Eltern saß der Bürgermeister Markus Waldmoser nebst Gattin Elisabeth. Eine brave Bürgerin im Dirndl und mit dunklem Fransentuch. Die Vorstellung, daß sie daheim an ihrem Küchentisch Erpresserbriefe schrieb, war ziemlich grotesk. Und daß sie als Bürgermeisterfrau den Quizgewinner dazu aufgefordert hatte, die gesamten Straßenlaternen in Kleinöd zu erneuern, war geradezu absurd.

In gebührendem Abstand hatte sich der nun wohlhabende Quizgewinner Erik Moll mit seiner Lebensgefährtin und den zwei Kindern Michael und Natalie in eine Bank gesetzt. Die einjährigen Zwillinge hatten sie zu Hause gelassen. Sie konnten sich ja jetzt ein Kindermädchen leisten. Alle Molls beziehungsweise Aschers waren in schwarzem Leder angetreten. Franziska stellte sich vor, wie sie mit ihrem Scheck über fünfhunderttausend Euro in die Stadt gefahren und einkaufen gegangen waren.

Hinter ihnen stand Charlotte Rücker in einem äußerst eleganten dunklen Dirndl mit gewaltigem Dekolleté, ein Gewand, das sie alljährlich auch zum Schützenfest und zum Winterball trug. Auch sie eine Erpresserin, wer hätte das gedacht? Sie hatte sich bei ihrem Lebensgefährten

Bernhard Döhring untergehakt, der ein schwarzes Jackett und eine schwarze Krawatte trug. Ilse Binder im grauen Mantel hob leicht den Kopf mit den leuchtend roten Haaren und lächelte der Kommissarin zu. Franziska nickte zurück. Sogar der Briefträger Ingo Dressler war da, allerdings in seiner Postuniform. Vermutlich hatte er nur eine kleine Pause eingelegt, bevor er weiter seiner Arbeit nachging.

Zwischen Eduard und Ottilie Daxhuber stand Joseph Langrieger. Er wirkte verloren und einsam. Irgendwie nicht ganz da. Vermutlich deshalb, weil seine bessere Hälfte Luise immer noch nicht aus dem Krankenhaus entlassen worden war. Adolf Schmiedinger trug seine grüne Polizeiuniform, was unpassend wirkte. Franziska ärgerte sich darüber, daß sie nicht selbst mit ihm gesprochen hatte. Sie hätte ihn darum gebeten, in Zivil zu kommen. Na ja, Bruno hatte an so etwas natürlich nicht gedacht, sondern brav ihre Anweisungen weitergegeben. Erna Schmiedinger stand ganz nah an der Kirchentür. Als bräuchte sie einen Fluchtweg. Sie sah aus, als habe sie geweint. Was war nur los mit ihr? Gestern hatte sie noch so entspannt und ausgeglichen gewirkt.

Herrn Bachmeier, den sie nur vom Sehen kannte, entdeckte sie direkt hinter dem Weihwasserbecken. Er wirkte harmlos und bieder, wie alle aus dem Ort. Aber auch er hatte Herrn Moll einen Brief geschrieben und Schweigegeld gefordert. Seine Frau Perdita war eine exotische Schönheit mit großen braunen Augen, lackschwarzem Haar und katzenhaften Bewegungen. Hatte Ilse Binder nicht erzählt, daß sie Katzen züchtete? Und zwar irgendeine ungewöhnliche Rasse? Birmakatzen?

Und dann entdeckte sie Gustav Wiener. Komisch! Was hatte der denn hier zu suchen? Er blickte sich um, als sei er mit jemandem verabredet oder davon überzeugt, einen ganz bestimmten Menschen ausgerechnet hier zu treffen. Sie sollte ihn danach fragen. Gut, er hatte den Toten seziert, aber das war ja noch lange kein Grund, auch dessen Beerdigung beizuwohnen. Oder sollten ihn etwa die Brunners eingeladen haben, weil sie nicht genau wußten, ob sich das so schickte oder nicht?

Der Pfarrer begann mit seiner Ansprache, die aus einer Aneinanderreihung von Allgemeinplätzen bestand. Das Geburtsdatum nannte er und listete anschließend die Termine der Einschulung, der Erstkommunion, der Firmung und schließlich das Datum des frühen und tragischen Todes auf. Seinen Eltern sei er ein guter Sohn gewesen, die Hoffnung des Hofes, die Alterssicherung. In der Jugend läge unsere Zukunft ... Mehr nicht. Nichts Persönliches, keine Begebenheit aus Hermann Brunners Leben.

Franziska fragte sich, ob Hermann Brunner mit diesem Leben zufrieden gewesen war. Mit seinem engen Radius. Er schien keine Freunde gehabt zu haben. Niemand in seinem Alter nahm an der Beerdigung teil – außer Gustav Wiener, aber der hatte ihn nur als Toten kennengelernt. Keine alleinstehende Frau, kein Mann. Hermanns einziger Kontakt zur Welt war diese Internetbeziehung gewesen. Eine Frau namens Margarita, die es möglicherweise gar nicht gab und auf die er seine ganze Sehnsucht projiziert hatte. Sollte sich hinter »Margarita« ein Nachbar verbergen, der sein mieses Spiel mit Hermann Brunner getrieben hatte, so würde sie diesem das Leben zur Hölle machen.

Marlene Blumentritt stand hinter dem Fenster und sah die Autokolonne über die Dorfstraße Richtung Friedhof fahren. »Beerdigungstourismus«, murmelte sie und schüttelte den Kopf. Sie würde nicht an dieser Veranstaltung teilnehmen. Sie hatte dort nichts zu suchen. Es gab auch andere Arten, um von Hermann Brunner Abschied zu nehmen. Weniger auffällige, leisere, stillere. Sie war froh, daß sie ihn noch einmal gesehen hatte. Als Toten. Er hatte so friedlich ausgesehen. Er hatte den Übergang geschafft.

Irgendwann hatte sie einmal in einem Buch die Formulierung gelesen: »Der in seinem Sarg Purzelbäume schlug.« Nein, so einer war er nicht gewesen. Er hatte nicht einmal in seinem Leben Purzelbäume geschlagen. Er hatte von Anfang an keinen Platz gehabt bei dieser schweigsamen Mutter und dem bestimmenden Vater. Hoffentlich war sein Sarg nicht zu eng. Sie schüttelte sich. So etwas wollte sie nicht denken! Es war verboten und gehörte auch nicht als Notiz in den Rucksack.

Die Mutter irrte durchs Haus. »Hallo, hallo, ist da jemand?«

Marlene schwieg. Alle Türen waren verschlossen. »Ich will nicht«, murmelte sie vor sich hin. »Laß mich. Laß mich in Ruhe!«

Wie sie sich aufgedonnert hatten, die Leute aus dem Dorf, die an ihrem Haus vorbeiflanierten: die Daxhubers von gegenüber und Frau Rücker mit ihrem Lebensgefährten; die Schmiedinger und ihr Mann in seiner Polizeiuniform; sogar Ilse Binder trug ausnahmsweise mal keinen ausgeleierten Pullover und nicht diese peinlichen Leggins, sondern ein dunkelgrünes Kleid und einen grauen Popelinemantel.

Und dann der Bürgermeister. In grauem Zwirn. Vermutlich würde er eine Rede halten über die Gemeinschaft, daß man zusammenhalten müsse und daß so etwas nicht passiert wäre, wenn alle Menschen gut wären. Marlene schüttelte sich. Es waren nun mal nicht alle Menschen gut.

Aha, jetzt kam der Polizeiwagen. Klar, daß die Kommissarin sich dieses Schauspiel nicht entgehen ließ. Fuhr das Auto wirklich langsamer? Blickten die Kommissarin und ihr smarter Assistent tatsächlich zu ihrem Fenster? Marlene trat einen Schritt zurück.

»Soll sie ruhig kommen. Ich bin gewappnet«, murmelte sie vor sich hin. »Im Gegensatz zu allen anderen Frauen habe ich das Haus nicht geputzt. Sie ist schließlich nur Polizistin und keine Inspektorin des Gesundheitsamtes. Im

Laden an der Ecke gab es keine Scheuermilch mehr. Das muß man sich einmal vorstellen! Ein kleiner Mord, und schon wird das ganze Dorf geputzt, nur weil die Polizei aus der Kreisstadt kommt. Aber unser Haus nicht. Ob mich das verdächtig macht? Alle haben ebenso saubere Westen wie saubere Fußböden – nur wir nicht. Soll sie das ruhig denken. Soll sie ruhig glauben, was im Dorf über uns erzählt wird. Aber für so dumm halte ich sie nicht. Ich habe sie beobachtet. Seit sie sich hier herumtreibt mit diesem jungen Schnösel, der ihr Sohn sein könnte. Er trägt ihre Tasche und ihren Block. Er zündet ihr sogar die Zigaretten an. Daß ihr das nicht peinlich ist. Sie läßt die Leute reden. Soll sie doch! Ich kenne mich aus mit diesem Spiel. Ich kann Andeutungen machen, die das Dorf in ein ganz anderes Licht rücken werden – dieses schöne saubere Dorf. Soll sie ruhig in unser ungeputztes und unaufgeräumtes Haus kommen – hier wird sie Dinge erfahren, die ihr die Haare zu Berge stehen lassen!«

»Wer sind Sie? Mit wem reden Sie?« Die Mutter stand hinter ihr und knetete sich die schmalen, von Altersflecken überzogenen Hände. »Ich kenne Sie nicht.«

»Darf ich mich vorstellen?« Marlene verbeugte sich und lächelte.

»Ja, ja, ach ja …« Die Mutter lachte. Das Spiel begann.

Auf dem Friedhof waren noch mehr Menschen als in der Kirche. Bruno behauptete später, an die zweihundert gezählt zu haben.

Franziska beobachtete Adolf Schmiedinger. Er machte seine Sache wirklich gut, und es war ihm nicht einmal peinlich, sich neben Erik Moll zu stellen, als sei dieser Erpresserbrief an ihn nicht von Adolf, sondern von seinem zweiten Ich geschrieben worden, mit dem er nichts zu tun hatte. Die grüne Uniform war nun sogar von Vorteil, denn so war er immer leicht zu erkennen. Unauffällig stellte er sich neben jeden einzelnen derjenigen Männer, die schon in der Kirche zum engeren Kreis der Trauergäste gezählt hatten. Adolf Schmiedinger war mit seinen Schuhen genau einsdreiundsiebzig groß. Diese Zahl hatte er Franziska zugeraunt, bevor er auf seine »Mission« ging: »Einsdreiersiebzge gradaus.« Franziskas Aufgabe bestand nun darin, sich die Namen derjenigen Männer zu notieren, die entweder ebenso groß oder die von Dr. Röder angegebenen fünf bis fünfzehn Zentimeter kleiner waren als der Dorfpolizist. Am Ende standen die Namen »Herr Bachmeier, Herr Daxhuber, Michael Moll und Gustav Wiener« auf ihrem Zettel.

Der Leichenschmaus im Biergarten des Blauen Vogel erinnerte an ein Gartenfest. Vor genau fünf Tagen war Franziska hiergewesen, an dem Abend, an dem die Leiche Hermann Brunners gefunden worden war. Eine bedrückende Stille hatte in dem Gasthaus geherrscht. Jetzt wirkten alle erleichtert. Der Alltag hatte sie wieder, nun, da Hermann Brunner begraben war. Gelächter war zu hören, und auf Kosten von Hannes und Malwine Brunner wurde schon jetzt am späten Vormittag das erste Faß Bier angestochen. Franziska setzte sich zu den Daxhubers an den Tisch und sah sich suchend um.

»Wo ist eigentlich Margarita?«

»Was ham S' g'sagt?« Eduard Daxhuber beugte sich vor.

»Ich weiß nicht, wie sie mit Nachnamen heißt. Aber ihr Vorname müßte Margarita sein. Eine gute Freundin von Hermann Brunner.«

»Der hat keine Freundin ned g'habt nicht«, behauptete Ottilie Daxhuber. »Der ned. So was von verklemmt, wie der war.«

»Wir haben sein Tagebuch gefunden. Er schreibt darin von ihr. Es scheint so, als habe er sie fast täglich getroffen.«

»Tät'st du dir das vorstell'n können?« Ottilie Daxhuber sah ihren Mann fragend an.

»Nie im Leben ned.« Er schüttelte den Kopf. »Ich kann mir ja ned einmal vorstellen, wie der ein Tagebuch g'schrieben ham soll. Der hat für mich ned so ausg'schaut, als wenn der so was tun tät.«

»Und daß der sich eine Freundin nur einbildet hätt?« gab Ottilie zu bedenken. »Eine Freundin, die Margarita heiß'n hätt soll'n?«

»Meinst praktisch, daß der schon komplett g'sponnen hat?«

»Das hab ich so auch ned g'sagt nicht.« Sie sah sich hektisch um. »Also, das ist doch der Hammer! Das muß ich ja glatt auf der Stelle der Frau Rücker verzählen. Darf ich doch, oder?«

Franziska nickte wohlwollend. Der Start dieses Versuchsballons war wie erwartet ein Kinderspiel gewesen. »Klar, vielleicht hat ja die etwas gesehen. Sie informieren mich dann, nicht wahr?«

»Eine Freundin, normal tät ich so was doch wiss'n müss'n!« Ottilie Daxhuber sprang auf und verschwand.

Franziska zündete sich eine Zigarette an und sah ihr nach. »Wer zahlt das alles hier?«

»Die Brunners. War ja schließlich denen ihr Bub«, antwortete Eduard Daxhuber lakonisch. »Da brauchen S' Ihnen aber nix zum denken. Da müssen S' g'wiß kein schlechtes G'wissen ned haben. Das sind doch eh die reichsten Bauern weit und breit. Ganz im Gegenteil, das täten mir heut fei schon sauber ausnützen sollen, daß mir diese geldigen Großkopferten einmal so richtig g'scheit herfressen und vor allem her saufen können! Iß und trink nur tüchtig, Bub, heut kostet's uns nix! Hahaha! Das hat mein Vater schon zu solchen Anlässen allerweil zu mir g'sagt. Also, in dem Sinne: Prost, Frau Kommissarin! Hahaha! Da sieht man's wieder: Geld allein macht halt doch niemanden ned glücklich!«

»Was macht schon glücklich?« fragte Franziska.

Er sah sie lange an. »Rauchen womöglich?«

Sie hob fragend die Schultern und seufzte.

187

Erna Schmiedinger saß abseits von den anderen. Ihr Mann war wieder einmal »in geheimer Mission« unterwegs, wie er seine Alleingänge zu bezeichnen pflegte. Bis gestern war sie stolz auf ihn gewesen. Auf seine Wichtigkeit, seinen Einfluß, sein Wissen. Er war ihr ganz persönlicher Schutzmann gewesen, im wahrsten Sinne des Wortes, aber seit der Entdeckung in seiner Werkstatt fühlte sie sich durch ihn nicht mehr beschützt, ja, ganz im Gegenteil: In ihr wuchs insgeheim das Bedürfnis, sich selbst vor ihm zu schützen. Alles hatte sich verkehrt und auf eine fatale und unwiderrufliche Weise verschoben. Ihre kleine, heile Welt war aus den Angeln gehoben worden. Und so trauerte sie weniger um Hermann Brunner, den sie ja kaum gekannt hatte, als vielmehr um sich selbst in ihrer Not. Mit niemandem konnte sie darüber reden. Sie war die einzige, die während der Trauerfeier bitterlich geweint hatte. Später würde es im Dorf bestimmt heißen, sie habe »zu nah am Wasser baut«. Aber es war ihr egal.

Franziska setzte sich zu Gustav Wiener, der immer noch suchend um sich schaute. »Besuchen Sie regelmäßig die Beerdigungen Ihrer Kundschaft?« fragte sie und bestellte bei der vorbeihuschenden Kellnerin einen Kaffee.

»Seine Eltern haben mich eingeladen«, gab er ausweichend zur Antwort.

»Sie kannten ihn doch gar nicht.«

»Als ich ihn kennenlernte, war er schon tot, aber das heißt ja noch lange nicht, daß ich nichts von ihm weiß.«

Sie horchte auf. »Was zum Beispiel?«

Er sah sie lange und nachdenklich an, als müsse er überlegen, ob und wieviel er ihr sagen könne. »Keine Fakten«, murmelte er dann. »Es ist einfach so ein Gefühl. Der eine wirkt auf mich vertraut, der andere nicht. Dieser war mir sehr vertraut. Vielleicht wären wir Freunde geworden, wenn wir uns früher begegnet wären.«

»Das glaube ich kaum. Hermann Brunner war verschlossen und hat seinen Hof fast nie verlassen.«

»Genau. Und als er ihn verließ, kostete ihn das das Leben. Darüber habe ich viel nachgedacht, aber ich finde keine Antwort.«

Was gab es da noch zu sagen? Sie schwiegen beide. Gustav Wiener dachte an sein grün-weiß gestreiftes Hemd. Ob sie das dem Toten gelassen hatten? Ob er darin beerdigt worden war? Es war sein Lieblingshemd gewesen. Und *ihr* hatte es auch gefallen. Er war sich sicher gewesen, daß er sie auf der Beerdigung treffen würde. Diese letzte Freundin des Hermann Brunner. Er hatte sich vorgenommen, sie entweder auf der Trauerfeier anzusprechen oder am Abend auf ihrem Handy anzurufen. Okay, sie hatte sich zwei Wochen Ruhe erbeten. Aber das war doch mehr nur so dahingesagt, da unten im Keller des Krankenhauses. Vor zwei Tagen. Ihm kam es vor wie zwei lange Jahre. Nein, er konnte und wollte nicht mehr warten.

»Suchen Sie eigentlich jemanden?« unterbrach Franziska seine Gedanken.

Gustav Wiener wurde rot. »Nein, wieso?«

»Als ich Sie vorhin hier entdeckte, dachte ich, Sie seien mit jemandem verabredet, der Sie versetzt hat. Vielleicht mit Herrn Röder?«

»Der Röder tut sich so was nicht an. Und er hat sicher recht damit. Es war wirklich dumm von mir, hierherzukommen. Einen halben Tag Urlaub habe ich vergeudet. Manchmal ist man eben komisch und sentimental. Kennen Sie diese Stimmung?«

»Und ob.«

»Na ja, jetzt habe ich meinen Abschied von ihm genommen; da mache ich mich mal wieder auf den Weg. Machen Sie's gut, und halten Sie mir neue Kundschaft vom Leib.«

Noch immer wirbelte Ottilie Daxhuber tuschelnd und flüsternd durch die Reihen der Trauergäste. Die Neuigkeit, von der sie zu berichten hatte, war eine kleine Sensation, und sie genoß es, alle Aufmerksamkeit auf sich zu ziehen. »Margarita.« Von Tisch zu Tisch verbreitete sich der Name wie ein Lauffeuer und löste überall ungläubiges Kopfschütteln aus. »Aber wenn ich's euch doch sag, freilich, ganz g'wiß stimmt das, ganz g'wiß. Die Kommissarin hat's mir doch selber g'sagt«, versicherte Ottilie Daxhuber.

»Margarita. Den Namen hab ich ja noch nie ned g'hört. Wo soll die gleich wieder hersein?«

Bernhard Döhring wurde als Experte aus dem Nachbardorf um Stellungnahme gebeten. Aber auch dort fand sich keine Frau mit diesem ungewöhnlichen Namen.

Abseits saßen Hannes und Malwine Brunner. Sie zahlten alles und saßen doch allein an einem Tisch. Niemand sprach mit ihnen, und sie selbst sprachen auch nicht miteinander. Ob sie das Getuschel bemerkten? Franziska ging langsam auf sie zu, gab beiden die Hand und setzte sich zu ihnen.

»Ihr Sohn hatte eine Freundin. Sie heißt Margarita. Wir haben Briefe gefunden, die er an sie schrieb. Haben Sie die junge Frau mal gesehen?«

Malwine Brunner rührte sich nicht. Sie starrte vor sich hin, als ginge sie das Ganze nichts an. Ihr Mann dagegen biß sich auf die Lippen, seufzte tief und sagte dann im Brustton der Überzeugung: »Da täuschen S' Ihnen. Das kann gar nie ned sein.«

»Wieso denn nicht?«

»Das hätt'n mir doch g'merkt. Der hat keine Freundin ned g'habt. Der wollt auch gar keine Freundin ned ham. Wie oft ham mir zu dem g'sagt, Bub, ham mir g'sagt, such dir doch endlich einmal eine Frau! Der Hof braucht doch eine Frau, ned wahr, wenn die Mutter einmal zu alt ist und nimmer kann? Aber unser Hermann, der hat halt nie viel g'redet. Und eine jede Frau wünscht sich halt einen Mann, der was auch einmal mit ihr redet.« Er schien kurz nachzudenken. »Wenigstens ist der Hof schuldenfrei.«

190

»Vielleicht hat er die Frau erst vor kurzem kennengelernt und wollte erst einmal sehen, wie sich die Sache entwickelt, bevor er sie Ihnen vorstellt. Haben Sie denn nie
irgend etwas bemerkt? Hat er gar nichts angedeutet? Ist er
vielleicht abends öfter weggegangen?«

Malwine Brunner schüttelte den Kopf.

»Ach wo«, bestätigte ihr Mann. »Der war wie immer.
Auf d'Nacht hat er sich manchmal eine Halbe kauft, da
herinnen, in der Wirtschaft da, aber danach hat der wie
sonst auch allerweil immer nur computert, nur an diesem
saudummen Tag halt ned. Wär er doch da nur daheim
blieben!« Er schneuzte sich in ein großes schwarzes
Taschentuch.

Franziska fragte sich, ob ausgerechnet Malwine Brunner zu jenen Frauen gehörte, die sich einmal einen Mann
gewünscht hatten, der viel mit ihnen redete. Und dann war
sie an Hannes Brunner geraten, der alles besser wußte und
dem sie nur ihr Schweigen entgegenhalten konnte. Sie
beobachtete das Ehepaar, das auf den Tisch mit der blauweiß karierten Tischdecke starrte, und spürte eine Welle
von Traurigkeit in sich aufsteigen. Nein, dafür war jetzt
kein Platz. Sie seufzte und wandte sich ab.

»Sobald ich mehr weiß, melde ich mich bei Ihnen. Ist
das okay?«

Hannes Brunner nickte.

Markus Waldmoser hielt sie auf. »Sie wissen, daß ich der
Bürgermeister bin?«

Franziska nickte.

»Ich möchte, daß der Fall so schnell wie möglich geklärt
wird. Der Schmarrn da trägt uns doch bloß die Ruh aus
dem Ort, und das können wir bei uns nicht gebrauchen.
Bald haben wir wieder Wahlen, bald muß ich mich wieder
meinen Wählern stellen, und was, wenn's dann im Ort
immer noch zugeht wie im Münchner Bahnhofsviertel im
Fernseher? Im ›Tatort‹, am Sonntagabend? Dann rutsch ich

am Ende wegen Ihnen noch unter meine neunzig Prozent, und bei der übernächsten Wahl stellt die Partei dann statt mir eine Vogelscheuche auf, weil zum reinen Gewähltwerden mit irgendeiner Mehrheit tut's eine solche bei uns in der Gegend ja auch.«

Franziska starrte ihn fassungslos an. »Was wollen Sie?«

»Den Fall geklärt haben. Und zwar zackig! Lieber gestern als heute. Hab ich mich denn nicht klar und deutlich genug ausgedrückt?«

»Ja, meinen Sie denn, wir verzögern absichtlich die Festnahme des Täters?«

»Schaut bald ganz danach aus.«

Franziska wurde wütend. Was bildete der Kerl sich eigentlich ein? Seine Frau schrieb Erpresserbriefe, und er wollte ihr, einer Hauptkommissarin, Vorschriften machen? Sie zwang sich zur Ruhe.

»Was haben Sie am Abend des fraglichen Tages gemacht?«

»Hä?« Jetzt war er es, der sie kopfschüttelnd anstarrte.

»Sie haben mich schon richtig verstanden! An Hermann Brunners Todestag, am vorletzten Sonntag abend, wo waren Sie denn da?«

»In der Sitzung vom Gemeinderat, wie in einer jeden anderen Wochen auch. Und dann auf einen Sprung auf dem Volksfest.«

»Wann haben Sie Hermann Brunner zuletzt gesehen?«

Franziska holte einen Notizblock und einen Kugelschreiber hervor und sah ihn fragend an. Die Augen der gesamten Trauergesellschaft waren auf sie gerichtet, und sie genoß ihren Auftritt. Auch Markus Waldmoser spürte das neugierige Schweigen in seinem Rücken und wand sich.

»Das weiß ich nimmer so genau. Wahrscheinlich auf dem Fest. Aber das ist doch auch völlig wurscht, oder? Das hat doch rein gar nix mit dem Fall da zu tun!«

»Das müssen Sie schon mir überlassen! Sie wollen doch, daß ich die Dinge kläre? Also?« Sie sprach extra laut.

»Ich weiß halt bloß, daß das keiner von uns gewesen sein kann. Bei uns im Dorf macht niemand so was. Ich kenn doch meine Leut.«

»Alle?«

»Ja natürlich, freilich alle, einen jeden einzelnen Bürger hier!«

»Wie gut kannten Sie denn Hermann Brunner? Und wo ist Margarita?«

»Margarita? Wer oder was soll denn das jetzt plötzlich sein?«

Markus Waldmoser wirkte äußerst irritiert und sah sich suchend um. Er war es anscheinend nicht gewohnt, in die Enge getrieben zu werden.

»Margarita ist oder war Hermann Brunners Freundin. Wenn Sie wirklich alle hier im Ort so gut kennen, wie Sie behaupten, müßten doch gerade Sie wissen, mit wem Hermann Brunner befreundet war?«

»Also, eine Margarita haben wir noch nie gehabt. Gewiß nicht. Und die rein privaten Geschichten von meinen Gemeindemitgliedern gehen mich schließlich offiziell auch rein gar nix an, das wär ja auch ausgesprochen ungut für mein Geschäft, wenn ich von so was zuviel wüßt.« Leiser und fast vertraulich fügte er hinzu: »Ich kann mir beim besten Willen nicht vorstellen, daß der eine Freundin gehabt haben soll. Das hätt sich doch gleich rumgesprochen im Dorf. Da hätten sich doch alle schwer gewundert und das Maul zerrissen.« Er lachte unsicher.

Das vertraute Gemurmel setzte langsam wieder ein.

»Hier ist meine Karte«, sagte Franziska. »Wenn Sie irgend eine Idee haben, wie der Fall schneller gelöst werden kann oder falls Ihnen Margarita über den Weg läuft – rufen Sie mich an.« Dann ließ sie ihn stehen.

Marlene schnappte sich ihren Rucksack und schloß sich im Badezimmer ein. Sie klappte den Toilettendeckel herunter, setzte sich darauf und wartete, daß das Zittern aufhörte. Ihr Körper gehorchte ihr nicht immer. Vor allem, wenn die Mutter so tobte und schrie – was auch ein Teil ihrer Krankheit war –, schaffte die Tochter es nicht, dieses plötzliche Zittern in den Griff zu kriegen. Sie hatte Angst und schämte sich dieser Angst. Die Mutter war so klein und so zierlich. Von ihr würde keine Gewalt ausgehen. Aber dieses Schreien, diese Wut. Von einem Moment zum anderen konnte sie wie ein Kind werden und losbrüllen: »Ich will aber« oder »Ich will nicht«. Nun trommelte sie mit den Händen gegen die Tür. »Laß mich da rein. Jetzt, sofort!«

»Nein«, schrie Marlene durch die geschlossene Tür. »Ich will auch mal alleine sein.«

»Was tun Sie hier?« rief die Mutter. »Ich kenne Sie nicht. Ich hole die Polizei. Raus aus meinem Haus!«

Marlene schwieg und duckte sich. Sie umklammerte ihren Rucksack. Hielt sich an ihm fest wie an einem großen, weichen warmen Tier. Durch das Fenster sah sie, daß draußen die Sonne schien und die Bäume im Garten lange Schatten warfen. Hier im Bad war es kalt. Sie beobachtete ihre Knie, die immer noch unkontrolliert auf und ab wippten. Die Mutter donnerte weiter gegen die Tür. Dann schien sie in sich zusammenzusacken und zu weinen. Marlene hörte das Wimmern. Nein, sie würde nicht hinausgehen. Sie würde sie nicht trösten. »Ich kann nicht mehr«, murmelte sie und verbarg ihren Kopf in den Falten des Rucksackes.

Die Ärzte hatten ihr gesagt, daß die Mutter wie ein Kind werden würde. Sanft, gutmütig, hilflos – aber auch trotzig, launisch und unberechenbar. Man hatte ihr gesagt, sie solle nichts persönlich nehmen. Die hatten gut reden. Die lebten nicht vierundzwanzig Stunden am Tag mit einer zusammen, auf die kein Verlaß war.

Draußen wurde es still. Was würde die Mutter nun tun? Fortlaufen? Jeder im Ort kannte sie und würde sie zurückbringen. Vorwurfsvoll und anklagend. Warum hast du nicht auf sie aufgepaßt, diese arme, alte Frau. Einmal hatte sie hinter einem Rhododendronbusch gehockt und sich nackt ausgezogen. Und genauso hatte man sie zu ihr zurückgebracht, anstatt ihr das Kleid wieder überzuziehen. Mit der nackten, alten Frau waren sie über die Hauptstraße gelaufen. Eine Narrenprozession! Was für ein Gesprächsstoff im Dorf. Was für ein Abenteuer. Aber es hatte keinen Sinn, mit der Mutter zu schimpfen. Mit der Krankheit war die Einsicht verlorengegangen.

Marlene holte tief Luft, zog ihren Block heraus und schrieb: *Morgen habe ich Geburtstag. Morgen werde ich zweiundvierzig. Es wird ein trauriger Tag. Niemand wird an mich denken. Meine Geschwister werden nicht anrufen. Niemand wird mir eine E-Mail schicken. Die Mutter hat sowieso schon lange vergessen, was ein Geburtstag ist.* Sie blickte in den Spiegel über der Waschmaschine. Immer, wenn sie lange genug ihr Spiegelbild anstarrte, zogen ganz viele Gesichter an ihr vorbei. Alte, junge, unheimliche, schöne, sanfte, böse, gute ... Sie blinzelte und war wieder sie selbst, mit ihren viel zu hellen Augen und dem dünnen, aschblonden Haar.

Zweiundvierzig, schrieb sie. *Alle sieben Jahre verändert sich das Leben. Aber wo geht es hin? Heute ist Hermann Brunner beerdigt worden. Er wurde fünfunddreißig Jahre alt. Mit fünfunddreißig wechselte er die Dimensionen.* Was für ein schöner Satz, dachte sie und las noch einmal laut: »wechselte er die Dimensionen«. Aber was heißt das eigentlich?

Ich, schrieb sie, *gab mit fünfunddreißig meinen Beruf auf und kam heim, um die Mutter zu pflegen. War das klug von mir?*

Sie wußte keine Antwort. Draußen war es gespenstisch still.

Sie riß den Zettel von dem Block, faltete ihn sorgfältig zusammen und verstaute ihn in den Tiefen ihres Rucksackes. Irgendwann würde irgend jemand all diese Botschaften lesen. Irgendwann – vielleicht.

Es war eine trügerische Stille da draußen. Aber es war auch angenehm, einmal ein bißchen Zeit für sich zu haben. Wann hatte sie zuletzt eine Tür hinter sich geschlossen und nein gesagt? Bisher hatte sie sich das noch nie getraut.

Sie zog sich aus und duschte lange und ausgiebig. Wusch sich das Haar, cremte sich mit Bodylotion ein, nahm sich Zeit für die vielen Töpfchen und Tiegelchen auf ihrem Waschtisch, legte eine Gesichtsmaske auf, fönte sich die Pagenfrisur, so daß ihr Haar wie früher voll und weich fiel. Es war wie eine Verwandlung. Das Schlüpfen in eine andere, in eine bessere Haut. Die Mutter war nun fast vergessen. Draußen war es immer noch still. So leben andere also, dachte Marlene. Frauen, die sich pflegen können, die Zeit für sich haben. So ein Leben hätte ich auch gerne geführt. Und was bin ich? Das Kindermädchen einer Verrückten. Sie hatte von dem Gerücht gehört, daß Herr Moll eine halbe Million Euro gewonnen habe. Vermutlich war es wirklich nur ein Gerücht. So etwas traf nie die normal Sterblichen. Aber wenn sie, Marlene, so viel Geld gewänne, dann würde sie sich ein Stück Freiheit kaufen. Sie würde die Mutter in das beste aller Heime stecken und sich eine kleine Wohnung in der Nähe nehmen. Sie würde sich ausgiebig pflegen. Sie würde Zeit haben für sich selbst.

Das Handy in ihrem Rucksack klingelte. Die Mutter hatte eine Kette mit ihrer Handynummer um den Hals. Marlene rechnete mit dem Schlimmsten.

»Ja?« Sie meldete sich vorsichtig.

»Hallo.« Es war eine Männerstimme. »Ich weiß, ich ruf zu früh an. Wie geht es Ihnen?«

»Mir?« Sie stutzte. Wann war ihr zuletzt eine solche Frage gestellt worden? Ohne nachzudenken, sagte sie: »Ich habe morgen Geburtstag.«

»Morgen? Das ist ja toll. Darf ich Sie da zum Essen einladen? Bitte.«

»Ich weiß nicht ...« Krampfhaft durchforstete sie ihre Erinnerung nach dieser Stimme, bis ihr einfiel, daß es der Arzt sein könnte. Der aus der Pathologie. Und wenn er es nicht war? Vielleicht hatte sich irgend jemand verwählt. Das war schließlich schon oft genug vorgekommen. Wahrscheinlich war sie gar nicht gemeint mit diesem: »Wie geht es Ihnen?«

»Bitte, sagen Sie ja. Sie haben mir zwar gesagt, ich solle mich erst in zwei Wochen melden, aber wenn Sie morgen Geburtstag haben ... dann war meine Intuition richtig, Sie heute schon anzurufen. Ich weiß, gerade heute war die Beerdigung, und diese Geschichte ist nicht leicht für Sie, aber das Leben geht weiter, und man muß einen Neuanfang wagen. Ich würde Sie so gern zum Essen einladen. Wirklich.«

»Ich war nicht auf der Beerdigung«, sagte Marlene. »Ich kann meine Mutter nicht allein lassen. Sie regt sich furchtbar auf. Ich weiß nicht, ob ich bis morgen jemanden finde, der auf sie aufpaßt.«

»Und wenn ich zu Ihnen komme? Ich könnte etwas zu essen mitbringen oder für Sie kochen.«

»Nein.« Das war ihr zu nah. Sie spürte, daß ihre Knie schon wieder zu zittern begannen, und setzte sich vorsichtig auf den Toilettendeckel.

»Bitte, überlegen Sie sich etwas. Ich rufe Sie gegen zehn Uhr heute abend noch einmal an, wenn ich darf. Schläft Ihre Mutter dann?«

Marlene nickte. »Vermutlich.«

»Es wäre mir eine große Freude. Und ich bin mir sicher, daß Sie eine Lösung finden werden. Also, bis dann.«

Er legte auf, ohne ihre Antwort abzuwarten.

Zehn Uhr. In vier Stunden. Wie sollte sie in vier Stunden eine Lösung finden? Sicher, manchmal mußte sie die Mutter für kurze Zeit alleine lassen. Dann legte sie sie ins Bett, verdunkelte die Fenster und verschloß die Haustür. Es ging nicht immer gut. Einmal hatte Lydia auf den Teppich gepinkelt, ein anderes Mal mit einer Nagelschere das Inlett des Oberbettes aufgeschnitten und Frau Holle gespielt. Am schlimmsten war es in jener Nacht gewesen, als sie mit einer brennenden Kerze unter ihr Federbett gekrochen war und sich dort versteckt hatte. Das ganze Haus hätte abbrennen können. Manchmal schrie sie auch. Zumindest behauptete das Frau Rücker. Und Marlene war dann wieder die böse Tochter. Sie würde sich zu gerne einmal ausruhen. Sich ausruhen und pflegen.

Moment – hatte ihr dieser Arzt nicht ein Blatt Papier oder seine Visitenkarte in die Hand gedrückt? Sie wußte nicht einmal mehr seinen Namen. Hektisch wühlte sie in ihrem Rucksack. Da war es. Ein Blatt von einem Rezeptblock. Dr. Richard Röder – durchgestrichen, und mit einem grünen Filzstift darüber geschrieben: Gustav Wiener. Genau, der mußte es sein. Jetzt erinnerte sie sich auch an seine Stimme.

In vier Stunden würde er erneut anrufen.

Doch zunächst ging es darum, die Mutter zu finden. Sie verließ die feuchte und dampfende Höhle des Badezimmers und stellte sich in den Flur. Wie ihre Mutter rief sie: »Hallo, hallo, ist da jemand?«

Keine Antwort.

»Mutter, Lydia, Frau Blumentritt ...« Marlene probierte alle Namen durch. Nichts rührte sich. Seufzend ging sie in ihr Zimmer, zog sich warme Sachen an und machte sich auf den Weg. Der Garten war leer und das Tor zur Straße stand offen. Seltsam, die letzten Male hatte die Mutter so getan, als wisse sie nicht mehr, wie es zu öffnen sei. Ob ihr jemand geholfen hatte? Wenn, dann vermutlich nur, um sie, Marlene, zu ärgern. Das sah ihnen wieder einmal ähnlich. Diesen Biedermännern und -frauen aus Kleinöd.

Das ganze Dorf lag wie ausgestorben in der Abendsonne. Vom Blauen Vogel her hörte man Stimmengewirr und Gelächter. Morgen würden die Leute sagen, es sei »a schöne Leich« gewesen, ein Fest für Hermann. Nur daß der nicht mehr daran teilnehmen konnte. Alle, die jetzt auf ihn tranken, hatten ihn sein ganzes Leben lang keines Blickes gewürdigt. »Scheinheiliges Pack«, murmelte Marlene und zurrte sich ihren Rucksack zurecht.

Die Mutter saß am Ende eines Maisfeldes. Mit bloßen Händen hatte sie Grassoden ausgerissen und sich eine lehmige Kuhle gegraben. Der schöne helle Leinenrock, den Marlene ihr erst heute früh frisch angezogen hatte, war völlig verdreckt. Die Strickjacke und die Bluse mit dem Rosenmuster ebenso.

»Darf ich Ihnen eine Torte anbieten?« fragte Lydia Blumentritt und zeigte lächelnd auf die unterschiedlich großen Sandhäufchen, die sie gebacken hatte.

Marlene unterdrückte ihren Ärger. In vier Stunden würde das Handy wieder klingeln und sie mit der wirklichen Welt in Verbindung setzen. Sie schüttelte den Kopf. Jetzt muß ich sie auch noch duschen, dachte sie. Sie wird sich wehren wie immer, und das Ganze wird mindestens zwei Stunden in Anspruch nehmen.

»Darf ich Sie begleiten?« fragte sie freundlich. »Ein kleiner Abendspaziergang. Ich zeige Ihnen unsere Stadt. Es ist hochinteressant.«

Lydia Blumentritt klatschte begeistert in die Hände. »Ja, gerne.«

Marlene half ihr auf.

Als die Mutter endlich unter der Dusche stand und die Waschmaschine lief, setzte Marlene sich erneut auf den Toilettendeckel. Sie wartete darauf, daß die Mutter rief: »Handtuch, bitte!«

Das war ihr übliches Friedensangebot nach der Zwangsdusche.

Niemand hatte sie darauf vorbereitet, daß es so schlimm werden würde mit der Pflege. Aber was hätte sie anders machen sollen vor sieben Jahren, als die Alzheimer-Diagnose zum erstenmal ausgesprochen wurde? Sie wußte es nicht. Am Anfang schien alles so leicht. Dafür war es jetzt um so schwerer.

Die Mutter duschte immer noch. Marlene stand auf und öffnete das Medizinschränkchen. Da waren die Tabletten gegen Schlaflosigkeit. »Mogadan.« Was für ein schöner Name. Er hörte sich weich und pelzig an. Als würde man in die Arme eines riesigen Teddybären fallen. Sie hatte das Medikament seit vielen Jahren nicht mehr genommen. Vermutlich wirkte es gar nicht mehr. Plötzlich kam ihr eine Idee.

Elftes Kapitel

Adolf Schmiedinger saß in seiner Dienststelle am Schreibtisch und grübelte. Etwas machte ihm Sorgen. Erna war so komisch. Und zwar seit diesem Besuch der Kommissarin. Wer weiß, was die beiden Frauen miteinander geredet hatten. Erna, die ihm sonst immer alles sagte, wollte nicht verraten, über was sie mit der Kommissarin gesprochen hatte. Statt dessen ging sie ihm aus dem Weg, gab keine Antwort, wenn er sie etwas fragte. In der vergangenen Nacht, als er ins Bett ging, hatte sie sich an die äußerste Kante ihrer Seite gedreht, als fürchte sie seine Berührung. Beim Frühstück hatte sie so lange am Herd und an der Kaffeemaschine herumgemacht, bis er gehen mußte. Das war in all den Jahren seiner Ehe noch nicht vorgekommen: daß sie nicht gemeinsam an einem Tisch frühstückten. Wenn sie sich weiterhin so benahm, würde er sie nicht mitnehmen auf die geplante Weltreise. Wer brachte denn das Geld nach Hause? Wer kümmerte sich denn um alles? Er, Adolf Schmiedinger. Er fluchte, fluchte genauso, wie Joseph Langrieger immer fluchte: »Ja Bluatsakrament! Himmel Herrgott noch einmal!«

In diesem Moment ging das Telefon. Auf dem Display sah er, daß es die Kommissarin war.

Er nahm die Füße vom Tisch, schloß den obersten Knopf seiner Hose und meldete sich: »Polizeistation Kleinöd, Polizeiobermeister Schmiedinger, Grüß Gott.«

»Guten Morgen, alles gut überstanden? Ich wollte mich noch einmal persönlich für Ihren Einsatz bedanken. Sie haben sich ja gestern wirklich neben jeden Verdächtigen gestellt – leider hat uns diese Aktion nicht weitergebracht.«

»Wenigstens ham mir's probiert.«

»Da haben Sie recht. Ach ja, was ich Ihnen noch sagen wollte: Dank Ihres Gipsabdruckes wissen wir, daß die Fußabdrücke des Mörders mit denen des Blumenkillers übereinstimmen. Da gibt es natürlich noch viel zu besprechen. Ich komme heute nachmittag nach Kleinöd. Erst besuche ich die Blumentritts, und dann schaue ich bei Ihnen vorbei. Paßt Ihnen das?«

»Ist schon recht. Wie schaut's denn eigentlich mit meinem Pichlmeier aus? Tät'n S' mir den ned eventuell gleich wieder mitbringen mögen?«

»Kommt drauf an, wie lange Herr Kleinschmidt ihn noch braucht. Die zwei beschäftigen sich immer noch mit dem Computer. Ist denn sehr viel zu tun bei Ihnen?«

»Ja mei, das Übliche halt schon. Wird halt auch ned grad direkt weniger, wenn einer für zwei arbeiten muß.« Adolf Schmiedinger wand sich am Telefon. Dann fragte er: »Was woll'n S' denn nachad überhaupt bei den Blumentritts?«

»Es sind nicht mehr so viele übrig, die ich noch nicht befragt habe.«

»Aha. Das könnt'n S' Ihnen meiner Ansicht nach aber genausogut schenk'n. Die wiss'n gwiß rein gar nix ned.«

»Trotzdem, schon der Fairneß halber sollte ich mit jedem aus dem Ortskern mal gesprochen haben.«

»Aha. Desweg'n also ham S' wahrscheinlich auch mit meiner Frau g'sprochen?«

»Ja, auch deshalb. Aber in erster Linie wegen der Gipsabdrücke. Ich denke, wir können jetzt davon ausgehen, daß der Täter direkt aus Kleinöd kommt. Und deshalb bitte ich Sie auch, die Sache vorerst für sich zu behalten.«

»Freilich, da können S' Ihnen voll und ganz auf mich verlass'n. Ich schweige wie ein Grab.«

»Reden Sie auch nicht mit Ihrer Frau darüber. Bis später dann.«

Er hörte ein Klicken und ein Piepsen und befand, daß sie sich die letzte Anweisung hätte sparen können. Warum hätte er seiner Frau etwas erzählen sollen, wenn die ihm nichts zu sagen hatte?

Um sich abzulenken und vor der Kommissarin seinen guten Willen unter Beweis zu stellen, beschloß er, eine Liste aller theoretisch tatverdächtigen Dorfbewohner zu erstellen. Seufzend fing er im Zweifingersystem an, die Namen der in Frage kommenden Personen alphabetisch geordnet und mit Anmerkungen versehen in seine Tastatur zu hacken.

Ascher, Lena: Ein Sohn aus erster Ehe, Michael, siehe dort. Arbeitet in der Konservenfabrik. Schichtdienst. Überprüfen, ob sie zum fraglichen Zeitpunkt Dienst hatte. Wenn Nachtschicht in dieser Woche, kann sie aus dem Kreis der Verdächtigen ausgeschlossen werden.

Ascher, Michael: Sohn von Lena Ascher. Geht aufs Gymnasium und interessiert sich für Modelleisenbahnen. Kann mir nicht vorstellen, daß er überhaupt Kontakt mit den Brunners hatte. Die Leute aus Haus Nummer elf kaufen nichts beim Biobauern, weil sie ALLES selber machen.

Bachmeier, Franz: Fährt morgens mit dem Auto nach Landau und arbeitet dort in der Stadtverwaltung als <u>*Beamter.*</u>«

Das Wort Beamter unterstrich er fett, als sei damit schon klargestellt, daß Franz Bachmeier allein aufgrund dieser gesellschaftlichen Stellung, sozusagen kraft seines Amtseides, als Täter unmöglich in Frage kommen könne. Seine erste Frau hatte sich das Leben genommen. »Der arme Herr Bachmeier«, hatte es überall geheißen, und selbst seine eigene Frau Erna hatte ihn damals betütern wollen. Wie fast alle Frauen. Aber Herr Bachmeier ließ das nicht zu. Er hatte ganz andere Dinge im Sinn. Schließlich stellte er ihnen Perdita vor. Fortan waren die dörflichen Frauen dem Herrn Bachmeier ferngeblieben. Zur Abwechslung schlichen nun die Männer um sein Haus.

Bachmeier, Perdita – was sollte man über die schon schreiben? Perdita Bachmeier war eine ungewöhnlich schöne Frau. Franz Bachmeier hatte sie angeblich über ein Heiratsinstitut kennengelernt. War plötzlich mit ihr aufgetaucht und hatte sie in sein Haus gesperrt. Ob die Bachmeier den Brunner kannte? Vielleicht war der ihr nachgestiegen? Adolf Schmiedinger schrieb: *Züchtet Katzen und hat mit den Leuten von Kleinöd nichts zu tun.*

Binder, Ilse: Daß ihm diese Frau zuwider war, brauchte er die Kommissarin ja nicht unbedingt wissen zu lassen. Die Binder konnte sich wirklich alles erlauben, weil sie reich war und angeblich eine berühmte Künstlerin. Sie konnte sich aus England Gewächshäuser ankarren lassen, und jeder im Dorf wollte mit ihr befreundet sein. Adolf Schmiedinger beschloß, die Binder mit einer einfachen Aussage zu charakterisieren: *Ilse Binder = Blumentick.* Das sagte alles und entlastete die Frau.

Blumentritt, Lydia: Vor über vierzig Jahren war er bei ihr zur Schule gegangen. Von fremden Ländern konnte sie erzählen, von Recht und Ordnung und von Gott. Und jetzt? Jetzt verlor Lydia ihren Verstand. Es war furchtbar mitanzusehen. Sie wußte nicht mehr, wie man sich anzog, wie man aß oder wie man aufs Klo ging. Nein, Lydia Blumentritt, die immer weniger wurde und kleiner und zierlicher, war als Verdächtige denkbar ungeeignet.

Schwer krank. Nicht fähig zu einer solchen Tat, schrieb er.

Blumentritt, Marlene: Im Grunde genommen hatte er wie alle im Ort nur Mitleid mit ihr, weil sie sich so aufopferte für ihre Mutter. Sie hatte ihr eigenes Leben abgeschrieben und war zum Kindermädchen einer Demenzkranken geworden. Nein, ihr durfte man nichts Böses nachsagen. Er schrieb: *Hat sich am Tag der Tat wie immer um ihre Mutter gekümmert und war nicht auf dem Fest in Adlfing.*

Plötzlich kam ihm ein Gedanke. Spontan griff er zum Telefon.

Es war ihr Geburtstag, und es regnete. So lange sie sich erinnern konnte, hatte es immer an ihrem Geburtstag geregnet. Sie war sicher, daß es auch an jenem Tag vor zweiundvierzig Jahren geregnet hatte und daß ihr erster Babyblick nicht auf die erschöpfte Mutter, sondern auf einen trostlosen, grauen Himmel mit Regen, Wind und Herbstlaub hinter einem leicht beschlagenen Fenster gefallen war. Diese Sichtweise verdunkelte ihr Leben. Daran ließ sich nichts mehr ändern.

Marlene seufzte, reckte sich, stieß die Bettdecke weg und verharrte ein paar Minuten im Schneidersitz. Sie lauschte. Im Zimmer nebenan war es ruhig, ungewöhnlich still. Sollte die Mutter ihr als Geburtstagsüberraschung einen friedlichen Tag schenken? Das wäre zu schön, um wahr zu sein. Marlene stand auf, lief die Treppe hinunter und schaltete die Kaffeemaschine ein. Schnell und mit geübten Handgriffen deckte sie den Frühstückstisch und horchte erneut ins Treppenhaus.

Aus dem Zimmer der Mutter war nichts zu hören. Gespenstisch wirkte das große Haus ohne ihr Trippeln, ihr unruhiges Schaben an Türstöcken und Fensterscheiben, ihre heiseren und verwirrten Rufe: »Wo bin ich? Ist da jemand?« Als gute Tochter, dachte Marlene, müßte ich eigentlich sofort nach ihr schauen. Immerhin bin ich für sie verantwortlich. Aber die Verlockung, gerade heute ein paar Minuten für sich zu haben, war einfach zu groß.

Im Wohnzimmer schaltete sie ihren Computer ein. Ihre vage Hoffnung, irgend jemand würde ihr zum Geburtstag eine E-Mail schicken, erfüllte sich nicht. Nicht einmal ihre Geschwister hatten an sie gedacht. Das war wieder einmal typisch – aber wehe, sie vergaß einmal deren Geburtstage.

Dann galt sie gleich als undankbar und egoistisch. Sie wollte einen Neuanfang. Sie löschte alle E-Mails, die jemals auf ihrem Computer eingegangen waren.

In diesem Augenblick klingelte das Telefon. Marlene frohlockte. Sie war doch noch auf der Welt. Es gab noch einen Platz für sie. Man hatte sie nicht völlig vergessen.

»Ja?« Sie meldete sich absichtlich mit einem überraschten und erfreuten Unterton.

»Marlene, sind Sie das?«

»Wer sonst?« fragte sie schnell zurück.

»Ja mei, es könnt ja auch einmal sein, daß ...« Der Anrufer stockte.

Da erst erkannte sie die Stimme. Es war Adolf Schmiedinger, der Dorfpolizist. Noch im gleichen Moment durchfuhr sie ein wilder Schrecken.

»Was ist mit meiner Mutter?«

»Mit Ihnen Ihrer Mutter? Nix, gar nix. Also ned, daß ich wüßt ...«

»Weshalb rufen Sie dann an?«

»Ich wollt Ihnen bloß warnen.«

»Warnen? Ja wovor denn?«

»Vor der Kommissarin. Die will Ihnen heut b'such'n kommen. Ich weiß zwar ned, ob das ganz richtig ist, daß ich Ihnen das schon im voraus sag, aber ich hab mir halt denkt, bei dem Zustand, in dem Ihnen Ihre Mutter ist ... ich hab halt g'meint, Sie sollt'n doch besser drauf vorbereitet sein.«

»Ja, danke, Herr Schmiedinger. Das ist gut zu wissen. Dann wird sie wenigstens ordentlich angezogen sein. Ich werde darauf achten.«

»Sehn S', da drum geht's ja mir. Wie tät denn das sonst ausschaun? Und sind S' mir bittschön ned bös, daß ich das so off'n ang'sproch'n hab ...«

»Nein, bin ich nicht. Danke.«

Dieser Schmiedinger. Immer noch kümmerte er sich um ihre Mutter, als sei er auf ewig in ihrer Schuld. Was die zwei wohl miteinander hatten! Die Mutter hatte ihr oft erzählt, daß er sie fast jeden Nachmittag besucht hatte, als Marlene noch ein kleines Kind und er der Schüler ihrer Mutter war. Er hatte mit der Mutter geredet, ihr im Garten geholfen und alles, was sie sagte und tat, gierig in sich aufgesogen, als könne sie ihm das Leben und die Welt erklären. Vielleicht hatte sie es ja gekonnt. Damals.

Marlene füllte eine Tasse mit Milchkaffee, ging die Treppe hinauf und klopfte an die Tür der Mutter.

Ein erschreckter Aufschrei antwortete ihr.

»Ich bin's, darf ich reinkommen?«

»Das wird nicht gehen«, flüsterte die Mutter von innen. »Wir sind Gefangene. Wir dürfen uns nicht rühren.«

»Werdet ihr bewacht?« fragte Marlene, die es sich angewöhnt hatte, auf die Phantasien ihrer Mutter einzugehen.

»Ich weiß es nicht«, flüsterte es aus dem Zimmer zurück.

»Ich komme jetzt rein«, verkündete Marlene bestimmt.

»Es könnte Ihr Verderben sein«, gab die Mutter mit ängstlicher Stimme zu bedenken.

Marlene öffnete die Tür.

Die alte Frau saß aufrecht in ihrem Bett, das Laken bis unters Kinn gezogen, und starrte sie mit weit aufgerissenen Augen an.

»Hier ist der Kaffee«, sagte Marlene und bemühte sich darum, ihrer Stimme einen normalen und zuversichtlichen Klang zu geben. Aber dieser Trick funktionierte heute nicht. Die Mutter wickelte das Laken noch enger um sich und begann leise zu wimmern.

Marlene stellte die Kaffeetasse auf den Nachttisch und ging zum Fenster. Als sie die Fensterflügel öffnete, hörte sie es hinter sich scheppern. Die Mutter hatte mit der gefüllten Kaffeetasse nach ihr geworfen.

»Verlassen Sie sofort mein Haus«, schrie sie. »Sofort! Oder ich rufe die Polizei. Hilfe, Hilfe!«

Marlene schloß das Fenster. Das hatte ihr gerade noch gefehlt, daß die Nachbarn wieder einmal alles mitbekamen. So ein Mist. Ausgerechnet heute war wieder der aggressive Schub angesagt.

Obwohl sie darauf vorbereitet war, daß der Alzheimer, wie sie ihn nannte, zwischen Verwirrtheit und Aggression wechselte, wollte sie es nicht wahrhaben. Manchmal sprach sie die Krankheit mit dem Namen ihres Entdeckers an: »Alois Alzheimer, reiß dich gefälligst zusammen!« Sie haßte ihn, diesen alles beherrschenden kleinen Mann, der sich im Kopf ihrer Mutter ausbreitete, ihr Erinnerungsarchiv vernichtete, ihr jegliche Würde nahm und sie unberechenbar und bösartig machte.

»Ich bin's, Mama, bitte. Deine Tochter. Marlene. Du kennst mich doch!«

»Ich kenne Sie nicht«, verkündete Lydia Blumentritt mit eisiger Stimme. »Raus!« Sie wies auf die geöffnete Tür.

Marlene zuckte mit den Achseln und verließ das Zimmer.

Dann würde die Kommissarin eben eine verwahrloste Alte in einem verwahrlosten Haus vorfinden. Dieses schimpfende Etwas war längst nicht mehr ihre Mutter. Und sie würde sich ihren Geburtstag nicht völlig verderben lassen.

»Was will die Kommissarin bloß hier?« überlegte Marlene laut, während sie vor ihrem Kleiderschrank stand. Vielleicht zählten ja sie selbst und Lydia auch zum Kreis der Verdächtigen? Der Regen trommelte gegen die Fenster. »Heute ist mein Geburtstag«, murmelte sie und suchte vergeblich Trost in diesem Satz. Sollte sie Adolf Schmiedinger anrufen und ihm sagen, daß die Kommissarin nicht kommen durfte? Daß es der Mutter zu schlecht ging?

Angriff ist die beste Verteidigung, überlegte sie und erinnerte sich daran, daß das der Lieblingsspruch ihres Vaters gewesen war. Also würde sie in Gegenwart der Kommissarin einmal all die Dinge aussprechen, die sie schon immer vermutete, und sie würde jeden einzelnen im Dorf hinhängen, so wie man sie schon so oft hingehängt hatte. Das war ihre Strategie. Sie fühlte sich stark, nachdem sie diesen Entschluß gefaßt hatte, und schenkte sich selbst zum Geburtstag die Stunde der Rache.

Adolf Schmiedinger legte den Hörer auf die Gabel und widmete sich wieder seiner Liste.

Daxhuber, Eduard. Der Daxhuber Eduard, der Ede, mein bester Freund. Sonst hab ich ja eh keinen nicht, dachte Adolf. Er war froh, daß sein Freund über jeden Verdacht erhaben war. Immerhin assistierte er der Kommissarin und hatte ihr schon wichtige Hinweise gegeben. Was für ein Glück. Auf Eduard war eben Verlaß. Er erinnerte sich noch gut an jene wunderbaren »Weltreisen«, die sie bei Eduard daheim unternommen hatten, damals, als sie alle noch jung gewesen waren. Es hatte sich um Weltreisen gehandelt, die einzig und allein darin bestanden hatten, für allerlei verschiedene Länder vermeintlich landestypische alkoholische Getränke zu sich zu nehmen. Diese Weltreisen waren manchmal so beeindruckend gewesen, daß er des Nachts nicht mehr nach Hause gefunden hatte, obwohl es von Tür zu Tür nur wenige hundert Meter waren.

Auch Ottilie Daxhuber hatte nach diesen Exkursionen nicht immer in ihr Bett gefunden, sondern war neben ihm, auf dem Sofa, in einen tiefen und bewußtlosen Schlaf gesunken, während Eduard im Zeitlupentempo die Treppe zu seinem Schlafzimmer hinaufgewankt war, aus vollem Halse bewährtes Volksliedgut schmetternd und grölend wie: »Ich bin ein bayerisches Cowgirl«, »Ich wollt, wir hätten was zu rauchen, Marlboro oder Chesterfield« oder »Wem heut nicht schlecht ist, das kann kein Guter sein«. Irgendwann war dann stets abrupt Stille eingetreten, nachdem Eduard sich derart wuchtig in sein Bett hatte fallen lassen, daß das ganze Haus zu wackeln schien.

Ottilie pflegte damals später in der Nacht wieder wach zu werden, um Dinge mit ihm, Adolf, zu tun und wieder andere Dinge mit sich tun zu lassen, die Erna sich wohl niemals auch nur annähernd würde vorstellen können. Am nächsten Morgen taten sie dann beide so, als hätten sie es nur geträumt. Mit dieser Lüge ließ sich leben.

Er schrieb: *Eduard Daxhuber war in Adlfing auf dem Fest. Wir haben bis spät in die Nacht zusammen an einem Tisch gesessen. Eduard, Ottilie, Erna und ich.*

Daxhuber, Ottilie: Schon seit Jahren herzkrank. Schon mit kleinsten Anstrengungen körperlich völlig überfordert. Außerdem: siehe oben.

Döhring, Bernhard. Der alte Geizkragen hatte auch noch das unverschämte Glück gehabt, daß seine ungenutzten Wiesen und Felder an der geplanten Autobahnstrecke lagen und ihm plötzlich ein Vermögen einbrachten. Und kaum war er reich geworden, hatte er ein Verhältnis mit Frau Rücker begonnen. Aber ob man ihn darum beneiden sollte, das war eine andere Sache. Die zwei waren auch auf dem Volksfest in Adlfing gewesen. Er sah sie noch vor sich, die Rücker, wie sie plötzlich auf die Idee gekommen war, die Besatzung von drei Biertischen einen Kanon singen zu lassen: »Bruder Jakob, Bruder Jakob, schläfst du noch ...« und wie sie in ihrem knapp sitzenden Dirndl, dessen Dekolleté für ihr Alter unverschämt offenherzig war, die ziemlich angetrunkene Dorfgemeinschaft dirigiert hatte.

War auch bis zum Ende desselben auf dem Volksfest, schrieb Schmiedinger.

Dressler, Ingo. Was gab es über einen Briefträger schon zu sagen? Außer daß er zuverlässig war. Irgendwann war Ingo Dressler wegen dieser unbeschrifteten Briefumschläge auf die Polizeistation gekommen. Er hatte den Postboten damals pflichtgemäß befragt:

»Wieviel Briefe sind denn normalerweis in dem Kast'n drin?«

»Ja mei. So drei bis fünfe am Tag im Schnitt, tät ich sag'n«, hatte Ingo Dressler geantwortet.

»Und wieviel davon sind unbeschriftet?«

»Mei, vielleicht zwei pro Woch'n.«

»Ja dann wird da beim besten Willen kein Fall für die Polizei nicht draus. Zwei Brief von fünfe sind ja gleich wieder aussortiert. Der Briefkast'n als solcher, als Sache praktisch, bleibt ja total uneing'schränkt funktionsfähig und kann keineswegs als beschädigt ang'sehn werden. Ich werd natürlich ein waches Auge drauf ham. Aber mach'n … mach'n können mir da von Amts wegen momentan gar nix ned.«

Solche Lappalien bestimmten seinen Alltag.

Adolf Schmiedinger konnte sich nicht erinnern, ob der Briefträger auch auf dem Volksfest gewesen war. Aber wer könnte sich schon den leicht übergewichtigen und immer gemütlichen Dressler mit einem Messer in der Hand und mordlüsternen Blicken vorstellen? Der war so normal wie fast alle hier, hatte eine nette Frau, drei Kinder, ein kleines Häuschen und wollte nichts als seine Ruhe.

Bedächtig schrieb Schmiedinger: *Ich habe ihn in Adlfing nicht gesehen. Aber das hat nichts zu bedeuten. Werde ich selbst befragen.*

Langrieger, Frank. Der zehnjährige Frank Langrieger war mit seinem Bruder Sebastian sowie Vater und Mutter verreist gewesen. Es bot sich an, an dieser Stelle alle verreisten Langriegers ad acta zu legen: *Wie alle jungen Langriegers verreist.*

Also blieben nur noch die Alten übrig. Sepp und Luise.

Langrieger, Joseph: War zwar nicht auf dem Volksfest, aber daß die Leiche in seiner Grube versteckt war, ist ja wohl der zwingende Beweis dafür, daß er nichts mit dem Mord zu tun hatte.

Langrieger, Luise: War während des Vorkommens im Krankenhaus.

Moll, Erik: Arbeitet in der Lackfabrik. Macht ebenso Schichtdienst wie seine Frau.

Die zwei waren sicher nicht auf dem Fest in Adlfing gewesen. Moll war Antialkoholiker, Nichtraucher und gehörte auch noch dieser Sekte an, die kein Fleisch essen durfte. Genau: Er war Vegetarier. Und so einer gewinnt auch noch eine halbe Million in einer dieser albernen Quizshows. Erna hatte ihm davon erzählt. Die hatte ja auch Zeit zum Fernsehen. Er schnaufte unwillig. Eine halbe Million Euro. Um den Wahrheitsgehalt dieser unglaublichen Information zu testen, hatte er dem Moll einen Brief geschrieben: Entweder Mobiltelefone für die Polizeistation – was ja wirklich bitter nötig war –, oder ich erzähle allen im Dorf von Ihrem Geldgewinn. Erik Moll hatte nicht einmal reagiert, was wohl ein Zeichen dafür war, daß Erna sich geirrt hatte. Der Moll würde außerdem bestimmt nicht mehr arbeiten, wenn er wirklich so viel Geld hätte.

Schnell schrieb Adolf Schmiedinger: *Hat entweder am bewußten Abend gearbeitet. Oder seine Zwillinge gehütet. Werde ich noch überprüfen.*

Moll, Natalie: Die achtzehnjährige Tochter vom Moll. War vermutlich in der Disco.

Das Mädchen fuhr einen uralten Citroën 2 CV Kastenwagen, der über und über mit grellbunten Blümchen, knallgrünen Hanfblättern, einem schwarzen »A« im schwarzen Kreis und diversen Peace-Zeichen bemalt war. Zwischen dem Kabinendach der Ente und dem etwas höheren Kastenaufbau hatte sie – wie zur Verhöhnung des Gegenverkehrs – auch noch einen Spoiler montiert, auf dem mit weißer Farbe in großen Buchstaben hingepinselt Einsteins berühmte Formel prangte: $E = mc^2$. Daß der Boden des Wagens beinahe komplett durchgerostet war, schien sie hingegen weniger zu kümmern.

Also, wenn er Kinder hätte – in so eine Klapperkiste ließe er die niemals einsteigen. Und was die junge Moll betraf: ihr nächster TÜV-Termin war sorgfältig in seinem Notizbuch verzeichnet und dick unterstrichen, und sollte diese Göre es wagen, die fällige Hauptuntersuchung auch nur um einen Tag, ach was, um eine Stunde länger als erlaubt hinauszuzögern, so würde er, Adolf Schmiedinger, mit gezücktem Strafzettelblock und triumphierendem Grinsen an ihrer Haustüre läuten. Womöglich wären dann ja ihre Eltern gerade nicht zu Hause, sie hätte sich soeben noch geduscht und würde eigentlich auf ihren Freund warten.

Mit nassen Haaren und in nichts als ein ihre üppigen Formen betonendes Badetuch gehüllt, würde sie ihm die Tür öffnen. Sicher sähe das Mädchen dann genauso scharf aus wie die Teenies in seinen Heften. Er würde ihr ein bißchen angst machen und ihr mit sofortiger Fahrzeugstillegung drohen. Sie würde vor Schreck das Badetuch fallen lassen, ihn auf Knien anflehen und ihm weinend versichern, daß sie auf der Stelle alles, aber auch wirklich alles tun wolle, was er von ihr verlange, wenn er nur auf eine Anzeige verzichtete.

Das Brummen einer Fliege riß ihn brutal aus seinen Gedanken. Er holte sie mit der flachen Hand aus der Luft, zerklatschte sie auf dem Schreibtisch und konzentrierte sich widerwillig auf den nächsten Namen.

Rücker, Charlotte: Daß die auf dem Volksfest den Kanon dirigiert hatte, war wohl eines der besten Alibis, das man sich vorstellen konnte. Jeder mußte sie gesehen haben, vor seinem relativ frühen Aufbruch sogar noch der ziemlich angetrunkene Hermann Brunner, ging es Adolf Schmiedinger durch den Kopf. Richtig, auch der hatte ihr noch gehorchen müssen.

War auf dem Volksfest – bis zum Schluß, schrieb er.

Schachner, Teres: die Wirtin vom Blauen Vogel. In deren Kneipe war ja am Sonntagabend gewiß nichts losgewesen. Vielleicht ein paar einsame Trinker, denen der Weg zum Fest zu weit gewesen war und die mit der lauten Blasmusik nichts anfangen konnten. *Ihr Gasthaus ist jeden Abend geöffnet.*

Schmiedinger, Erna. Er mußte verrückt gewesen sein, seine eigene Frau mit auf die Liste zu setzen. Oder war es das Unbewußte, das ihn dazu aufgefordert hatte? Sie war komisch in letzter Zeit. Vor allem nach dem Gespräch mit der Kommissarin. Hatte sie möglicherweise ein Verhältnis mit dem jungen Brunner gehabt, und es war ihr zuviel geworden? Er erschrak bei diesem Gedanken, und obwohl er sich sagte, daß es absurd sei, beschäftigte ihn die Vorstellung. Seine Erna und dieser schüchterne Hermann. Die Initiative mußte von ihr ausgegangen sein. Ihm wurde abwechselnd heiß und kalt. Seine Geschichte mit Ottilie Daxhuber hatte immerhin nur deshalb geschehen können, weil er betrunken, schwach und wehrlos gewesen war. Trotzdem hatte es ihm gefallen. Aber Ernas Affäre mit dem jungen Brunner, wie hatte sie es nur so weit treiben können?

Adolf Schmiedinger rief sich zur Ordnung.

Er wußte schließlich definitiv, daß sie an jenem Abend mit ihm auf dem Volksfest gewesen war. Mit dem Mord konnte sie nichts zu tun haben. Trotzdem. Er würde sie streng verhören müssen. Er würde wieder mit ihr sprechen und sie zur Rede stellen müssen. Hörner ließ er sich jedenfalls noch lange nicht aufsetzen. Er nicht. Da blieb wohl nur die Scheidung. Wie hatte sie ihm das nur antun können? Die eigene Frau! Er schrieb: *War mit mir und den Daxhubers auf dem Volksfest. Siehe oben.*

Er hatte geahnt, daß er nur auf dumme Gedanken kommen würde, wenn er den ganzen Tag alleine im Büro säße. So war das früher auch gewesen. Bis er endlich einen Mitarbeiter zugeteilt bekommen hatte. Und der mußte jetzt in Landau einen Computer knacken. Die Welt wurde immer komplizierter. Dreckscomputer, dachte er.

Die letzten Namen auf seiner Liste waren: *Waldmoser, Elisabeth und Waldmoser, Markus.*

Die Waldmosers, diese ausgeschämten Radfahrer, die nach oben geflissentlich zu buckeln und nach unten deftig zu treten pflegten, die hatten sich doch schon immer für was Besseres gehalten, nur weil er der Partei angehörte und der Bürgermeister war. Schon sein Vater war ein strammes Parteimitglied und seit dem Krieg Bürgermeister gewesen. Der Sohn der beiden studierte in München Jura, bis es an der Zeit war, das Erbe anzutreten und der nächste Bürgermeister von Kleinöd zu werden.

Den Bürgermeister offiziell zu verdächtigen kam natürlich einem Sakrileg gleich, aber ein paar Sekunden lang fand er den Gedanken schon sehr verlockend. Allerdings waren Markus und Elisabeth Waldmoser auf dem Volksfest allzu offensichtlich und permanent damit beschäftigt gewesen, zwischen den Biertischen ihre dumpfen Wahlkampfparolen zu verkünden, schon Schwerstbetrunkenen noch die eine oder andere Maß Bier und einen doppelten Bärwurz aus der Wahlkampfkasse zu spendieren und den Leuten einfach alles zu versprechen, was sie sich nur erträumten. Da wünschte sich dann beispielsweise der eine erheblich mehr Straßenlampen, um es dem »G'schwörl«, dem »G'sindel«, dieser lichtscheuen Mischung aus »Negern und Polacken«, abzugewöhnen, ständig nächtens anständige niederbayerische Frauen und Mädchen zu vergewaltigen, während der andere für die weitestgehende Abschaffung derselben plädierte, weil das Licht direkt in sein Schlafzimmerfenster falle und er doch ohnehin schon unter erheblicher Schlaflosigkeit leide. Beide Seiten sollten nach gewonnener Wahl »mehr als hundertprozentig« zufriedengestellt werden. So lief nun einmal die hiesige Politik. Diese Essenz der Parteidoktrin bekam ein Waldmoser sicherlich schon mit der Muttermilch verabreicht.

Beide Waldmosers hatten an diesem wie an jedem Abend bis zum Schluß geschäftlich auf dem Volksfest zu tun, notierte er.

Er sah auf die Uhr. Schon nach zwei. Über seiner Arbeit hatte er es ganz versäumt, zum Mittagessen nach Hause zu gehen. Jetzt knurrte sein Magen. Ob Erna etwas gekocht hatte? Sollte sie doch darauf sitzen bleiben. In Gedanken sah er Hermann Brunner an seinem Küchentisch sitzen und mit diesen hungrigen und zugleich traurigen Augen seine Erna verschlingen, die ihn mit ihrem gurrenden Lachen und ihren runden Formen verführt hatte. Je mehr er diese Idee zu verdrängen versuchte, um so plausibler erschien ihm die ganze Geschichte. Wie lang das wohl schon so gegangen war? Wie lange hatten die Mäuse wohl schon auf seinem Tisch getanzt? Plötzlich begriff er auch Ernas extreme Traurigkeit während des Leichenbegängnisses. Er stöhnte. Er haßte Verhöre, aber um dieses würde er nicht herumkommen.

Er lehnte sich zurück. Jetzt konnte die Kommissarin kommen. Er war vorbereitet.

Marlene stand hinter der Gardine und sah auf die Straße. Ihr war schlecht. Ausgerechnet an ihrem Geburtstag war ihr schlecht. Oben im ersten Stock fluchte und tobte die Mutter. Wer weiß, von welchen Alpträumen sie heimgesucht wurde. Dinge aus der Kindheit und aus dem Krieg waren an manchen Tagen bei ihr so präsent, als würden sie jetzt und in diesem Augenblick geschehen. Aber was es genau war, hatte Marlene noch nicht herausgefunden. Die Sätze der Mutter waren abgehackt, kryptisch und endeten in einem hilflosen Gewimmer. Es hatte etwas mit Eingeschlossensein, mit Angst und Atemnot zu tun. Es passierte oft, wenn es regnete. Vermutlich war ihr an einem Regentag oder in einer Regennacht etwas Schreckliches widerfahren. Der Vater hatte nicht darüber geredet und Lydia auch nicht. Aber jetzt kam alles heraus, was sie ihr Leben lang verdrängen wollte. Doch niemand konnte es mehr deuten.

Marlene setzte sich an den Eßtisch und schrieb auf einen Zettel: *Wo bleibt mein Leben?* Den steckte sie in ihren Rucksack. Der Wasserkessel in der Küche simmerte. Sie goß den Früchtetee auf und ging ins Bad, um die Beruhigungs-tabletten für Lydia zu holen. In dem Augenblick, als sie die erste Pille aus der Folie drückte, läutete es an der Tür.

Franziska hatte noch in ihrem Auto eine Zigarette ge-raucht. Dann war es nach elf gewesen, und sie hatte be-schlossen, bei den Blumentritts zu läuten. Marlene sah blaß aus und gestreßt.

»Was wollen Sie?«

»Mit Ihnen reden. Ich dachte, ich rede mit allen in unmittelbarem Umkreis des Fundortes. Vielleicht haben Sie ja was gesehen?«

Marlene schüttelte den Kopf.

»Kann ich reinkommen?«

»Wenn's sein muß.«

Sie führte die Kommissarin in das Wohnzimmer, einen großen niedrigen Raum mit vier kleinen Fenstern. In einer Ecke stand ein Eßtisch mit zwei Stühlen. Auf dem Tisch lag Marlenes Rucksack. Sie nahm ihn schnell an sich und stellte ihn an die Tür zum Flur, als sei er ein kleiner Wacht-posten, der auf sie achtgeben würde.

»Setzen Sie sich.«

»Danke, gern.«

Franziska blickte sich in dem Zimmer um. Da stand ein Schreibtisch mit Computer, daneben ein Regal mit Groß-bildfernseher. Gegenüber dem Fernseher zwei Ledersessel, dazwischen ein runder Holztisch. Auf dem Tisch lag das aufgeschlagene TV-Programm des heutigen Tages.

An allen anderen Wänden standen vollgepackte Bücher-regale.

»Sie haben ja eine richtige kleine Bibliothek«, stellte Franziska bewundernd fest.

»Meine Mutter hat früher viel gelesen«, antwortete Marlene reserviert.

»Wo ist Ihre Mutter? Wie geht es ihr?«

»Nicht so gut. Sie ist oben.« Marlene sah zur Decke.

»Wollen Sie nach ihr schauen?«

»Wozu?«

»Es stört mich nicht, wenn sie an unserem Gespräch teilnimmt.«

»Sie hat Angst vor Fremden.« Marlene saß sehr gerade und blickte an der Besucherin vorbei.

»Nun gut, ich mache es kurz. Können Sie sich noch an den letzten Freitag abend erinnern, an dem Hermann Brunner tot aufgefunden wurde?«

Marlene nickte.

»Was haben Sie da gemacht?«

»Was wir jeden Abend machen. Fernsehen, Zeit totschlagen, warten.«

»Warten, worauf?«

»Ehrlich gesagt, auf nichts. Meine Mutter ist krank. Vielleicht warte ich darauf, daß sie müde wird und ins Bett geht. Erst dann gehören ein, zwei Stunden mir. Sie ist in jüngster Zeit so unruhig, läuft durchs Haus, verirrt sich, schreit um Hilfe, will nach Hause. Dabei ist das doch hier ihr Haus.«

»Ihre Mutter leidet an der Alzheimer-Krankheit?«

Marlene nickte. »Wer hat Ihnen das gesagt?«

»Ich glaube, Herr Daxhuber, aber ganz sicher bin ich mir nicht mehr. Jeder im Ort weiß davon.«

»Es wird immer schlimmer«, seufzte Marlene. Als sei das ein Stichwort gewesen, begannen im ersten Stock wildes Türenschlagen und lautes Gejammer.

Marlene sprang auf. »Entschuldigen Sie, ich muß doch nach ihr sehen.«

Franziska ging ans Fenster und sah auf die Straße. Im Treppenflur wurde es laut.

»Nein«, hörte sie Lydia Blumentritt schreien. »Ich kenne Sie nicht, bringen Sie mich nach Hause!«

»Später«, antwortete Marlene. »Wir müssen erst noch etwas besprechen. Die Schulrätin ist da.«

Schweigen.

»Die Schulrätin?« Lydias Stimme klang plötzlich klein und hilflos.

»Ja.«

»Aber warum?«

»Das hat sie mir nicht gesagt. Komm.«

Franziska setzte sich wieder an den Tisch.

Die Tür öffnete sich. »Sag Grüß Gott zu der Frau Schulrätin«, forderte Marlene ihre Mutter auf und fügte entschuldigend hinzu: »Die einzige Person, vor der sie manchmal noch Respekt hat.«

Die alte Dame machte einen Kinderknicks. Sie trug ein Nachthemd, und der Bademantel, den Marlene ihr anzuziehen versucht hatte, bedeckte lediglich die linke Schulter. Die Füße in den Pantoffeln waren, wie bei Kleinkindern, nach innen gerichtet.

Marlene nahm ihre Mutter an den Schultern, zog den Bademantel zurecht und setzte sie sanft auf einen Stuhl.

»Es ist nicht leicht, oder?« sagte Franziska.

»Ich hätte nie gedacht, daß es so schlimm würde«, antwortete Marlene. Ihre hellen, grüngrauen Augen füllten sich mit Tränen. Sie schneuzte sich. »Ich kann sie keine Sekunde mehr allein lassen. Sie ist schlimmer als ein Kleinkind.«

Das »Kleinkind« auf seinem Stuhl schaukelte vor und zurück. Es blickte ängstlich auf die Schulrätin.

»Kriegen Sie eigentlich Pflegegeld?«

Marlene nickte. »Ja, von der Pflegeversicherung und von meinen Geschwistern. Geld gegen Lebenszeit«, murmelte sie voller Bitternis.

»Haben Sie mal daran gedacht, Ihre Mutter in ein Heim zu geben?«

»Meine Geschwister sind dagegen.«

»Wann haben die denn Ihre Mutter zum letzten Mal gesehen?«

»Ostern, glaube ich, aber seitdem ist ihr Zustand wirklich viel schlimmer geworden. Niemand glaubt mir.«

»Ich weiß nicht, wie es vorher war, aber ich sehe, wie schlimm es jetzt ist«, sagte Franziska. »Sie müssen sich Hilfe suchen, professionelle Hilfe. Am besten einen Arzt, mit dem Sie reden können.«

Marlene lächelte. Ganz kurz dachte sie an Gustav Wiener. Heute abend würde sie so einen Arzt treffen. Vielleicht – hoffentlich – , wenn die Mutter Ruhe gab.

Lydia Blumentritt zupfte an Franziskas Ärmel. »Ich, ich, ich …«, begann sie zu stottern und sah dann ängstlich zur Tür. Die Kommissarin stellte fest, daß die alte Dame stank, als habe sie sich seit Wochen weder gewaschen noch die Zähne geputzt.

»Beachten Sie sie gar nicht«, sagte Marlene.

»Aber sie will mir doch irgend etwas sagen.«

»Fallen Sie nicht drauf rein. Das hat sie schon wieder vergessen.«

Lydia Blumentritt stand auf und ging zu dem Fernsehtischchen. Sie blätterte hektisch in der Fernsehzeitschrift und murmelte Unverständliches vor sich hin. Dann verschob sie einen der schweren Ledersessel, kniete sich auf den Boden und unterzog jede einzelne der Teppichfransen einer genauen Untersuchung.

Die Tochter blieb ungerührt.

»An jenem Abend im Blauen Vogel haben Sie auf Ihr Kärtchen geschrieben: ›Ich kannte Hermann Brunner nicht‹«, fuhr Franziska fort.

»Ja, das stimmt. Ich weiß zwar, wie er aussah, aber kennen wäre zuviel gesagt.«

»Haben Sie nie mit ihm gesprochen?«

»Was man so sagt, ›Guten Tag‹ und ›Auf Wiedersehen‹.«

Marlene ließ ihre Mutter nicht aus den Augen.

»Wissen Sie, ich kann mir keinen Reim auf diese Geschichte machen«, murmelte Franziska, als spräche sie mit sich selbst. »Dieser Hermann Brunner, das war doch ein harmloser Kerl, der hatte doch keine Feinde.«

»Feinde. Bumm, bumm, bumm!« schrie Lydia Blumentritt. »Vorsicht, die Russen kommen!« Sie schoß unter den Tisch und kauerte sich dort zitternd zusammen.

»Mutter, die Schulrätin ist hier. Setz dich wieder ordentlich hin. Wir müssen über deine Noten sprechen.«

»Noten?« Lydia Blumentritt setzte sich brav an den Tisch und begann, die Tonleiter zu singen: »C D E F G A H C …«

»Nicht die. Du hast zu viele Fehler im Diktat gemacht.«

»Wirklich?«

Marlene nickte.

»Wann?«

»Vor fünfundsechzig Jahren.«

»Das ist ja schrecklich!«

»Ja, alles ist schrecklich«, seufzte Marlene und sah Franziska an. »So ist unser Tagesablauf. Man wird verrückt. Und ich habe keine Zeit, auch noch auf andere zu achten. Im Gegensatz zu meinen Nachbarn.« Sie klang verbittert.

»Was meinen Sie damit?«

Später sollte Marlene sich darüber wundern, wie souverän sie aufgetreten war. »Ach, Sie haben sich doch sicher schon selbst ein Bild von allen gemacht.«

»Von allen noch nicht«, antwortete Franziska. »Was ich Sie noch fragen wollte: Im Sommer gab es hier so etwas wie einen Blumenkiller, nicht wahr?«

»Ja.« Marlene nickte. »Meine Callas wurden geköpft.«

»Sie hatten Callas in Ihrem Garten?«

»Weiße.« Ihre Stimme klang stolz. »Frau Binder hatte mir Ableger mitgebracht. Aus Teneriffa, glaube ich. Ich weiß es nicht mehr. Es war ein Wunder, daß sie hier geblüht haben.«

»Und dann?«

»Eines Morgens lagen sie geknickt am Boden. Ich konnte sie noch in eine Vase stellen.«

»Haben Sie eine Idee, wer das getan haben könnte?«

Sie schüttelte den Kopf und warf einen besorgten Blick auf die Mutter.

»Was ist mit Ihren Nachbarn?« wollte Franziska wissen.

»Jeder von denen hat eine Leiche im Keller. Die tun immer nur so fromm. Jeder ist durch jeden erpreßbar. So bleibt alles im Gleichgewicht. Das ist das System in diesem Dorf.«

»Könnten Sie vielleicht etwas genauer werden?«

»Sind denn die anderen genauer geworden?« In Marlenes Frage lag etwas Lauerndes.

Franziska setzte alles auf eine Karte. »Das kann man wohl sagen.«

»Aha«, Marlene lehnte sich zurück. »Ich weiß, daß schlecht über uns gesprochen wird. Die finden, daß ich meine Mutter vernachlässige. Aber das ist nicht wahr. Ich kann sie doch nicht mit Gewalt unter die Dusche stellen. Sie hält es aus, so herumzulaufen, nur die anderen können das nicht sehen. Ich denke, sie ist lieber friedlich schmutzig als verrückt vor Angst und sauber.«

»Wer redet denn schlecht über Sie?«

»Das müßten Sie doch besser wissen als ich. Sie haben doch mit allen gesprochen. Mit der sauberen Rücker, die sich nur deshalb dieses Haus kaufen konnte, weil sie ihren ehemaligen Chef mit ich weiß nicht was unter Druck gesetzt hat, und jetzt hat sie sich auch noch den Döhring an Land gezogen. Der hat doch im Vorfeld schon gewußt, daß hier die Autobahn gebaut wird, und alles mit dem Bürgermeister ausgemauschelt. Wahrscheinlich haben sie sich den Gewinn geteilt, auf alle Fälle stecken sie unter einer Decke. Fragen Sie mal den Waldmoser nach dem Döhring und umgekehrt, die werden nur Loblieder aufeinander singen. Und dann Eduard Daxhuber, angeblich wurde er aus seiner Holzfabrik weggemobbt, zumindest erzählt er das. Fragen Sie ihn doch mal, von welchem Geld er seiner Tochter in München eine Eigentumswohnung kaufen konnte, und vor allem, was die da so treibt.«

»Ich hatte gedacht, er habe keinen Kontakt zu seiner Tochter«, sagte Franziska erstaunt.

»Ach, hat er Ihnen nichts über sein Töchterlein Corinna erzählt? Sie wieder einmal totgeschwiegen? Ich habe Babysitter für sie spielen müssen. Ich sage Ihnen, das war kein guter Vater, und sie war keine gute Mutter. Heutzutage nennt man so etwas Kindesmißhandlung. Aber damals, damals haben alle wie wild drauflos geprügelt. Nur meine Mutter nicht, mein Vater natürlich auch nicht.« Jetzt warf sie der alten Dame einen liebevollen Blick zu. »Na ja, ist ja auch egal. Er hat wohl ein schlechtes Gewissen gekriegt und Corinna eine Eigentumswohnung in München gekauft. Mitten in Nymphenburg. Eine Altbauwohnung mit fast hundert Quadratmetern. So viel Geld kann man gar nicht sparen, auch nicht als Chefbuchhalter einer Holzfabrik. Wer weiß, was für krumme Geschäfte da gelaufen sind. Er behauptet, man habe ihn gemobbt. Das glauben Sie doch selber nicht, vermutlich war es umgekehrt. Wenn jemand mobbt, dann der. Und wenn jemand Dreck am Stecken hat, dann auch der!« Marlene kam in Fahrt.

»Wollen Sie damit eine Unterschlagung andeuten?«

»Ich habe nichts gesagt.«

»Sie haben sehr wohl etwas gesagt. Genau das gibt mir zu denken.« Franziska sah Marlene an. Deren Augen sprühten vor Wut.

»Alle meinen, mit den Fingern auf uns zeigen zu können, auf mich. Alle halten sich für was Besseres. Ihr sauberer Kollege Schmiedinger zum Beispiel, haben Sie schon mal gesehen, wie der um die jungen Frauen in der Siedlung herumscharwenzelt? Oder Herr Bachmeier mit seiner schönen zweiten Frau. Die erste hat sich umgebracht. Wußten Sie das? Vielleicht hat er sie ja auch auf dem Gewissen. Er hatte schon seit Ewigkeiten eine Beziehung zu einer Frau in New York. Meine Mutter hat damals – sie war noch bei Verstand – all seine Briefe an diese Frau korrekturgelesen. Sie hat mir davon erzählt, natürlich unter dem Siegel der Verschwiegenheit – aber jetzt ist das ja egal.«

»Was war mit seiner ersten Frau?«

»Sie ist von einer Brücke gestürzt. Ausgerutscht bei Glatteis. Und dann überfahren worden. Herr Bachmeier war an ihrer Seite. Sie sind spazieren gegangen. Die Ehe war nicht gut. Wahrscheinlich hat er ihr einen Schubs gegeben. Aber natürlich waren sich alle sofort darüber einig, daß es ein tragischer Unfall gewesen sein mußte. Etwas anderes passiert in unserem sauberen Dorf nicht. Nur tragische Unfälle, Schicksalsschläge. Herr Schmiedinger hat das Protokoll aufgenommen und Herr Bachmeier die Lebensversicherung kassiert. Vielleicht hat der Schmiedinger ja Provision gekriegt. Auf jeden Fall hat der Bachmeier eine Viertelmillion abgezogen. Mit dem Geld konnte er sich dann die Neue rüberholen. Aus Amerika. Männer machen es sich ganz schön einfach.«

»Haben Sie Beweise?«

»Die neue Frau. Fahren Sie doch mal hin und schauen Sie sie sich an.«

»Ja, das werde ich machen«, murmelte Franziska. »Sagen Sie, kann ich irgendwas für Sie tun?«

»Was denn?« Marlene lachte bitter.

»Hier ist meine Karte. Rufen Sie mich an.«

Zwölftes Kapitel

Franziska hatte an einem kleinen Weiher haltgemacht. Regentropfen prasselten auf die mit Herbstlaub bedeckte Wasseroberfläche. Sie hatte die Fenster ihres Wagens heruntergekurbelt und nachdenklich eine Zigarette geraucht. Dieser Besuch bei den Blumentritts war ihr an die Nieren gegangen. Daß Lydia Blumentritt krank war, hatte sie gewußt, aber diese Krankheit hautnah zu erleben, zu riechen und sich im Bannkreis der Unberechenbarkeit der alten Frau aufzuhalten – das war schon etwas anderes. Die Kommissarin bewunderte die Tochter, verspürte aber gleichzeitig eine Art Mißtrauen. Marlene hatte ein bißchen zu sehr auf leidend gemacht. Irgend etwas würde sie von ihrer aufopferungsvollen Pflege schon haben. Vielleicht würde sie eines Tages alles erben. Aber woher kam ihre Verbitterung, auf was gründeten sich ihre Haßtiraden auf die anderen Dorfbewohner? Niemand hatte ihr etwas getan, aber sie schien sich von allen angegriffen zu fühlen. Wie ein kleines Tierchen, das in einem Käfig saß, fauchte und biß.

Wenn sie lächeln würde, könnte sie eine attraktive Frau sein, überlegte Franziska und fragte sich, ob sie Marlene attraktiv fand, weil sie schlank war. Immerhin war die junge Blumentritt einmal schwanger gewesen – zumindest meinte Ilse Binder, das beobachtet zu haben. Hatte sie das Baby verloren? War das der Grund für ihre boshaften Tiraden? Wer war der Vater dieses ungeborenen Kindes? Franziska drückte die Zigarette aus.

Sie überlegte, ob sie erst zu Frau Bachmeier oder gleich zu Polizeiobermeister Schmiedinger fahren sollte. Mehr Lust hatte sie auf Frau Bachmeier und deren Katzenzucht.

Sie lenkte den Wagen zur Hausnummer vier und fuhr einfach an der Polizeistation vorbei zurück in den Ort. Das Anwesen der Bachmeiers hatte eine gepflasterte Einfahrt, die in sanftem Schwung zu einer Schleppgaube führte, unter der sich in einem Meer von blühenden Kübelpflanzen die Eingangstür befand.

Es dauerte etwas länger, bis Perdita Bachmeier die Tür öffnete. Sie trug einen Sari, was in diesem Landstrich und bei Dauerregen irgendwie ungewöhnlich wirkte. Als habe sie sich zum Fasching verkleidet. Sie fing an zu sprechen, und Franziska hatte Mühe, ein spontanes Lachen zu unterdrücken. Frau Bachmeier sprach eine kaum verständliche Mischung aus niederbayerisch abgehackten und englischen Lauten, durchsetzt von einem breiten amerikanischen Akzent. Zugleich wirkte sie wie eine elegante Filipina. Dieser Stil- und Sprachmix war in der Tat ziemlich verwirrend.

»I know you schon«, nickte Perdita Bachmeier. »Come eini.«

Ein ungeduldiges Miauen empfing die beiden Frauen. Nebeneinander aufgereiht, saßen acht bis zehn Katzen in der Diele, starrten die Fremde an, rissen ihre Mäuler auf und forderten Aufmerksamkeit, Futter und Streicheleinheiten.

»Mir ham grad playtime«, entschuldigte sich Perdita Bachmeier. Sie nahm kleine Fellmäuse aus einem Korb in der Diele und warf das Katzenspielzeug in Richtung Wohnzimmer. Mit hoch aufgerichteten Schwänzen stoben die Tiere hinterher.

»What can I do for you?«

»Es geht um den Fall Brunner.«

»Sure. A nasty matter, isn't it?« Perdita Bachmeier nickte und machte eine einladende Handbewegung: »Bittschön, please, kommen S' along.« Sie schritt sehr gerade und mit durchgedrücktem Kreuz vor Franziska ins Wohnzimmer. Ihr hochgestecktes schwarzes Haar glänzte wie Lack und gab einen makellosen Nacken preis.

»Tea, coffee?«

»Gerne.« Franziska warf einen Blick auf ihre Armbanduhr. Es war schon nach Mittag. Automatisch begann ihr Magen zu knurren. Auf dem Couchtisch standen Aschenbecher, also holte sie ihre Zigaretten hervor.

»Oh, great!« Perdita Bachmeier, die mit zwei Tassen Kaffee zurückgekehrt war, strahlte. »May I? Darf ich haben eine?«

»Klar.«

Mit einer raubtierhaften Bewegung griff Frau Bachmeier nach einer Zigarette.

»Wie viele Katzen haben Sie?« fragte Franziska, während sie mit ihrer Gastgeberin rauchend auf dem Sofa saß und vergnügt die Tiere beobachtete, die sich in einem wilden Kampf die Spielzeugmäuse abjagten.

»At the moment fourteen. Six davon sind grad weg. Machen Liebe.«

»Dann gibt es ja bald Nachwuchs.«

»Wenn mir sind glücklich, mir ham little Katzen ganz bald.« Sie beugte sich vor und nahm ein rotes Perserkätzchen auf den Arm. »My baby, how are you?«

»Wie heißt es?« wollte Franziska wissen.

»For me they all heißen Baby. Die werden immer gegeben so terrible names by the – wie sagt man? Katzenzüchter ... association ... no, Verband is the word.« Sie griff unter die Ablage vom Couchtisch und holte ein hellgrünes Blatt Papier hervor. »Das sind von die Katzen die official names, die so-called Eigennamen, given by the Verband.« Sie wies auf die zweite Eintragung.

Franziska las: »Miss Bonny vom Brunnthal.«

»Yeah, she is this baby here.«

»Und Hallodri von Aschheim?«

Perdita Bachmeier wies auf einen Smoke-Perser mit dramatischem Gesichtsausdruck, der mit seiner rechten Pfote die Spielzeugmaus in Schach hielt und die Fremde mit seinen großen goldenen Augen fixierte.

»Interessant. Und was ist mit Rodolfo von Cats Haven?«

»He is in the Katzenhaus zum Kindermachen mit diese da.« Perdita Bachmeier wies auf die viertletzte Spalte in ihrer Tabelle.

»Aha, Babobska vom Silverhouse.«

»Weil es ist die erste Wurf von die Babobska, ihre Kinder müssen start with an A. Ich hab mir schon ausgesucht ein paar names from the Deutsche Namensbuch: Anastasia, Anatol, Amelie, Alexander, Ambra, Ägidius ... Was denken Sie davon?«

Franziska nickte. »Gut. Und wie wäre es im Hinblick auf die Region mit Alois oder Anton?« Sie drückte ihre Zigarette aus. »Am liebsten würde ich mich mit Ihnen nur über Katzen unterhalten, aber das geht heute leider nicht.«

»What do you want to know?« Perdita Bachmeier setzte Miss Bonny vom Brunnthal sanft auf den Boden, stand auf, machte ebenfalls ihre Zigarette aus und ging zum Fenster. Sie wandte Franziska den Rücken zu.

Es ist wie in einem schlechten Krimi, dachte Franziska. Da stehen die Verdächtigen auch immer auf und vermeiden den Blickkontakt.

»Wie lange leben Sie schon hier?«

Perdita Bachmeier fragte ein bißchen zu schnell zurück: »What should this have to do with die Mord?«

»Nichts, es interessiert mich persönlich.«

Die schöne Asiatin schien nachzudenken. »Ich bin kommen rüber in Winter. Last Winter.«

»Also noch nicht einmal ein Jahr – dafür sprechen Sie aber gut deutsch.«

»Mir ham schon geübt before. Franz and me. And I had been at the Goethe-Institut drüben in New York.«

»Sie kommen aus New York?«

Perdita Bachmeier nickte.

»Dann waren Sie am 11. September 2001 auch in der Stadt? Das muß ja ein schrecklicher Tag gewesen sein?«

Die Frau am Fenster zuckte zusammen.

Ihre Stimme klang belegt, als sie antwortete: »Many many people, every day, ham zum Sterben auf die ganze Welt, right? They die of cancer, are killed at war or starve from hunger and so on. Nine Eleven is nothing but a damned coincidence! What do you Germans call a coincidence?«

»Zufall«, half Franziska nach.

Perdita Bachmeier sprach schnell, ohne nach Worten zu suchen, als habe sie ihr Statement zu diesem Thema schon hundertfach abgegeben. »Right, Zufall! An diese eine Tag, an diese einzige Platz, three thousand people from seventy-eight Länder sind tot. Killed by Zufall. Any other day noch viel viel mehr Menschen überall müssen sterben. But normally ned durch Zufall an eine einzige Platz.«

»Und auch nicht gewaltsam«, fügte Franziska hinzu.

Die Frau am Fenster hob resignierend die Schultern. Sie blickte sich immer noch nicht um. Ungewöhnlich steif stand sie dort, als könne sie sich nur mühsam zusammenreißen.

Alle Katzen hatten das Zimmer verlassen. Franziska sah sie auf den einzelnen Treppenstufen sitzen, die von der Diele nach oben führten. Sie putzten sich mit erhabenem Eifer und warfen abschätzige Blicke auf die beiden Menschen.

»Ob das nun ein Zufall war oder nicht: Der eigentliche Grund meines Besuches ist natürlich ein anderer. Haben Sie Hermann Brunner gekannt?«

»Immer wenn die da oben had slaughtered«, sagte Frau Bachmeier langsam, »er hat immer bracht vorbei bisserl eine fresh liver. But my babes didn't like the fresh liver.«

»Sie wollten keine frische Leber?« Franziska dachte an ihren Schiely, der wie verrückt nach Innereien war.

»They are so silly! So dumme, dumme Babys«, antwortete Perdita. Und es hörte sich so an, als sei sie stolz darauf.

»Wie oft haben die Brunners geschlachtet?«

»Maybe three or four times in the Jahr, wie ich denk«, antwortete sie. Und fügte nach kurzem Zögern hinzu: »Der wollt ned ham weg seine Leber. Der wollt spielen mit die Katzen. Aber letzte Zeit er is ned mehr kommen her.«

Spielen mit den Katzen oder spielen mit dir? dachte Franziska, stand auf und stellte sich neben Perdita ans Fenster.

In dem riesigen, mit Rhododendronsträuchern eingefriedeten Garten stand ein Objekt, das eindeutig aus der Werkstatt Ilse Binders stammte: ein fast drei Meter langes graues, schwanzloses Urtier mit riesigem Kopf und aufgerissenem Maul, aus dessen Oberkiefer ein einziger Zahn herausragte. Auf dem Kopf trug es ein überdimensionales Horn, das wie ein Geschwür, ein krankhafter Auswuchs wirkte, der den Anschein erweckte, er könne die unheimliche Kreatur jeden Moment aus dem Gleichgewicht bringen.

»Hat es einen Namen?« fragte Franziska.

Perdita Bachmeier schüttelte den Kopf. »I don't like it.«

»Ihr Mann hat es gekauft?«

Sie nickte.

»Gefällt es ihm?«

Sie hob die Schultern und seufzte.

»Wollte Hermann Brunner eine Katze kaufen?«

»Oh no, die waren ihm surely too expensive.«

»Was kostet denn so ein Tier?«

»Kommt an auf … depends on the markings … die Zeichnung. From one hundred and fifty up to five hundred Euros.«

Franziska pfiff anerkennend.

»Wie haben Sie Hermann Brunner kennengelernt?«

»Mir ham einkauft there and mein Mann hat erzählt von die Katzen und von die Zucht.«

»Und dann?«

»Hermann asked, ob er ned einmal could come and machen Besuch.«

»Das finde ich eigenartig. Er wurde mir als äußerst schüchtern geschildert.«

»Schüchtern?« fragte Perdita Bachmeier.

»Ja, er hatte Angst vor anderen Menschen.«

»But not vor Katzen ned.« Sie lächelte kryptisch.

»Wie oft war er bei Ihnen?«

»Two or three times, maybe. I don't know. He wasn't … ned wichtig. Never.«

»Wer ist denn wichtig?« hakte Franziska nach.

Perdita sah sie mit großen Augen an. Sie war blaß geworden. »What did you say?«

»Wer ist wichtig für Sie?« wiederholte Franziska.

»Only Franz, only my husband«, sagte sie ein wenig zu schnell, ging zum Couchtisch und zündete sich noch eine von Franziskas Zigaretten an.

»Wie haben Sie beide sich kennengelernt?«

»Franz had been on Urlaub drüben in die States.«

»War seine erste Frau dabei?«

Perdita Bachmeier schüttelte den Kopf.

»Haben Sie sie gekannt?« fragte Franziska.

»No.«

Es war eigenartig. Irgend etwas stimmte da nicht. Franziska fragte sich, was sie dazu trieb, nicht lockerzulassen, denn die Art und Weise, wie Franz und Perdita Bachmeier zusammengekommen waren, konnte nichts mit Hermann Brunner zu tun haben. Vielleicht war es der Ärger darüber, daß Perdita Bachmeier mit ihrem seltsamen Gerede von Zufälligkeiten so lapidar über die dreitausend Toten des Terroranschlages hinweggegangen war. »Auf einen mehr oder weniger kommt's doch dabei nun wirklich nicht mehr an« – das hatte auch einer jener Alimentenflüchtlinge erklärt, die sie damals im Rahmen ihrer Recherchen festgenommen hatte. Sie verspürte die gleiche Wut wie damals und atmete tief durch.

»Sie wissen aber, wie Ihre Vorgängerin ums Leben gekommen ist?«

Perdita Bachmeier nickte. »Aber sicher ned deswegen you are here.«

»Nein. Ich selbst war und bin nicht mit dieser Sache befaßt. Ich weiß nur, was man mir im Ort erzählt hat.«

Wie ihre Katzen stellte auch Perdita Bachmeier mit einem Mal die Ohren auf. »Und was? What did you hear about this woman?«

»Ich hab nur gehört, daß sie von einer Brücke gestürzt sein soll. Wie lang ist das denn her?«

»Last year. As I know it happened in January or February. There was … ähm … fucking ice … fucking Glatteis.«

»Wissen Sie denn auch, was genau passiert ist?«

»Oh, my God, no! I don't know anything! Gar nix! Fragen S' halt my husband.«

»Ich geh bei Glatteis immer besonders vorsichtig, und ich hake mich fest ein bei meinem Mann. Wenn er oder ich ausrutschen würde, würden wir wohl beide von der Brücke fallen«, murmelte Franziska und beobachtete ihr Gegenüber.

Frau Bachmeier wandte sich ab und beugte sich zu einer Katze, die ins Zimmer gekommen war und um ihre Beine strich. Sie nahm sie hoch.

»My Baby«, murmelte sie dem schneeweißen Kater ins Ohr. »Wir tun gar ned gehn raus vor die Tür, wenn it rains Hund and Katzen, right?«

Das Tier miaute.

»Wie hieß sie eigentlich mit Vornamen, die erste Frau Bachmeier?«

»I don't know and I don't care!« zischte Perdita Bachmeier und marschierte mit der Katze aus dem Zimmer.

Franziska lief ihr nach. »Warum wollen Sie mir nicht bei der Lösung des Falles behilflich sein?«

»Bin ich ein Polizist?« fragte Perdita, und ihr Lächeln war mit einem Mal arrogant und abweisend.

Was für eine unangenehme Person. Unsympathisch wie ihre überzüchteten Katzen, dachte Franziska, als sie in den Wagen stieg.

Der Abschied war kurz und frostig gewesen. Sie hätte eigentlich noch fragen wollen, wo die Bachmeiers an jenem Abend vor einer Woche gewesen waren – auf dem Video des Blauen Vogels waren sie jedenfalls nicht zu sehen gewesen. Aber sie verspürte nicht die geringste Lust, deswegen ein weiteres Mal zu klingeln.

Anschließend fuhr sie direkt zu Adolf Schmiedinger. Der saß bedrückt an seinem Schreibtisch und starrte auf seine soeben fertiggestellte Liste. Blaß wirkte er und sorgenvoll. Franziska ließ sich auf einen leeren Stuhl fallen, kramte nach ihren Zigaretten und bedachte den Polizeiobermeister mit einem langen und nachdenklichen Blick.

»Es tun sich so viele andere Baustellen auf, die nichts mit unserem Fall zu tun haben, mich aber trotzdem beschäftigen«, murmelte sie nach einer Weile.

»So, was denn dann nachad?« fragte Adolf Schmiedinger und lehnte sich auch zurück, die lässige Körperhaltung der Kommissarin nachahmend.

»Es ginge jetzt zu weit, über alles zu reden. Aber die junge Frau Blumentritt hat recht. Jeder scheint hier sein kleines Geheimnis mit sich herumzutragen.«

»Wie meinen S' das denn jetzt?« Adolf Schmiedinger setzte sich wieder kerzengerade auf seinen Stuhl.

»Sie hat Andeutungen gemacht. Es sind Dinge, über die wir uns irgendwann einmal unterhalten sollten. Aber nicht jetzt. Möglicherweise sind es auch Sachen, die mich nichts angehen, Sie verstehen schon, Informationen aus der Ecke Klatsch und Tratsch.«

»Umeinand tratscht wird bei uns ned grad wenig.« Adolfs Stimme klang lauernd. Er ärgerte sich darüber, daß er Marlene angerufen hatte. Wer weiß, welche Märchen die sich extra für die Kommissarin ausgedacht hatte. Frauen! Da mußte ja mal wieder mächtig geschwatzt worden sein! Dennoch war ihm ein wenig mulmig zumute. »Was hat's denn so alles verzählt, die junge Blumentritt?«

Franziska ignorierte seine Frage. »Niemand hat mir gesagt, daß Frau Bachmeier gewaltsam zu Tode gekommen ist.«

»Was? Ja, Kruzifixhimmelhergottnocheinmal, jetzt sagen S' bloß ned, der jungen Frau Bachmeier tät auch noch was zug'stoß'n sein soll'n? Noch ein Mord am End? Ja, was ist denn bloß los bei uns?« Adolf Schmiedinger schnappte nach Luft und lief vor Aufregung rot an. »Eine so eine wunderschöne Frau noch dazu!«

Franziska beruhigte ihn. »Ach wo, ich spreche doch von der ersten Frau Bachmeier. Können Sie mir sagen, was damals genau passiert ist?«

»Ach so, jetzt komm ich mit! Sie reden also praktisch bloß von der Ellen?«

»Ellen? So hieß sie?«

»Ich tät meinen, daß die Helene g'heiß'n hätt. Aber er hat's halt sowieso allerweil nur Ellen g'nannt.«

»Stellen Sie sich vor«, bemerkte Franziska kopfschüttelnd, »die neue Frau Bachmeier wußte nicht einmal, wie ihre Vorgängerin hieß. Also, ich finde das sehr eigenartig.«

»Das kann ich mir ohne weiteres vorstellen. Der spricht halt ned gern über die Ellen.«

»Und warum nicht?«

Adolf Schmiedinger hob die Schultern.

»Was ist denn damals passiert?« Franziska beugte sich vor.

Adolf Schmiedinger verkrampfte sich.

»Nun rücken Sie schon raus mit der Geschichte.« Sie lächelte ihn aufmunternd an.

»Da war tiefster Winter. Und die zwei sind halt auf einer Autobahnbrücken spazier'n gangen. Und dabei ist sie halt saublöd g'stürzt und nunterg'fallen.«

»Das glauben Sie doch wohl selber nicht.«

»Ganz genauso, wie ich's Ihnen grad g'sagt hab, muß er als einziger Zeuge den Sachverhalt auch g'schildert haben damals. Und niemand hat scheinbar einen Anlaß zum Zweifeln g'habt. Und sie war ja eh hin. Maustot.«

»Wie war denn die Ehe?«

»Ja mei, soviel ich weiß, halt genauso, wie eine Ehe halt einmal so ist.«

»So gut wie die Ihre?«

»Wie meinen S' denn das jetzt nachad?«

»Ihre Ehe scheint doch gut zu sein. Sie planen eine gemeinsame Weltreise.« Sie zögerte. »Wissen Sie, ich glaube, man muß gemeinsame Ziele haben, um miteinander alt werden zu können. Ziele, denke ich manchmal, sind wichtiger als Kinder.«

Was wollte sie ihm denn jetzt damit sagen? Hatte Erna etwa ihm die Schuld gegeben an ihrer Kinderlosigkeit?

»Was für ein Typ ist eigentlich der Herr Bachmeier?« fuhr Franziska fort. »Wie würden Sie ihn denn charakterisieren?«

»Das ist ein Beamter.«

Franziska nickte. »Gut, aber das allein sagt doch nichts. Ich bin auch Beamtin. Und Sie auch.«

»Ich mein ein solcher Beamter, der was in Landau in der Stadtverwaltung arbeitet! Der Bachmeier muß ein ganz ein ordentlicher Mensch sein, nach allem, was man so weiß, total ehrlich irgendwie und absolut zuverlässig halt.«

»Würden Sie denn mit ihm zusammenarbeiten wollen?«

Das »Ja, nie ned nicht!« rutschte ihm heraus, bevor er darüber nachdenken konnte.

»Und warum nicht?«

»Also, mir ganz persönlich wär der schon zu tüpferlscheißerisch. Außerdem tut der immer so, als hätt er die Weisheit mit dem Löffel g'fressen.«

»Solche Menschen sind schwierig. Erzählen Sie mir doch mal Näheres von dem Unfall. Hat er Sie gerufen?«

»Ja freilich, mit dem Handy hat er mich ang'rufen g'habt, auf der Wache hier. Aber wo ich hinkommen bin, war die Autobahnpolizei schon lang vor mir dag'wesen.

Später hat's dann eben nur g'heißen, die wär g'stürzt und durchs G'länder durchg'rutscht. Die ist ja wahnsinnig dünn g'wesen, hat ja Bulimie g'habt. Das bisserl, was die überhaupt g'fressen hat, hat die allerweil gleich wieder ausspeib'n müssen.«

»Und dann?«

»Ja mei, dann ist die logischerweise runterg'fallen, auf die Autobahn halt, und nachdem die dann da urplötzlich auf der Fahrbahn umeinandg'legen war, ist der Körper natürlich auch noch von den Autos und Lastwagen stangerlgrad und unbremst über den Haufen g'fahren worden. Da war dann nimmer viel ned übrig.«

»Das ist ja furchtbar. Aber kann man denn tatsächlich durch ein Autobahnbrückengeländer einfach so durchrutschen?«

Adolf Schmiedinger schüttelte den Kopf. »Also, direkt rutsch'n, tät ich sag'n, auf gar keinen Fall nicht. Aber wenn man so dünn ist, wie die Ellen war, nachad könnt man sich mit Sicherheit durch den Maschendraht da durchzwängen.«

»Demnach war es also eher ein Selbstmord als ein Unfall?«

»Das hat sich eigentlich im Dorf ein jeder selber so denkt.« Adolf Schmiedinger nickte. »Aber g'sprochen hat natürlich keiner ned davon. Ist ja auch besser so.«

»Warum das denn?«

»Über sowas red't man halt einfach ned. Für'n Pfarrer ist der Selbstmord schließlich eine Todsünd, die man fürchten muß. Und mir ham ja schließlich auch an das Andenk'n von der Ellen denk'n müss'n.«

»Das Andenken von Ellen, was soll denn das schon wieder heißen?«

Adolf Schmiedinger zögerte. »Wahrscheinlich hat sie's ja wegen dem Haus g'macht g'habt. Also soll das Haus jetzt ihr Andenken sein, ned wahr?«

»Das verstehe ich nicht.«

»Die Lebensversicherung hat an den Bachmeier so viel abdrück'n müss'n, daß ihm das Haus jetzt ganz alleinig g'hört – und nimmer mehr der Bausparkasse als wie zuvor.«

»Und in diesem Haus, in diesem Vermächtnis, wie Sie es nennen, wird sie nun totgeschwiegen. Gab es eigentlich Kinder?«

Adolf Schmiedinger nickte. »Eine Tochter.«

»Die lebt hier im Ort?«

»Ach wo, die lebt ja schon lang ihr eigen's Leb'n, irgendwo in der Stadt drin.«

»Wie alt ist sie?«

»Mei, was weiß denn ich? Er ist vielleicht Mitte Fünfzig. Demnach wird die Tochter wohl um die Dreißig sein, so über'n Daumen peilt.«

»Wie hat sie auf den Tod ihrer Mutter reagiert?«

»Mei, was heißt da reagiert? Die war zwar da zur Beerdigung, aber die hat ja ned einmal g'weint nicht.«

Franziska sah ihn erstaunt an. »Nicht einmal geweint.« Wie abfällig er das sagte. Als sei es auch noch ein Vorwurf an die herzlose Tochter. Sie hatte auch nicht geweint, als Jochen beerdigt wurde, weil sie immer noch unter Schock stand und das alles nicht begriff, nicht begreifen wollte. Doch das gehörte nicht hierher. Sie war schon viel zu weit abgeschweift.

»Trauen Sie Herrn Bachmeier zu, daß er seine Frau von der Brücke gestoßen haben könnte? Immerhin gab's da ja schon lange die andere. Diese Perdita.«

»Die Erna hätt's ihm gleich zutraut. Aber die schaut und liest ja auch viel zu viel Krimis. So was passiert doch höchstens in einem Film oder in einem Roman, doch ned da in Kleinöd nicht!«

»Könnten Sie es sich trotzdem vorstellen?«

Er zögerte. »Ich weiß wirklich ned, warum S' mich nach so was frag'n.«

»Ich denke, wer einmal einen Mord begangen hat, schreckt auch vor dem zweiten nicht zurück. Vielleicht war ja da irgend etwas zwischen Perdita Bachmeier und dem jungen Brunner, und dann hat Herr Bachmeier aus Eifersucht zugeschlagen.«

Adolf Schmiedinger sah sie mit weit aufgerissenen Augen an. Insgeheim fragte er sich mittlerweile, was dieser Hallodri wohl noch so alles getrieben haben mochte. Perdita Bachmeier, seine Frau. Wer weiß, wem der noch den Hof gemacht hatte? Da ging man als treuer Ehemann brav und ehrlich arbeiten, und dieser angeblich so schüchterne Jungbauer gab solang den Witwentröster. Mit seiner Erna, ja, das konnte er sich gerade noch vorstellen, aber mit Perdita?

»Nie ned.«

»Und warum nicht?«

»Das paßt einfach hinten wie vorn ned zusammen. Der Brunner und die Perdita! Die schaut doch unsereins ned einmal mit dem Arsch nicht an. Die hält uns doch alle für Bauerntrampel, und sich selber und ihren Alten für was Bessers.«

»Sie mögen sie nicht«, stellte Franziska fest und triumphierte insgeheim. Auch ihr war ja diese Frau von einem zum anderen Moment unsympathisch geworden.

Adolf Schmiedinger gab keine Antwort. Er deckte das vor ihm liegende Papier auf und murmelte: »Ich hätt da eine List'n g'macht. Eine List'n von alle aus dem Ortskern. Die Zug'reist'n aus dem Neubaugebiet hab ich weglass'n. Das war'n alles keine Kunden vom Brunner. Die ham den ja gar ned kennt nicht.«

»Interessant, Herr Schmiedinger, wir gehen also beide davon aus, daß es nur jemand aus dem Ortskern gewesen sein kann. Zeigen Sie mal her. Ach, hab ich mich eigentlich schon für Ihr Protokoll bedankt?«

Er verneinte.

»Dann tu ich es jetzt.«

Schmiedingers Liste war nichts gegen das, was sie heute früh von Marlene Blumentritt erfahren hatte. Sie überflog die Namen und Informationen und war gerührt von der

Schönschrift, mit der der Wachtmeister seine Informationen zusammengetragen hatte. »Na, da bleiben ja nicht mehr viele übrig«, murmelte sie nach einer Weile. »Wir müssen also prüfen, ob Lena Ascher am 8. September gearbeitet hat. Machen Sie das?«

»Freilich, mach'n mir.« Adolf Schmiedinger nickte und notierte sich pflichteifrig die Aufgabe auf einen Zettel.

»Was meinen Sie mit ›Ilse Binder = Blumentick‹?«

»Ja, wissen S', die mit ihrem einfarbig'n Garten! Die Binder halt! Jed's Jahr grad eine einzige Farbe, und wie narrisch die ist mit ihre Pflanz'n: Hochbind'n tut sie's, besprüh'n tut sie's, und absuch'n tut sie's nach die Läus, und zwar mit die Fingerspitzn! Die tät niemals ned auch bloß einem einzelnen Blümerl was z'leid! Außerdem ist der Blumenkiller ja auch in ihrem eigenen Garten dring'wes'n. Sie können Ihnen ja gar keine Vorstellung davon mach'n, wieviel die sich darüber aufg'regt hat. Die wollt doch tatsächlich, daß ich die ganze Nacht vor ihrem Garten auf Streife geh. Mit einer Dienstaufsichtsbeschwerde hätt's mir widrigenfalls sogar drohen woll'n, stellen S' Ihnen das doch bloß einmal illustriert vor! Einem altgedienten Beamten wie mir, der sich seit Jahrzehnten praktisch aufopfert für die Gemeinschaft! Die hat doch einen kompletten Schuß, das blöde Weib!«

Franziska schwieg und zündete sich erneut eine Zigarette an. Adolf Schmiedinger stand auf und öffnete das Fenster.

»Wie alt ist Michael Ascher?«

»Mei, wie alt wird der sein? So fünfzehn, sechzehn, tät ich sag'n.«

»Und seine Schwester?«

»Die hat grad erst einen Führerschein g'macht. Also müßt die so achtzehne oder neunzehn sein, sag'n mir mal höchstens zwanzig.«

»Sagen Sie, wie lang ist denn die Frau Blumentritt schon so krank?«

»Mei, gute sieben Jahr wird das jetzt schon so gehn mit der. Damals ist dann auch die Marlene z'rückzogen zu ihr. Am Anfang war's ja kaum zum spür'n, die Krankheit, mein ich. Aber jetzt wird's von Tag zu Tag schlimmer.«

»Ja, ich habe sie heute ja selbst erlebt. Beide. Das fand ich schon sehr bedrückend.«

»Die sollt'n S' eigentlich gleich wieder aus der Liste der Verdächtigen rausstreich'n. Ich hab mich eh schon g'ärgert, daß ich die zwei überhaupt aufgeschrieb'n hab.«

»Wahrscheinlich haben Sie recht. Was ist mit Erik Moll?«

»Was, bittschön, sollt mit dem denn sein?«

»Na ja, er hat ja immerhin diese ziemlich hohe Geldsumme gewonnen.«

»Wer hat Ihnen denn den Schmarrn verzählt? Also, alles dürfen S' wirklich auch ned glaub'n, was die Leut im Dorf so reden.« Er wurde rot und wandte sich ab.

»Es stimmt, definitiv. Unsere Ermittlungen haben das zweifelsfrei ergeben. Das meine ich mit den vielen neuen Baustellen. Er wurde auch von einigen Leuten aus dem Ort unter Druck gesetzt deswegen.«

»Von einige Leut?«

»Genau.«

Er sah sie an und wartete darauf, daß sie ihn angriff. Aber sie schwieg.

»Es scheinen alte Wanderstiefel zu sein«, sagte sie dann. »Solche, die heute gar nicht mehr hergestellt werden. Insofern haben wir eine Chance. Wanderstiefel Größe vierundvierzig, getragen von jemandem, der erst mit der Ferse auftritt und dann langsam nach vorne abrollt. Ein schleichender Gang. Kennen Sie jemanden hier im Ort, der so läuft?«

Sie stand auf, um ihm jene Schrittfolge vorzuführen, die Herr Kamp von der Spurensicherung ihr gezeigt hatte. »Wie gesagt, Größe vierundvierzig. Wohl eher ein Mann, oder?« Franziska sah ihn fragend an. »Welche Schuhgröße haben Sie beispielsweise?«

»Meine Schuhgröß?«

»Sehen Sie sonst noch jemand hier?«

»Sechsundvierzig«, murmelte Adolf Schmiedinger. »Wanderstiefel ham S' g'sagt? Ich kenn überhaupt niemand ned bei uns, der was wandern tät. Ned einmal die Leut aus der Neubausiedlung wandern. Für so ein Zeug ham mir gar keine Zeit. Wenn, dann wandern mir immer bloß durch unsre Gärt'n. Ha ha ha. Da gibt's g'nug zum tun, in die Gärt'n, da brauch'n mir ned noch zum wandern anfangen. Außerdem ist das hier ja wirklich keine ausg'sprochene Wandergegend ned.«

»Eigenartig.« Franziska sah ihn nachdenklich an. »Könnte es denn sein, daß jemand alte Wanderstiefel aufträgt – zum Beispiel bei der Gartenarbeit? Bitte, denken Sie gut nach. Wo wir doch davon ausgehen, daß Mörder und Blumenkiller identisch sind.«

Adolf Schmiedinger griff nach seiner Liste und starrte schweigend auf die Namen.

Gustav Wiener stand vor dem Waschbecken und rasierte sich. Er hatte sich an diesem Nachmittag beurlauben lassen. Zum ersten Mal in seinem Leben hatte er sich vor einem Rendezvous Urlaub genommen, und er fragte sich, was das bedeuten könne. Während er sich mit dem Rasiermesser über die linke Wange fuhr, betrachtete er sich in dem großen Badezimmerspiegel. Ohne Selbsttäuschung gestand er sich ein, daß er kein schöner Mann war; er war eindeutig zu dick und hatte Tränensäcke unter den Augen. Das dünne braune Haar wurde immer schütterer, und der Schnurrbart, den er sich in den letzten Wochen hatte wachsen lassen, entwickelte sich eindeutig nicht zu jenem erotischen Highlight, auf das er insgeheim gehofft hatte, sondern wirkte eher deplaziert. Ganz kurz dachte er daran, auch diesen zu entfernen, stellte sich dann aber vor, daß die Haut darunter weiß und bleich sein würde, und verzichtete darauf.

Er verbot sich seine Spekulationen, die jedoch heimtückisch durch ein Hintertürchen seines Bewußtseins immer wiederauftauchten und ihm eine rosige Zukunft vorgaukelten. Und an der Spitze dieses mit rosigem Zuckerguß überzogenen Zukunftskuchens stand Marlene. Heute war ihr Geburtstag, und der könnte und sollte für sie beide einen Neuanfang bedeuten.

Er wünschte, sie würde ihn mit der gleichen Intensität anschauen, wie sie den jungen Brunner auf dem Seziertisch betrachtet hatte. Er wünschte, sie würde ja sagen zu seinen Plänen, würde mit ihm einer Meinung sein, daß es sich lohne, immer wieder von vorn anzufangen, die Toten und die Vergangenheit hinter sich zu lassen. Er sah sich mit ihr gemeinsam in einem kleinen Häuschen auf dem Land, sich selbst als Dorfarzt und sie an seiner Seite – wie sie in einem weißen Kittel die Patienten empfing und in sein Sprechzimmer führte. Die Vorstellung, etwas zu heilen, etwas ans Leben zurückzugeben, neues Leben auf die Welt zu bringen und Gutes zu tun, über das diejenigen, denen er das Gute getan hatte, auch reden würden, erfüllte ihn mit verhaltenem Stolz.

Ja, er würde sich von den Toten und seinem jetzigen Beruf verabschieden. Dieser kühle Kellerraum im Kreiskrankenhaus mit der Aufschrift »Pathologie« war nicht sein Leben. In der Villa eines Dorfarztes – er staunte darüber, wie schnell in seinen Gedanken aus einem kleinen Häuschen eine Villa geworden war – würde es Licht und Wärme geben und frische Blumen, von leichter Frauenhand geordnet. Von Marlene ausgesucht, gepflückt und arrangiert.

Marlene – dabei kannte er sie doch noch gar nicht wirklich.

Sein Herz klopfte.

Um halb acht würden sie sich in einem Gasthaus treffen, das auf halber Strecke zwischen ihrem und seinem Wohnort lag.

Er nahm sich vor, ganz vorsichtig zu sein. Cool und abwartend. In Filmen und Büchern gaben sich die Kerle immer distanziert und abweisend, und die Frauen schmolzen dahin. Er hatte bisher geglaubt, auf solche Klischees verzichten zu können. Vermutlich war er deswegen stets gescheitert, gescheitert an einem unverhältnismäßigen Zuviel. Er hatte es satt, allein zu sein. Sie sollte nicht merken, wie wichtig sie ihm war und wie viele Hoffnungen er an ihren Namen knüpfte. Er beschloß, ihr kein Geburtstagsgeschenk zu kaufen, sie dafür aber zum Essen einzuladen.

Dann bügelte er sich ein Hemd. Ein gestreiftes Hemd, so wie das, das er Hermann Brunner angezogen und in dem Marlene den Toten gesehen hatte, während er Marlene betrachtete und nicht verhindern konnte, daß ihre Traurigkeit ihn berührte.

Die Mutter tobte. Solange die »Schulrätin« dagewesen war, hatte sie sich zusammengerissen, als gäbe es in ihrem Kopf noch eine Instanz, die sie zur Vorsicht und Wachsamkeit mahnte. Aber kaum hatte Franziska Hausmann die Blumentritts verlassen, war Lydia mit Hausschuhen, aber ohne Mantel und Jacke im Regen in den Garten hinausgerannt, durch Blumenbeete gestapft und bis zu den Knöcheln in schlammigem Lehmboden eingesunken. Sie hatte mit zitternder Stimme »ich, ich, ich, ich« gerufen und war bei der sinnlosen Suche nach dem verlorenen Ich ausgerutscht. Dann hatte sie sich in ihrer Wut über diesen Ausrutscher Gesicht, Haar, Hals und Arme mit Schlamm beschmiert. Marlene stand in der überdachten Tür zum Garten und sah ihr schweigend zu.

Aus den Augenwinkeln bemerkte sie die Nachbarinnen hinter ihren Fenstern, Ilse Binder und die frisch aus dem Krankenhaus entlassene Louise Langrieger, meinte aus deren Gesichtern und dem angedeuteten Kopfschütteln Verständnislosigkeit zu entnehmen, und schaffte es dennoch nicht, hinter der Mutter herzulaufen und sie unter den Augen der anderen sanft ins Haus zu führen.

Sie fühlte sich seit einer halben Stunde wie versteinert und hätte es völlig gerechtfertigt gefunden, in diesem Zustand zu den gebrochenen und von Krankheit und Schicksal gezeichneten Figuren ins Atelier der Binder gestellt zu werden. Tote Gestalten aus Hartplastik, Gips und stinkender Schaummasse, ohne die Fähigkeit zur Freude oder zum Schmerz. Marlene zählte bis zwölf. Langsam und konzentriert kam sie mit einem langen Seufzer wieder bei sich an. Das Gespräch mit der Kommissarin hatte sie wohl doch mehr gestreßt, als sie zunächst gedacht hatte.

Lydia Blumentritt hatte sich breitbeinig auf den Rasen gesetzt und bedrohte mit ihren Fäusten unsichtbare Gegner, vielleicht die Wärter vom Vormittag. Marlene sah ihr zu. Sie empfand weder Mitleid noch Scham oder Trauer.

Die da draußen war ihr fremd. Irgendeine verrückte Alte, mit der sie nichts zu tun hatte. Ihr Handy klingelte. Sie nahm es aus dem Rucksack und ging mit ihm ins Haus.

»Herzlichen Glückwunsch«, rief eine Männerstimme. Und da fiel es ihr wieder ein. Sie hatte heute Geburtstag.

Gustav Wiener kam gleich zur Sache. »Darf ich Sie heute abend zum Essen einladen?«

Sie zögerte und sah aus dem Fenster. Da hatte es doch irgend etwas gegeben, was sie daran hinderte auszugehen. Etwa die Alte da draußen im Garten? Nein, mit der hatte sie nichts mehr zu tun. Sie nickte.

»Bitte«, sagte die Stimme am anderen Ende der Leitung.

»Ja, gerne«, murmelte Marlene und fragte sich im gleichen Moment, auf was sie sich da einließ.

»Ich habe auch schon ein Restaurant ausgesucht.«

»Ach so.«

Er mußte »ach wo?« verstanden haben, denn er erklärte ihr sofort, wo und wann sie sich treffen würden. Sie kannte das kleine Gasthaus, denn sie war schon oft daran vorbeigefahren.

Marlene hatte noch sieben Stunden Zeit. Das war zuwenig, um die Mutter zu beruhigen, die völlig durchnäßt auf dem Rasen saß und mit beiden Händen das regennasse Laub dirigierte. Es tat nicht so, wie sie es erwartete, also zischte sie es wütend an.

Marlene ging ins Badezimmer, stellte die Wärmestrahler an und ließ heißes Wasser in die Wanne laufen.

Es war ihr klar, daß sie unter Beobachtung der Nachbarinnen stand, die hinter den Gardinen das Fenstertheater genossen – sonst gab es ja nichts zu sehen an diesem trostlosen Ort. Gemessenen Schrittes und Sorge demonstrierend ging sie auf die Mutter zu, half ihr auf, umfaßte beide Hände mit festem Griff und versuchte, sie ins Haus zu führen.

Lydia schrie auf und wehrte sich, aber Marlene war stärker als sie. Dann ließ die Mutter sich einfach fallen und stürzte in ein Rosenbeet. Die Dornen rissen ihr die Haut auf. Sie blutete. Marlenes Versuche, ihr aus dem Beet herauszuhelfen, scheiterten. Lydia Blumentritt riß auch ihre Tochter zu Boden. Da lagen die beiden Frauen, und es sah so aus, als kämpften sie miteinander. Marlene gewann, stand auf und stellte sich kopfschüttelnd – für die Nachbarn – vor die Mutter hin, ehe sie ins Haus zurückeilte, so schnell sie nur konnte.

Das Wasser in der Wanne war kurz vorm Überlaufen. Das hätte ihr gerade noch gefehlt! Nachdem sie diese Katastrophe gerade noch vermieden hatte, ging sie wieder hinaus, um die Mutter zu holen. Die kroch auf allen vieren durch das Rosenbeet, jammerte, sie habe sich verlaufen, und ließ sich schließlich von Marlene auf den Rasen ziehen.

»Ich gehe jetzt ins Haus, und du kommst mit.«

»Nein«, schrie Lydia Blumentritt trotzig.

»Doch!«

Lydia lag immer noch auf dem Rasen. Marlene packte sie unter den Achselhöhlen und zog sie ins Haus. Die alte Frau lag auf den kalten Dielenfliesen und rührte sich nicht.

Marlene verschloß als erstes die Tür.

»Du stehst jetzt auf und gehst ins Bad.«

»Nein«, flüsterte die Mutter.

»Sieh dich an, wie du aussiehst, völlig verdreckt.«

»Na und?« Lydia kicherte. Langsam stand sie auf und zog sich immer noch kichernd die Treppe hoch. Stufe um Stufe. Im ersten Stock auf dem Weg zu ihrem Schlafzimmer entledigte sie sich nach und nach aller Kleidungsstücke und ließ sie zu Boden fallen. Sie war nackt, als sie ihr Zimmer erreichte, wischte sich das lehmverschmierte Gesicht an der Bettdecke ab und verkroch sich, eingehüllt in ihr Oberbett, in die hinterste Ecke des Zimmers.

Ein Stockwerk tiefer stand Marlene im Wohnzimmer, sah zur Decke hoch und lauschte den Schritten der Mutter. Nein, heute würde sie ihr nicht nachlaufen. Heute war ihr Geburtstag.

Im Bad sah sie, daß auch ihre Arme, ihr Hals und ihre Hände von den Rosen zerkratzt waren und bluteten. Ausgerechnet heute.

Sie zog sich aus und stieg in die Wanne. Dort lag sie und wimmerte leise vor sich hin. Immer den gleichen Satz: »Ich kann nicht mehr. Ich kann nicht mehr.«

Ab neunzehn Uhr saß er im Restaurant an dem vorbestellten Fenstertisch und beobachtete gleichzeitig Eingangstür und Straße. Es regnete noch immer. Die Landschaft war in einen grauen, feuchten Dunst gehüllt. Auf den Feldern hielt der Herbst Einzug. Bald würde es Winter werden, und mit einem Anflug von Selbstmitleid stellte Gustav Wiener fest, daß er schon seit mehr als zwanzig Jahren die langen und dunklen Winter allein verbrachte. Im Winter machte sich die Einsamkeit in seiner Wohnung breit und überzog die Wände und das Mobiliar mit einer grauen und feuchten Patina, die jede aufkommende Freude und das geringste Anzeichen von Wohlbefinden verschluckte.

Um neunzehn Uhr dreißig kamen ihm erste Zweifel. Er machte sich die bittersten Vorwürfe. Vielleicht hatte Marlene ja gar kein Auto und würde die sechs Kilometer von Kleinöd hierher zu Fuß gehen müssen. Er wußte nicht genau, wo sie wohnte, kannte nicht einmal ihren Nachnamen – und wenn sie nun wegen des Regens auf die Verabredung mit ihm einfach verzichtete? Gustav Wiener ärgerte sich, daß er ihr nicht angeboten hatte, sie abzuholen. Das war wieder einmal typisch für seine egoistische Haltung, die ihm auch von den Lernschwestern des Krankenhauses vorgeworfen wurde, wenn er den letzten Kaffee aus der Maschine nahm, ohne gleich einen neuen anzusetzen.

Er bestellte sich eine Flasche Wasser und überlegte, daß er gegen acht losfahren würde, um sie zu suchen; er würde nach allen Frauen mit Regenmänteln oder -schirmen zwischen dem Restaurant und jenem Friedhof Ausschau halten, auf dem der junge Brunner lag. Auch typisch für ihn, daß er sie nicht nach ihrer Adresse gefragt hatte. Es war immer das gleiche. Im Zwischenmenschlichen machte er einen Fehler nach dem anderen und wunderte sich dann, wenn nichts klappte. In jedes aufgestellte Fettnäpfchen trat er hinein. Immer nur er.

Auf dem Parkplatz hielt ein Passat, und sie stieg aus. Sie sah anders aus, als er sie in Erinnerung hatte, aber das Herzklopfen, das plötzliche Schwindelgefühl und das Zittern seiner Knie waren untrügliche Zeichen dafür, daß es sich bei dieser Frau nur um Marlene handeln konnte. Er hatte Schwierigkeiten, ihr entgegenzugehen. All seine vorher geprobten Begrüßungssätze waren plötzlich nicht mehr greifbar, und er stammelte nur: »Schön, daß Sie gekommen sind. Dort ist unser Tisch.«

Sie nickte, legte den schwarzen Lederrucksack ab und zog in aller Ruhe ihren Mantel aus. Sie roch gut. Nach Kernseife und der Farbe Grün. Ein Duft, der ihn seit ihrer ersten Begegnung verfolgt hatte und der ihm jetzt vertraut vorkam. Er fühlte sich, als sei er endlich zu Hause angekommen, obwohl der Weg bis zur Haustür und dem richtigen Daheimfühlen noch vereist und glatt und voller Tiefen war. Er mußte wachsam bleiben. Gerade jetzt. So stand er neben ihr, ohne zu wissen, wohin mit seinen Händen, seinen Füßen, seinen Blicken. Er fühlte sich, als wären die Augen aller anderen Gäste nur auf ihn und seine Unbeholfenheit gerichtet.

Endlich saßen sie am Tisch. Er atmete auf und schob ihr mit einer stummen Geste die Speisekarte hin.

»Ich habe nicht viel Zeit«, sagte sie zur Begrüßung. »Meine Mutter.«

»Sie haben heute Geburtstag«, entgegnete er. »Da sollten Sie sich etwas Zeit für sich selbst nehmen. Es ist Ihr Tag. Ich lade Sie zum Essen ein.«

»Mein Tag!« Marlene lächelte gequält. »Wenn all meine Tage so aussehen würden ... na, dann gute Nacht!«

Gustav betrachtete sie voller Mitgefühl.

»Was war denn los?«

»Nichts besonderes eigentlich – aber ganz im Ernst, ich habe wirklich nur die Zeit, mir ein schnelles Gericht auszuwählen.«

Er starrte sie an. »Aber Marlene – ich darf Sie doch Marlene nennen?«

Sie nickte und lächelte. »Sie haben es ja schon getan.«

»Also, Marlene: Wir sind doch nicht in einer Kantine.«

Sie seufzte.

»Ein oder zwei Stunden werden Sie Zeit haben müssen. Ihrer Mutter wird schon nichts geschehen. Ist sie in der Wohnung?«

»Ich habe sie im Haus eingeschlossen.«

»Vermutlich legt sie sich schlafen. Alte Menschen legen sich gern schlafen, wenn es regnet und die Sturmböen gegen die Fenster peitschen. Sie ziehen sich die Decke bis unters Kinn und kuscheln sich ein. Und dann schlafen sie wie kleine und erschöpfte Kinder, tief und fest.«

»Meinen Sie?« In ihren grauen Augen konnte er erkennen, daß sie ihm gerne glauben wollte, da sie ihn für einen Experten hielt.

»Ja«, antwortete er fest und berief sich dabei innerlich auf den Kurs in Geriatrie, den er während seines Studiums belegt hatte.

»Gut. Dann nehme ich den Lachs in Weißweinsud.«

»Und als Vorspeise?«

Sie ging nicht darauf ein.

Er fragte sie: »Wo kommen Sie eigentlich her? Wohnen Sie direkt in Kleinöd?«

Sie nickte.

Nach dem Essen trat Schweigen ein. Während Gustav Wiener die zweite Flasche Weißwein bestellte, überlegte er krampfhaft, wie er das Gespräch fortsetzen könnte, ohne ihr zu nahe zu treten oder sie gar zu verletzen.

Sie verschwand mit ihrem Rucksack auf der Toilette.

»Wissen Sie«, sagte er, als sie zurückkam. »Ich hatte schon mal einen ungeklärten Todesfall aus Kleinöd. Das ist noch gar nicht so lange her. So ein kleiner Ort. Und zwei ungeklärte Todesfälle.«

»Wer war es?« fragte Marlene.

»Lassen Sie mich nachdenken. Ich glaube, es war eine Frau.«

»Ellen Bachmeier?«

»Ja, Bachmeier, ich glaube, das war ihr Name. Kannten Sie sie?«

»Ja.« Marlene hatte sich ihren schwarzen Rucksack auf den Schoß gelegt und umarmte ihn mit gefalteten Händen.

So wird sie auch mit unseren Kindern umgehen, dachte Gustav Wiener. Es erschien ihm zwar vorschnell, sich so etwas vorzustellen, doch gleichzeitig beglückte es ihn.

»Sie fiel damals von einer Brücke auf die Autobahn. Wir konnten die Tötung nicht nachweisen und mußten davon ausgehen, daß es lediglich ein Selbstmord war. Es gab keine Zeugen, die Fußspuren gaben keinen Aufschluß in der Frage Schubser oder Rettungsversuch, und an den spärlichen Überresten der demnach von mehreren PKW und LKW überfahrenen Leiche waren keinerlei Fingerabdrücke oder Kampfspuren mehr auffindbar. Also galt in dubio pro reo, im Zweifel immer für den Angeklagten. Die Staatsanwaltschaft mußte das Untersuchungsverfahren trotz erheblicher Zweifel an Herrn Bachmeiers Darstellung aus Mangel an Beweisen einstellen. Trotzdem bleibt es ein höchst eigenartiger Fall. Da soll eine Frau an einem ganz normalen Abend mit ihrem Mann spazierengegangen sein und sich mit einem Mal völlig unvermittelt von der Autobahnbrücke gestürzt haben. Und er will vor Schock wie gelähmt gewesen sein, so daß er es nicht rechtzeitig schaffte, sie daran zu hindern.«

»Sie war hysterisch«, kommentierte Marlene.

»Wie meinen Sie das?«

»Sie drehte manchmal durch. Alles sollte nach ihrem Kopf gehen.«

»Was sagt man im Dorf darüber?«

»Ach, bei uns wird viel geredet. Viel geredet und wenig gesagt.« Sie hob die Schultern.

»Dann sind Sie aber eine rühmliche Ausnahme«, stellte Gustav Wiener fest. »Sie reden nicht viel.«

»Ich bin es nicht mehr gewöhnt«, gestand Marlene.

Er seufzte. Da war eine, die die Einsamkeit kannte, unter der er litt.

»Mit meiner Mutter kann ich nicht mehr reden. Sie lebt in ihrer eigenen Welt. Und die Nachbarn – da muß man aufpassen, jedes Wort zuviel kann und wird gegen einen verwendet werden. Na ja, um auf Frau Bachmeier zurückzukommen ... «

Er beugte sich vor.

»Ja?«

»Im Dorf wird vermutet, daß sie sich auf diese Autobahnbrücke stellte und dann ihre Forderung verkündete.

Was weiß ich, so in dem Sinne, wenn du das und das nicht machst, stürze ich mich augenblicklich hinunter. Angeblich soll sie das schon des öfteren getan haben. Manche wollen sie dabei beobachtet oder belauscht haben, aber fragen Sie mich nicht nach Namen.«

»Und dann?«

»Dann soll Franz Bachmeier den Gerüchten nach gesagt haben: ›Spring doch‹ oder ›Diesmal mache ich nicht, was du willst‹.«

»Und so ist es passiert?«

»So könnte es passiert sein.«

Marlene umarmte ihren Rucksack fester. Dabei rutschten die weiten Ärmel ihres moosgrünen Pullovers hoch. Ihre Arme waren vom Handgelenk bis zum Ellenbogen blutig.

Er beugte sich vor und berührte sie. »Was ist denn da passiert?«

»Ich war in den Rosen.«

»Heute?«

»Ja, warum nicht?«

»Es hat doch den ganzen Tag geregnet.«

»An meinem Geburtstag regnet es immer.« Sie verkündete es wie ein nicht zu änderndes Naturgesetz.

»Ich kann Ihnen eine Creme verschreiben, dann heilt es schneller.«

Sie blickte erst zweifelnd auf ihre Arme und dann in seine Augen.

Sein Herz lief über – wie ein Topf Milch, der zu lange auf der heißen Herdplatte gestanden hat.

Marlene sah auf ihre Armbanduhr. »Ich muß gehen.«

»Noch einen Augenblick. Ich möchte Sie noch etwas fragen.«

»Und was?«

»Wollen wir uns heute in einer Woche wieder hier treffen?«

»Ich muß erst sehen, wie es der Mutter geht.«

»Vielleicht kann ich Ihnen helfen. Mit Medikamenten kann man sicher etwas machen.«

»Tatsächlich?« Wieder sah sie ihn mit ihren großen grüngrauen Augen an. Wieder schmolz er dahin.

»Wie heißt denn die Krankheit?«

»Alzheimer«, murmelte sie und sah auf ihre gefalteten Hände, als sei sie selbst schuld an dem Verfall ihrer Mutter und müsse sich dafür schämen.

»Oh, jetzt verstehe ich.«

»Kennen Sie sich denn aus mit dieser Krankheit?«

»Sicher«, log er und beschloß im gleichen Moment, sich noch in dieser Nacht ins Internet einzuwählen, um alles über die Alzheimer-Krankheit in Erfahrung zu bringen.

Und dann erzählte sie. Redete sich ihre ganze Verzweiflung von der Seele, trank von dem Wein, schenkte sich nach und ließ es zu, daß Gustav eine dritte Flasche Pinot Grigio bestellte. Von den Anfängen der Krankheit sprach sie und von der schönen Zeit, als es zumindest oberflächlich noch so etwas wie ein Miteinander gab. Von der größer werdenden Wut und Ungeduld der Mutter, die es nicht fassen konnte, daß ihr alles entglitt. Von den Trotzreaktionen, den Beschimpfungen, ihrer Weigerung, sich zu waschen, die Zähne zu putzen, sich ordentlich anzuziehen. Vom Gelächter und Geschwätz der Nachbarn, als sie die Alte nackt und vollgekotet inmitten eines Maisfeldes fanden. Und letztendlich von den Gespenstern, die die ehemalige Lehrerin heimsuchten und sich in dem kleinen Haus so ausbreiteten, daß Marlene des öfteren meinte, für sie sei dort kein Platz mehr.

»Und Ihr Vater?«

»Der ist schon tot. Er starb an inneren Blutungen. Wir wissen bis heute nicht, was es war. Vermutlich ein Magengeschwür, das aufbrach. Meinen Sie, daß er große Schmerzen hatte?«

Erst in diesem Augenblick begriff Gustav Wiener, daß sie gar nicht mit ihm als Mann sprach, sondern bloß mit dem Arzt, den er verkörperte.

»Ich fürchte, ja.«

Marlene wickelte sich in ihren Pullover. Sie schien zu frieren.

»Wann starb er?«

»Vor zehn Jahren. Ich lebte damals nicht zu Hause. Einen Tag zuvor hatten wir noch miteinander telefoniert. Nein, das ist nicht wahr. Ich hatte mit meiner Mutter telefoniert. Sie rief zu ihm rüber: ›Willst du auch mit Marlene sprechen?‹ Er hat nur laut zurückgerufen: ›Heute nicht.‹ Das waren die letzten Worte, die ich von ihm gehört habe. Am nächsten Tag war er tot. Meine Geschwister haben ihn beerdigen lassen, ohne mich rechtzeitig zu benachrichtigen. Als ich heimkam, war der Sarg schon geschlossen. Ich habe ihn nicht mehr gesehen. Ich kann bis heute nicht glauben, daß er wirklich tot ist. Ich hebe einige seiner Lieblingssachen auf und warte auf ihn. Ist das nicht albern?«

Gustav Wiener schüttelte den Kopf. »Nein, albern finde ich das nicht. Erst wenn wir die Toten gesehen haben, können wir Abschied von ihnen nehmen. Das habe ich gelernt, und ich bin froh, daß ich das weiß.« Er zögerte. »Haben Sie deshalb Hermann Brunner noch einmal besucht?«

Marlene nickte stumm.

»Kannten Sie ihn gut?«

Sie schüttelte den Kopf.

»Ich hätte ihn gerne kennengelernt«, murmelte Gustav Wiener. »Er war mir nah. Auf eine seltsame Art und Weise. Vielleicht hätten wir Freunde werden können.«

Sie sah ihn lange an. Er wurde rot unter diesem Blick und schämte sich dafür.

»Jetzt muß ich aber wirklich gehen«, sagte Marlene. Ihren Rucksack immer noch wie ein Baby im Arm haltend, stand sie auf.

»Nächste Woche?«

»Vielleicht. Wir können ja telefonieren.«

»Ich rufe Sie an. Ich rufe Sie morgen an.«

Er biß sich auf die Lippe. Unmöglich. Völlig unsouverän. Während er auf die Rechnung wartete und sie in ihrem alten Passat davonfahren sah, ließ er es zu, daß seine innere Stimme ihn beschimpfte und beschimpfte und beschimpfte.

Dreizehntes Kapitel

Nach dem Gespräch mit Adolf Schmiedinger war sie in die nächste Telefonzelle gegangen und hatte ihren Mann angerufen. Christian hatte sich sofort gemeldet und sich ihre Geschichte in aller Ruhe angehört.

»Es könnte doch sein, daß sie am 11. September im World Trade Center gewesen ist, daß sie zu den tausend immer noch vermißten Personen gehört, daß jemand aus ihrer Familie die Versicherungssumme für ihren Tod kassiert hat, während sie hier in Deutschland mit Franz Bachmeier und den Katzen ein neues Leben begann und ihre Verwandten trauern ließ.«

Er widersprach aufs heftigste. »Franziska, du verfällst in deinen alten Wahn. Du kommst mit dem Fall Brunner nicht weiter, und jetzt fängst du mit dieser Geschichte wieder an. Eine klassische Übersprungshandlung. Du bist schon einmal wegen deiner Besessenheit versetzt worden. Überleg doch mal, wie absurd es wäre, ausgerechnet in Niederbayern eine New Yorkerin zu treffen, die aus dem Anschlag auf die Zwillingstürme ihre ganz persönlichen Vorteile gezogen hätte.«

»Warum nicht? Die Welt ist klein«, hatte sie trotzig entgegnet. »Ich kriege es raus.«

Er warnte sie: »Verrenn dich nicht wieder!«

Jetzt erst recht, dachte sie wütend, rief Bruno Kleinschmidt an und diktierte ihm ihre Auftragsliste. Ihre Stimme zitterte vor Aufregung. Wem wollte sie was beweisen, ihrem Mann, den früheren Kollegen, sich selbst?

»Die Bachmeier?« fragte Bruno erstaunt, nachdem er alles mitgeschrieben hatte. »Sie verdächtig'n die Bachmeier?«

»Nein, nicht wirklich«, hatte sie ausweichend geantwortet. »Ich will nur wissen, was da los ist. Bitte, recherchieren Sie alles so schnell wie möglich. Ich komme heute abend noch mal rein. Sie kennen sich so gut mit dem Internet aus. Sie haben doch alle Zugangscodes zu den Amtsregistern. Als erstes brauche ich das Datum der Eheschließung und ihren Mädchennamen. Bitte, es ist wirklich dringend!«

Als er zu widersprechen versuchte und mit »Ja, aber« ansetzte, legte sie einfach auf.

Sie fuhr zurück in ihre Dienststelle. Es regnete immer noch, und die abgenutzten Scheibenwischer ließen die Welt hinter einer Milchglasscheibe verschwinden. Einer besonders schmutzigen Milchglasscheibe. Das paßte zu ihrer Stimmung. Was sie wirklich wütend machte war, daß Christian sie nicht ernst nahm. Er tat all ihre Spekulationen als reine Hirngespinste ab. Dabei könnte es doch durchaus sein, daß der Mordfall Brunner in direkter Verbindung mit Perdita Bachmeier stünde! Je länger sie darüber nachdachte, um so wahrscheinlicher erschien ihr dieser Zusammenhang. Hermann Brunner hatte zwar im tiefsten Niederbayern gelebt, aber welche Rolle spielte das schon in dieser globalisierten Welt, in der Fernseher und Internet Zugang zu allen Informationen boten. Hatte er herausgefunden, daß Perdita Bachmeier eine WTC-Betrügerin war? Hatte er sie erpreßt? Eine kleine Andeutung, ein Nebensatz hätte vermutlich schon genügt, um Perdita Bachmeier in Panik zu versetzen.

Bruno war nicht im Büro. Auf dem Monitor des Hermann Brunnerschen Computers zeigte der Bildschirmschoner ein Labyrinth, das hinter jeder Weggabelung ein neues Labyrinth auftauchen ließ. Wie passend. Franziska seufzte. Heute schien nichts dazu geeignet, ihre schlechte Laune zu verbessern. Sie fand den Zettel, auf dem ihr Mitarbeiter sie wissen ließ, daß er mit Ludwig Pichlmeier zum

Essen gegangen sei. Keine weiteren Informationen. Vermutlich hatte er noch nicht einmal mit seiner Recherche begonnen. Er hielt ihren Auftrag wohl für weniger wichtig und hatte beschlossen, selbst Prioritäten zu setzen. Sie trat kräftig gegen einen Stuhl. Dann fuhr sie heim.

Auf dem Küchentisch lag ein Stapel Papier. Oben auf dem Papierhaufen saß der Kater Schiely und maunzte sie hungrig an. Franziska platzte fast vor Ärger. Wozu besaß jeder von ihnen ein Arbeitszimmer? Mußte Christian seine Papiere in der ganzen Wohnung verstreuen?

Sie schoß in das Büro ihres Mannes und fuhr ihn an: »Wo soll ich kochen, wenn du auch noch in der Küche deinen Saustall hinterläßt?«

»Ich dachte, es könnte dich interessieren«, murmelte er. »Hast du dir nicht angesehen, was da liegt?«

»Dafür habe ich nun wirklich keine Zeit! Mir geht zu viel anderes im Kopf herum. Ein furchtbarer Tag. Mein Mitarbeiter geht essen, anstatt mich mit wichtigen Informationen zu versorgen. Mein Mann lädt seinen Müll in der Küche ab. Der Dorfpolizist Schmiedinger mauert, anstatt mit mir zusammenzuarbeiten und …«

»Ruhig, ganz ruhig. Geh erst einmal in die Küche zurück und schau dir an, was da liegt. Ich habe es nur für dich aus dem Netz gezogen! Den ganzen Nachmittag habe ich dazu gebraucht! Nur, damit du endlich aufhörst, überall deine verdammten WTC-Gespenster zu sehen.« Christian klang gereizt.

»Ich sehe keine Gespenster.« Sie jammerte wie ein trotziges Kind. »Was wirst du schon im Netz gefunden haben? Den Mörder von Hermann Brunner?«

Jetzt wurde auch er wütend. »Wenn du alles besser weißt, dann wirf das Zeug halt weg. Glaub aber ja nicht, daß ich mir jemals wieder so viel Arbeit für dich mache! Was da liegt, ist eh nur eine Fotoliste aller Vermißten nach dem Anschlag vom 11. September. Nur die Frauen.«

Sie rannte in die Küche, und er lief ihr nach. Sie stürzte sich auf den Papierstapel.

Hastig blätterte sie die Fotos durch in der Hoffnung, das eine zu finden. Sie hatte Glück. Gleich unter den ersten Seiten fand sie es. Ihr Herz schlug schneller. Frau Perdita Bachmeier hatte noch vor einigen Jahren Cynthia March geheißen und bei Cantor & Robinson, einer Brokerfirma, gearbeitet. Zuletzt wurde sie im ersten Turm des WTC im siebenundzwanzigsten Stockwerk gesehen. Franziska triumphierte. »Na bitte! Da ist sie.«

»Eine sehr schöne Frau«, kommentierte Christian.

»Schön, aber herzlos«, bestätigte Franziska. Sie sah ihren Mann an und murmelte. »Verzeih mir, und vielen Dank.«

»Paßt schon. Es war eine ziemlich deprimierende Aktion, diese Bilder auszudrucken. Schließlich ist jeder Mensch seine eigene kleine Welt, sein eigenes System. Immer, wenn jemand stirbt, geht ein spezielles und einzigartiges Universum zugrunde. All die Universen, die Leben und die Hoffnungen, die da in New York von einem Moment zum anderen zerstört wurden ...«

Sie widersprach augenblicklich: »Es sind nicht alle Leben und alle Hoffnungen zerstört worden. Wie du siehst, gab es auch einige, die diese Katastrophe dazu genutzt haben, um ein neues Leben zu beginnen. Von einem Moment zum anderen schuldenfrei, ohne Anhang, ohne Biographie. Plötzlich ist wieder alles offen, und alles ist möglich. Das ist der Betrug. Das lasse ich dieser Frau nicht durchgehen. Vielleicht hatte sie Familie und Kinder, bestimmt aber Eltern, die unter ihrem Tod leiden. Nein, so einfach darf man es sich nicht machen. Wußtest du eigentlich, daß selbst die amerikanischen Behörden vermuten, daß mindestens zehn Prozent der WTC-Opfer nicht verschüttet, sondern untergetaucht sind?«

»Woher weißt du das?«

»Interne Papiere. Anfragen aus den USA. Wir bekommen selbst hier in diesem Nest Aufrufe zur Unterstützung und Aufklärung. Natürlich gucke ich mir diese Schreiben besonders genau an.«

»Aber warum sollten so viele Menschen untergetaucht sein?« Christian schüttelte zweifelnd den Kopf. »Ich selbst würde in so einem Fall alles unternehmen, um dir und meiner Familie unnötige Sorgen zu ersparen.«

»Ja du, du bist ja auch ein guter Mensch. Aber von dir abgesehen, gibt es zwei Gründe: Zum einen ist da die Summe von fast zwei Milliarden Euro für die Hinterbliebenen. Die will erst einmal verteilt sein. Darüber hinaus müssen auch noch die Versicherungen zahlen. Da kommt ein hübsches Sümmchen zusammen. Zum anderen waren viele der Angestellten im WTC so gut wie pleite – vor allem die Börsianer. Wie du siehst, hat sie bei einer Börsenfirma gearbeitet. In der Woche vor dem Anschlag sind die Kurse in den Keller gegangen. In einigen Büros hatten die Angestellten schon aus Verzweiflung Fenster eingeschlagen und mit Selbstmord gedroht. Angeblich hat man die zerborstenen Scheiben auf den ersten Live-Bildern nach dem Anschlag noch sehen können. Diese Details sollen aber später aus dem Filmmaterial gelöscht worden sein. Nicht einmal auf Dokumentaraufnahmen kann man sich mehr verlassen.«

Er war verliebt, und er war im gleichen Maße traurig. Der Himmel war schwarz, es regnete. Gustav Wiener überlegte, wie er Marlene für sich gewinnen könnte. Es ging vermutlich nur über seinen Beruf. Als Arzt hatte er ihr Vertrauen, als Mann wurde er von ihr nicht wahrgenommen. Leider. Das war bitter. Ihre grüngrauen Augen. Ihr verstohlenes Lächeln – als habe sie es aus verschütteten Tiefen wieder an die Oberfläche geholt. Ihre bodenlose Not mit der kranken Mutter. Ihre Verzweiflung. Da war augenblicklich kein Platz für einen Mann. Gustav Wiener seufzte.

Er hatte ihr all seine Hilfe und all sein Wissen angeboten. Sie hatte ihm ihr Herz ausgeschüttet – aber zu einem

Krankenbesuch bei der Mutter war er nicht eingeladen, und eine neue Verabredung war auch nicht fest vereinbart worden. Noch nicht. Je weiter er sich allerdings von dem kleinen Restaurant entfernte, um so rascher wuchs seine Hoffnung. Eine kleine Schlingpflanze, an der er sich festhielt, an der er sich über die Unbilden des Schicksals hinweghangeln würde, die aber jetzt noch keinen wirklichen Halt bot.

Sie hatte seit Jahren nicht mehr so viel getrunken. Die Fahrt zurück nach Kleinöd verlangte ihre ganze Konzentration. Der lederne Rucksack lag auf ihrem Schoß. Ein Gewicht, das sie erdete. Es hatte gutgetan, über alles zu reden, aber dennoch schämte sie sich. Sie schämte sich für die Tränen, die hinter ihren Augen lauerten, und für ihre Stimme, die ins Zittern geraten war. Was für ein Geburtstag! Was für ein schrecklicher Tag! Was mochte dieser Herr Wiener nun von ihr denken? Als Arzt wurde er von morgens bis abends mit Leidensgeschichten konfrontiert, und jetzt auch noch mit ihrer, obwohl er die Patientin, um die es eigentlich ging, gar nicht kannte.

Er hatte ihr zwar seine Hilfe angeboten, aber was bedeutete das schon. Ein Arzt war schließlich dazu verpflichtet, anderen zu helfen. Auf diese Bereitschaft mußte er sogar einen Eid schwören. Nein, sie würde Herrn Wiener nicht mehr mit ihrer peinlichen Geschichte belästigen. Sie würde sich in ihr Schneckenhaus zurückziehen und ihr eigenes kleines Leben weiterführen, das auch mit seiner Hilfe nicht mehr ins Lot gebracht werden konnte. Da war nichts mehr zu retten. Alles war verloren.

Während sie durch den strömenden Regen heimfuhr, schossen ihr die Tränen in die Augen. Die Straße wurde zu einer verschwommenen grauen Masse mit undefinierbaren hellen Flecken. In einer Pfütze verlor sie die Kontrolle über den Wagen, spürte, wie die Räder ihres Autos gegen einen Bordstein kickten, und krallte sich mit beiden Händen fest ans Steuer. Sie hatte für den Bruchteil einer Sekunde das Empfinden, es sei aus mit ihr, ihr Leben sei vorbei. Ein angenehmes Gefühl. Erleichterung. In einem unbekannten Land würde sie ihren Vater wiedersehen und ihr ungeborenes Kind – aber auch Hermann Brunner, der sie mit seinen hungrigen Blicken verfolgte. Doch dann fiel ihr die Mutter ein. Nein, sie konnte noch nicht gehen.

Laut zählte sie bis zwölf, passierte das Ortsschild und fuhr in die Einfahrt zu ihrem Haus.

Sie hatte zugesehen, wie die Mutter das Beruhigungsmittel, aufgelöst in süßem Kakao, mit kleinen Schlucken getrunken hatte. Dennoch schien Lydia Blumentritt während Marlenes Abwesenheit nicht eine Sekunde zur Ruhe gekommen zu sein. In allen Räumen des Hauses brannte Licht. Sie hatte jedes einzelne Zimmer, die Küche und das Bad auf den Kopf gestellt. Die Fenster waren aufgerissen, Möbel verrückt, Kabel aus der Wand gezogen und Schränke leer geräumt.

Als Marlene die Tür vorsichtig aufschloß, stand Lydia mit einem Nudelholz im Flur und wollte es der vermeintlichen Einbrecherin auf den Kopf schlagen. Trotz ihrer Trunkenheit gelang es Marlene, der alten Frau das Schlagwerkzeug zu entwinden. Dann besichtigte sie das Chaos. Es ließ sie eigenartig kalt.

Die Mutter immer noch zeternd und schreiend in ihrem Schlepptau, ging sie ins Wohnzimmer und schenkte sich einen Cognac ein. Dann zählte sie erneut bis zwölf. Ihre Geheimwaffe funktionierte ein weiteres Mal.

Mit einer Stimme, die nicht die ihre zu sein schien, befahl sie: »Du gehst jetzt sofort ins Bett. Ohne Widerrede.«

Die Mutter hob die Achseln, lächelte schief und sagte mit piepsiger Stimme: »Ich kenne Sie nicht.« Aber Marlene hatte keine Lust mehr auf dieses Spiel.

»Das ist egal. Du gehst trotzdem ins Bett.«

»Sind Sie meine Wärterin?«

»Ja.«

Später kam der Nachbar. Eduard Daxhuber konnte vermutlich nicht einschlafen, bevor er seine unerbetenen Kommentare losgeworden war. Es war schon fast Mitternacht, als der selbsternannte Dorfpolizist bei Marlene klingelte. Er trug, wie hätte es anders sein können, seinen Jogginganzug. Denselben wie in jener Nacht, als Hermann Brunner aus der Sickergrube gezogen worden war. Ob seine Frau den Anzug mittlerweile gewaschen hatte? Marlene hoffte es, obwohl sie das Teil nicht auf der Wäscheleine entdeckt hatte.

»Ich hab noch ein Licht g'sehn bei euch. Was war denn vorher schon wieder los mit der Lydia?«

Es ärgerte Marlene, daß er die Mutter als Lydia bezeichnete. Als sei sie ein Kind oder ein Haustier. »Für Sie immer noch Frau Blumentritt«, hätte sie am liebsten gesagt, verkniff sich aber diese Bemerkung. Der viele Alkohol machte sie träge und schläfrig. Sie hatte das Empfinden, als könne sie nicht mehr so klar formulieren wie sonst. Sie starrte Eduard Daxhuber mit großen Augen an und murmelte undeutlich: »Was soll denn gewesen sein?«

»Sie war'n ned da«, stellte er fest. Es klang wie ein Vorwurf.

»Stimmt«, nickte Marlene. »Ich mußte mal kurz weg.«

»Eing'sperrt ham S' die Lydia g'habt.«

Eigentlich ging es ihn nichts an, aber Marlene nickte.

»Sag'n S' uns halt einfach Bescheid, wenn S' einmal wieder wegmüss'n. Mir ham ja gar nimmer g'wußt, was mir hätt'n mach'n soll'n mit der armen Frau. G'schrien hat's und g'tobt, aber das Haus war ja zug'sperrt. Niemand hat einikönnen zu ihr, und sie ned aussi, sie hat zwar versucht, aus dem Fenster zum steig'n, aber sie hat's ned g'schafft, wegen dem Gitter im Erdg'schoß.«

Marlene hätte ihm zu gerne erklärt, daß sie die Mutter deshalb eingesperrt habe, damit sie nicht hinaus, aber auch, damit niemand zu ihr hineinkommen könne. Sie hätte ihn zu gerne darüber informiert, daß Lydia ihn nicht erkennen würde und erst recht ins Toben geriete, wenn plötzlich ein wildfremder Mann in ihrem Zimmer stünde. Ein Mensch, der ihr in seiner erschreckenden Präsenz noch um einiges fremder und unheimlicher erscheinen müßte als all die Gespenster, von denen sie tagaus tagein geplagt wurde. Aber sie fand keine Worte und griff sich an den Kopf.

»Geht's Ihnen ned gut? War'n S' am End gar im Krankenhaus?«

»Ich war beim Arzt, ja«, murmelte sie und dachte insgeheim, daß dieser Satz sogar ein bißchen stimmte.

»Ja nachad, dann ruhn S' Ihnen erst einmal aus. Dann ist's freilich g'scheider, mir red'n ein andermal weiter«, sagte Eduard Daxhuber. »Aber wenn S' eine Hilfe brauch'n, geb'n S' uns bittschön B'scheid. Zu was wärn mir denn sonst Nachbarn?«

»Nachbarn!« murmelte Marlene, als er gegangen war. »Gute Nachbarn, neugierige Nachbarn, mißgünstige Nachbarn, spionierende Nachbarn, Miststücke von Nachbarn …« Sie goß sich ein weiteres Glas Cognac ein.

Eduard Daxhuber schaltete den Fernseher ein. Es war zwei Uhr nachts. Um diese Zeit würde er sie finden und sehen. Vor ein paar Monaten, als er nicht schlafen konnte, war er ihr zufällig begegnet. Seitdem konnte er nicht mehr damit aufhören, nach ihr zu suchen. Gleichzeitig hatte er Angst, daß auch andere aus dem Ort sie erkennen könnten. Es gab Nächte, da drehte er seine Runden und sah in alle Fenster. War irgendwo noch Licht? Flimmerte in dem einen oder anderen Haus noch ein Fernseher?

Er war erst dann beruhigt, wenn es überall dunkel war.

Was war das für ein Schreck gewesen! Er hatte – irgendwann im Frühjahr – ahnungslos herumgezappt und war auf ihr Gesicht gestoßen. Sie hatte ihn verführerisch angelächelt und gehaucht: »Wähle Sex Null Sex.« Seine Corinna. Seine süße Tochter Corinna.

Mit Ottilie hatte er nicht darüber gesprochen. Die hätte sofort wieder einen ihrer Herzanfälle bekommen. Ausgerechnet ihnen mußte dieses Schicksal widerfahren. Er verstand es nicht. Aber jetzt begriff er, mit welchem Geld sie sich die teure Eigentumswohnung in München hatte kaufen können. Das also war aus ihr geworden!

Der junge Langrieger hatte ihm von Corinnas angeblich so toller Wohnung erzählt. Mit dem telefonierte sie manchmal. Nie mit ihren Eltern. Natürlich hatte Eduard die Dinge gleich klargestellt und behauptet: »De Wohnung hab ich ihr kauft. Wenn man spart, dann kommt man halt auch zu was.« Dabei hatte er genau gewußt, daß er niemals so viel Geld hätte sparen können, nicht in hundert Jahren. Aber er war sauber geblieben. Sie nicht!

Er ging in die Küche und suchte nach Schnaps. Diese wunderbaren alkoholischen Weltreisen mit seinen Freunden lagen schon so lange zurück. Seit einigen Jahren gab es nur noch Bier im Haus und den Rum für Ottilies Rumtopf. Er nahm die Rumflasche mit und ließ sich schwerfällig in seinen Fernsehsessel fallen.

Dann sah er sie. »Geilheit ohne Grenzen« und das g und das o und das g rutschten zusammen und bildeten die Zahl 606. Sie öffnete den Mund, fuhr sich mit der Zunge über die Lippen und streckte ihren Po in die Höhe. Ihre großen und vollen Brüste, für die sie sich immer geschämt hatte, bot sie ungeniert dem Kameramann und dem Rest der Welt dar. Eduard Daxhuber nahm einen kräftigen Schluck.

Wie hatte das passieren können! Sie hatten sich doch so viel Mühe mit dem Kind gegeben, ihm jeden Wunsch erfüllt.

Dunkel erinnerte er sich, wie er manchmal nach seinen alkoholischen Weltreisen bei Corinna im Bett gelandet war. Ottilie war zu betrunken gewesen, um ihn ins richtige Zimmer zu führen. Ottilie hatte versagt, und das frühreife und neugierige Gör hatte seinen hilflosen Zustand schamlos ausgenutzt und ihn zu Dingen verführt, die Blutsverwandte untereinander üblicherweise tunlichst unterlassen sollten. Er schämte sich so sehr für Corinna, daß es ihm unmöglich war, mit seiner Frau darüber zu sprechen und ihr dieses Versagen vorzuwerfen.

Erst nach einer Kanne Kaffee und mehreren Kopfschmerztabletten wurde ihr das Ausmaß der gestrigen Zerstörung klar. Marlene fragte sich, woher ihre Mutter, diese kleine und zierliche Person, die Kraft genommen hatte, um ein derartiges Chaos anzurichten. Am schlimmsten war, daß sie sich am Computer vergriffen und dadurch Marlenes Zugang zur Welt da draußen zerstört hatte. Sämtliche Kabel und Verbindungsleitungen waren um Tisch- und Stuhlbeine gewickelt, als wäre es darum gegangen, einen unüberwindbaren Zaun zu flechten. Marlene wußte nicht mehr, welches Kabel zu welchem Stecker gehörte und wie die einzelnen Geräte miteinander verbunden werden mußten. Sie setzte sich auf einen Sessel und weinte. Dann überprüfte sie in plötzlicher Panik ihren Rucksack. Hatte sie ihn gestern mitgenommen oder nicht? Ja, da war noch alles drin. Ihr Handy und die Dose mit Hunderten von kleinen beschrifteten Zetteln. Nachrichten an sich selbst, sorgfältig mit zwei Knicken gefaltet. Ein paar dieser Botschaften fielen auseinander, und die erste davon überflog sie mit ängstlichem Blick. *An seine eigene Schulter kann man sich nicht anlehnen.* Sie lächelte in sich hinein. Was für ein interessanter Satz. Sie öffnete die nächste Botschaft und las: *Dieser Hermann steigt mir nach, aber da ich meinen Weg nicht kenne, ist meine Führung ungeeignet.* Ein kalter Schrecken fuhr ihr durch die Glieder. Sie nahm die Notiz, ging mit ihr ins Bad, legte sie ins Waschbecken, suchte nach einem Streichholz und verbrannte sie. Ihre Hände zitterten. Niemals dürfte jemand den Rucksack finden – es sei denn, sie schaffte es, alle Zettel einer strengen Zensur zu unterziehen.

Franziska hatte keinen Zweifel mehr. Cynthia March, alias Perdita Bachmeier, war die Hauptverdächtige im Fall Brunner. Sie mußte es gewesen sein. Sie oder ihr Mann. Das Befriedigende daran war für Franziska, daß sie weder Mitleid mit der Täterin noch Verständnis für sie empfand. Zudem würde sie diesen Fall alleine lösen. Da konnte Bruno noch so lange im Computer des Toten suchen. Er würde nichts finden. War Hermann Brunner wirklich in Perdita verliebt gewesen, so hatte er dieses Geheimnis ganz für sich bewahrt und nicht einmal seinem Computer anvertraut. Er schien zu jenen Menschen gehört zu haben, die glauben, etwas zu verlieren, wenn sie es mit anderen teilen. Vermutlich hatte er nie lernen dürfen, daß Gefühle eine andere Qualität haben als beispielsweise Schokolade. Eine mit anderen geteilte Schokolade wurde tatsächlich weniger; geteilte Empfindungen dagegen gewannen an Kraft. Nur, von wem hätte er es lernen sollen? Von seiner verstörten Mutter, von seinem hilflosen Vater?

Sie rief ihre Dienstnummer an, aber es meldete sich niemand mehr. Mit einem Blick auf die Uhr stellte sie fest, daß es schon weit nach elf war. Vermutlich saß Bruno immer noch mit diesem Pichlmeier beim Essen. Die beiden Herren würden sich gegenseitig mit ihren Heldentaten brüsten und diese nach Kräften feiern. Inzwischen hatte sie, sie ganz allein, dank ihrer Intuition den Fall gelöst. Dieser Gedanke stimmte sie sanftmütig und zufrieden.

Aus dem Arbeitszimmer ihres Mannes klang beruhigendes Tastengeklapper. In der ersten Phase seiner Übersetzungsarbeit, solange er die Rohfassung erstellte, ging ihm die Arbeit flott von der Hand. Erst in der zweiten und dritten Phase, wenn die Detailfragen geklärt werden mußten und er an seinem sprachlichen Schliff arbeitete, kamen die Ungeduld und die Selbstzweifel.

Bei ihr war es genau umgekehrt. Jede Aufklärung einer Straftat begann mit Selbstzweifeln und Ungeduld. Das Gefühl der Zufriedenheit stellte sich immer erst dann ein, wenn sie eine klare Spur gefunden hatte und es eigentlich nur noch darum ging, die Beweise zusammenzutragen. Dieser Punkt war jetzt erreicht. Morgen würde sie den Fall Brunner abschließen.

Am nächsten Tag stürmte Franziska wie ein Wirbelwind in ihr Büro und hielt triumphierend ein Blatt Papier in die Höhe. Bruno Kleinschmidt und Ludwig Pichlmeier blickten sie irritiert an. »Das ist der Schlüssel«, sagte Franziska.

»Was denn für ein Schlüssel?«

»Der Schlüssel zur Lösung des Falles Hermann Brunner.«

»Soll das heißen, daß Sie die Identität von der Margarita jetzt kennen?«

»Genau.« Franziska bluffte. »Margarita heißt in Wirklichkeit Cynthia March, alias Perdita Bachmeier. Sie kommt aus New York und ist nach dem Attentat vom 11. September untergetaucht.«

»Sauber.« Bruno Kleinschmidt starrte sie mit offenem Mund an. »Wie ham S' denn das jetzt nachad rauskriegt?«

»Ich habe es gestern rausgekriegt, während Sie mit Ihrem Kollegen essen waren, anstatt für mich zu recherchieren.«

Die beiden Männer sahen sich an und wurden rot.

»Sie brauchen nicht mehr in die Amtsregister reinzugehen. Hier ist der Beweis.« Franziska zeigte ihnen das aus dem Internet herauskopierte Schwarzweißfoto. »Was sagen Sie dazu?«

»Wer hätt denn so was von der denkt?«

»Und wie soll's dann jetzt weitergehn?« Ludwig Pichlmeier sah sie fragend an.

»Ganz einfach. Jetzt nehmen wir sie fest.«

»Aber daß die aus Amerika kommt und am 11. September im World Trade Center war, muß doch noch lang ned unbedingt heiß'n, daß die auch den Brunner umbracht hat …?« gab Bruno Kleinschmidt zweifelnd zu bedenken.

»Sie hat ihn umgebracht, weil er eine Existenzbedrohung für sie darstellte. Er hat alles über sie herausgefunden. Das war der Grund.«

»Also ich weiß ned so recht, Chefin ... Sollt'n mir das nicht am End sicherheitshalber auch irgendwie beweisen können müssen?«

»Ich weiß es, Kleinschmidt, und ich werde es auch beweisen! Denken Sie doch nicht immer so schablonenhaft kleinkariert! Wir fahren jetzt sofort nach Kleinöd!«

Es war verrückt, aber er konnte es nicht länger aushalten. Er mußte sie anrufen. So mußte es Süchtigen gehen, die nach ihrer Droge gierten. Er gierte nach ihrer Stimme. Ihre Handynummer kannte er schon auswendig. Eine elfstellige Nummer, eine Melodie mit elf Tönen.

In der Gerichtsmedizin war so gut wie nichts zu tun. Dr. Röder hatte sich einen Tag freigenommen. Das Labor hatte einige Gewebeproben in seinen Keller gebracht, die er analysieren sollte. Wenn er durch das Mikroskop sah, tanzten die Zahlen ihrer Handynummer vor seiner Linse und bildeten einen lieblichen Reigen. Er schalt sich selbst einen Dummkopf und rief sich zur Ordnung. Morgen würde er sie anrufen. Bis morgen mußte er aushalten. Wenn er es bis morgen aushielt, würde alles gut werden.

Wenn er es bis morgen aushielt, würde er es auch schaffen, seine Doktorarbeit zu Ende zu schreiben und diesen Keller zu verlassen. Er würde ein richtiger Arzt werden. Er würde kein Leichenfledderer mehr sein. Ein Hals-Nasen-Ohren-Arzt, das kam immer gut, oder ein Orthopäde – auf jeden Fall aber auch ein Allgemeinmediziner mit einer Praxis auf dem Land. Dort würde er mit ihr leben, mit Marlene. Er mußte nur bis morgen warten können. Er hoffte, daß er das schaffen würde. Wenn er das schaffte, würde ihm auch alles andere gelingen.

Sie hatte die Handschellen eingepackt. Der Stahl fühlte sich kalt an. So kalt wie ihre Wut. »Cynthia March, ich kriege dich«, murmelte sie, während sie zu Bruno Kleinschmidt in den Polizeiwagen stieg.

»Sollt'n mir ned mit Blaulicht fahrn, Chefin?« Er wirkte irgendwie überdreht, wie jemand, der schwer verliebt ist und den heißer Sex nächtelang wach gehalten hat.

»Muß nicht sein, die läuft uns schon nicht weg.«

»Aber vielleicht sollt'n mir den Schmiedinger dazuhol'n? Zur Verstärkung?«

»Quatsch.«

Die Nachricht, daß die Katzenzüchterin am Vormittag verhaftet und in einem Polizeiwagen nach Landau gebracht worden war, verbreitete sich im Dorf wie ein Lauffeuer. Niemand konnte es fassen, alle schüttelten den Kopf, und sogar Marlene, die zwischen Tisch- und Stuhlbeinen kniete und verknotete Kabel aufdröselte, sah Eduard Daxhuber entgeistert an und murmelte: »Das kann nicht sein, sie hat sicher nichts damit zu tun. Die doch nicht.«

»Ja mei, man kann halt nun einmal ned in die Leut einischaun«, gab Eduard Daxhuber als Lebensweisheit von sich und eilte zum nächsten Haus. Ein Überbringer von Schreckensbotschaften in Siegerpose.

Marlene hatte die Mutter an diesem Vormittag noch nicht gesehen. Es hätte ja auch keinen Sinn gehabt, sich mit ihr über die Neuigkeit auszutauschen, daß Perdita Bachmeier verhaftet worden war. Lydia Blumentritt hätte nichts verstanden und bestenfalls ebenso freundlich wie hilflos genickt. Dazu bestünde die Gefahr, daß ein falsches Wort bei ihr die schrecklichsten Dinge heraufbeschwor. Welche Gefahrenquelle steckte allein in dem Wort »verhaftet«!

Marlene hatte nie herausgefunden, woher die Angst der Mutter vor Wärterinnen und Gefängniszellen kam. Als Lydias Erinnerung noch funktionierte, hatte sie alles, was mit ihrer Kindheit und dem Krieg zu tun hatte, mit Bemerkungen abgetan wie: »Laßt uns im Hier und Jetzt leben.« Der Vater hatte ebenfalls geschwiegen. Eine ganze Generation von überlebenden Kriegskindern hatte geschwiegen. Marlene hätte besser nachfragen sollen. Das machte sie sich zum Vorwurf. Auch zu diesem Thema gab es Dutzende von Zetteln in ihrem Rucksack.

Seufzend fegte sie die Scherben zusammen. Das gute Porzellan war zu Bruch gegangen. Am Jahrestag ihrer Geburt. Heute schlief die Mutter. Möglicherweise wirkten die Pillen doch, wenn auch mit Verspätung. Falls Gustav Wiener sich jemals wieder bei ihr melden sollte, würde sie ihn danach fragen. Sie beschriftete einen Notizzettel und steckte ihn in ihren Rucksack.

Perdita Bachmeier hatte sich widerstandslos abführen lassen. Blaß, mit großen Augen und ohne sich von ihren Katzen zu verabschieden. Sie trug eine dunkelrote Chintzhose und einen schwarzen Pullover. Mit einem Mal behauptete sie, Deutsch weder zu verstehen noch zu sprechen. Sie verlangte nach einem Dolmetscher und nach ihrem Mann. Vor allem nach ihrem Mann.

Franz Bachmeier kam in Begleitung eines Anwalts. Alles, was Franziska gegen Perdita Bachmeier vorbringe, sei aus der Luft gegriffen.

Bruno präsentierte das Internet-Foto von Cynthia March.

»Eine zufällige Ähnlichkeit«, behaupteten Anwalt und Ehemann zugleich, während die Beschuldigte schwieg.

»Kennen Sie die Firma Cantor & Robinson?« wollte Franziska wissen.

Perdita Bachmeier verneinte. Aber Franziska entdeckte in ihren Augen ein kurzes und plötzliches Erschrecken, für den Bruchteil einer Sekunde hatten sich die Pupillen der schönen Exotin geweitet.

Am Abend der Tat seien die beiden nicht auf dem Volksfest gewesen, erklärte der Anwalt. Adolf Schmiedinger habe da durchaus richtig recherchiert. Sie hätten auf einer Landwirtschaftsausstellung in der nächsten Kreisstadt ihre Katzen vorgeführt. Dafür gebe es genug Zeugen – allen voran das Ehepaar, das an diesem Abend bei den Bachmeiers eine noch zu zeugende Perserkatze bestellt habe.

»Namen, Adressen und Telefonnummern stehen in unserem Auftragsbuch verzeichnet«, fügte Franz Bachmeier hinzu und forderte mit befehlsgewohnter Stimme: »Sie geb'n jetzt meine Frau wieder frei, und dann vergess'n mir das Ganze. Ansonsten werd ich mich beim Gericht beschweren müss'n.«

Meine Güte, dachte Franziska. Der haut ja ganz schön auf den Putz!

»Gut, nehmen wir einmal an, Sie hätten tatsächlich ein Alibi, das von einigen Leuten bestätigt wird. Ich würde dennoch die Fingerabdrücke ihrer Frau ans FBI schicken. Unsere Kollegen in Amerika haben uns bei der Suche nach Vermißten um Mithilfe gebeten. Sie müssen doch zugeben, daß Ihre Frau Cynthia March ausgesprochen, wenn nicht sogar außergewöhnlich ähnlich sieht? Es wird also nur Ihrer und unserer Beruhigung dienen, falls sich die Fingerabdrücke Ihrer Frau als nicht identisch mit denjenigen der vermißten Person erweisen sollten. Ich wäre im übrigen auch nicht eher bereit, den Vorwurf des Betrugs zurückzunehmen.«

»Und was ist mit der Mordanklage?« wollte der Anwalt der Bachmeiers wissen.

»Darüber sprechen wir noch mal, wenn wir die Zeugen von der Landwirtschaftsausstellung tatsächlich gehört haben.«

»Sie haben nichts gegen sie in der Hand. Definitiv absolut nichts!« sagte der Anwalt. »Wenn Sie meine Mandantin auch nur noch eine Minute länger festhalten, wird das ein Nachspiel haben.«

»Wir haben den begründeten Verdacht, daß Frau Bachmeier in unmittelbarem zeitlichem Zusammenhang mit der Tat Hermann Brunner getroffen hat. Sie ist eine wichtige

Zeugin. Möglicherweise weiß sie mehr über den Mord, als sie zuzugeben bereit ist. Zudem spricht alles dafür, daß Frau Bachmeier nicht Perdita Bachmeier ist, sondern Cynthia March, Angestellte der Brokerfirma Cantor & Robinson, zuletzt gesehen am 11. September 2001 im 27. Stockwerk des rechten World-Trade-Center-Gebäudes.«

»Ich hab noch nie einen solchen Schwachsinn ned g'hört«, regte Franz Bachmeier sich auf. »Mir fahrn jetzt heim.«

»Wir nehmen erst die Fingerabdrücke«, widersprach Franziska und gab Bruno Kleinschmidt ein Zeichen. »Und dann fahren wir gemeinsam mit Ihnen raus und rufen von Ihrem Haus aus die zukünftigen Katzeneltern an, um uns das Alibi Ihrer Frau bestätigen zu lassen.«

Franz Bachmeier wollte aufbrausen, aber der Anwalt legte ihm eine Hand auf den Unterarm. »Lassen Sie's. Hauptsache, Ihre Frau ist heute abend wieder daheim. Alles andere können wir dann später klären.«

Vierzehntes Kapitel

Als sie das Haus der Bachmeiers verließen, verspürte Franziska ein schmerzhaftes Ziehen in der Magengrube.

Die Katzeneltern hatten das Alibi der Bachmeiers telefonisch kurz bestätigt, und die Veranstalter der Katzenausstellung hatten versprochen, ein Videoband zu schicken, auf dem alle Besucher dokumentiert seien. Es hatte keine andere Möglichkeit gegeben, als Perdita Bachmeier laufen zu lassen.

Drehte sich denn das ganze Leben im Kreis? Mußte sich alles immer wiederholen? Sie wollte das Drama nicht noch einmal erleben. Nicht ihre besessene Suche nach Beweisen, nicht die Gespräche mit dem so hilflos wirkenden Polizeipsychologen, nicht die Streitereien mit ihrem Mann und schon gar nicht eine erneute Strafversetzung.

In dieser Sekunde sehnte sie sich nach ihrer Wohnung, nach den großen und lichtdurchfluteten Räumen. Nach dem Kater Schiely, der es wie kein anderer verstand, elegant über das Parkett zu schreiten. Nach Christians Bibliothek, in der Unmengen von Büchern standen, die sie immer noch nicht gelesen hatte. Nach dem kleinen Freundeskreis, den sie sich inzwischen aufgebaut hatten. Nein, bloß nicht schon wieder umziehen. Sie konnte die Katastrophe nur verhindern, wenn sie sachlich blieb. Kühl, sachlich und pragmatisch. Das war ihr einzige Chance.

Bruno stieg in den Wagen, öffnete die Beifahrertür, startete schweigend den Motor und fuhr los, kaum daß Franziska zugestiegen war. Gebannt blickte er auf die Straße und bemühte sich darum, den Pfützen auszuweichen, als sei es gerade jetzt besonders wichtig, das Auto sauberzuhalten.

Der Regen hatte nachgelassen. Franziska rauchte eine Zigarette nach der anderen. Bruno wandte sich ihr zu.

»Hätt'n S' ned für mich auch eine Zigarett'n?«

»Ich dachte, Sie rauchen nicht.«

»Heut schon.«

Er paffte und hustete. Franziska grinste. Das kann er also auch nicht, dachte sie und merkte, wie sie sich entspannte. Sie lehnte sich zurück. Die Abendsonne kam aus ein paar Wolken hervor und präsentierte die dörfliche Landschaft im besten Fotografierlicht.

»Mir ham die E-Mails ausdruckt«, sagte Bruno dann.

»Was für E-Mails?« Franziska wußte nicht, wovon er sprach.

»Die E-Mails, die der Brunner an seine Braut g'schrieb'n hat. An seine Margarita. Er hat alles g'speichert g'habt. Kaum zum glaub'n ned, alles feinsäuberlich g'ordnet, g'speichert und mit Kommentare versehn. Faszinierend. Man möcht gar ned glaub'n, daß der nur ein einfacher Bauer war. An dem ist ein Stadtkämmerer verlorn gangen oder ein Oberbuchhalter. Ein so ein ganz akkurater, wie der war.«

»Wissen Sie denn inzwischen, ob er die Briefe überhaupt abgeschickt hat?« fragte Franziska.

»Mir ham zu dem Server Verbindung aufg'nommen. Die lass'n uns eine Liste aller E-Mails zukommen, die was der Brunner in die letzten zwei Monate verschickt beziehungsweise kriegt g'habt hat.«

»Und wie?«

»Per E-Mail, versteht sich.«

»Und wann?«

»Spätestens morgen.«

Franziska legte die rechte Hand auf den Stapel Papier, den Ludwig Pichlmeier und Bruno Kleinschmidt auf ihrem Schreibtisch ausgebreitet hatten.

»Das soll ich alles lesen? Das sind ja bestimmt 500 Seiten!«

»Gut g'schätzt.« Pichlmeier grinste. »Exakt 527 Seiten. Der Kerl hat einen jeden einzelnen Brief mit einer Nummer verseh'n. Brief Nummer eins ist am neunundzwanzigst'n März des Jahres g'schrieb'n worden. An manchen Tagen, oder, besser g'sagt, in manchen Nächten hat der fünf bis zehn Briefe g'schrieb'n.«

»Wir wissen aber nicht, ob sie ihm jemals geantwortet hat?«

»So sehn mir das im Prinzip auch.« Bruno nickte. »Jedenfalls, was den Schriftverkehr angeht. Aber aus den Anmerkungen in seinen Briefen geht ganz klar hervor, daß sie ihm persönlich begegnet sein muss. Eine Zeitlang muß der die sogar fast jeden Tag g'sehn g'habt ham.«

»Was? Und das sagen Sie mir erst jetzt?!«

»Das wollt ich Ihnen heut früh schon die ganze Zeit erzähl'n, aber Sie ham ja nur noch ein Interesse an der Perdita Bachmeier g'habt.«

»Die kriegen wir auch noch.«

»Frau Hausmann, da verrennen S' Ihnen in was. Glauben S' mir halt auch einmal was: des Rätsels Lösung ist in denen Briefen versteckt.«

»So ist's!« Ludwig Pichlmeier pflichtete ihm bei. »In denen 527 Seitn da.«

»Ach ja? Und sicher haben Sie auch schon eine Ahnung, wo und wie genau ich danach suchen soll?«

»Es ist in einer Tour die Rede von and're Personen aus dem Ort. Ich mein, daß mir alle namentlich erwähnten Leut als Empfänger ausschließ'n könnten und sollten.«

»Meinen Sie nicht, daß wir den Empfänger auch ohne Probleme über den Server herauskriegen?«

»Er könnt ja auch einen Decknamen ham. Empfänger müssen ja ned unbedingt unter ihre richtigen Namen E-Mail-Adressen eing'richt ham. Nehmen mir nur zum Beispiel einmal an, die E-Mails tät'n an eine Adress gehen, die ›Persil_bleibt_Persil@t-online.de‹ heiß'n tät. Dann könnten mir freilich an Persil schreib'n, und Persil könnt uns auch antwort'n, aber mir wüßten desweg'n noch lang ned, wer eigentlich dahintersteckt.« Ludwig Pichlmeier klang belehrend.

Franziska sah ihn so lange an, bis er ein wenig rot wurde. »Das sind ja wirklich bahnbrechende Erkenntnisse. Für wie blöd haltet ihr zwei mich eigentlich?« Für ein paar Augenblicke herrschte betretenes Schweigen. Sie beschloß, sachlich zu bleiben. »Haben Sie denn die Briefe schon gelesen, Herr Pichlmeier?«

»Teilweise.«

»Und ist Ihnen irgend etwas dabei aus welchen Gründen auch immer aufgefallen? Es sind ja vor allem Sie und Herr Schmiedinger, die sich in dem Ort genauestens auskennen. Oder ist Ihnen irgend etwas bei der Lektüre besonders vertraut vorgekommen?«

Der junge Polizist schüttelte den Kopf und warf Bruno einen fragenden Blick zu. Franziska hatte sich schon wieder eine Zigarette angesteckt und bot auch Bruno eine an. Der schüttelte den Kopf.

»Dankschön, aber eine im Jahr langt mir leicht.«

»Also, heraus mit der Sprache.«

»Die Pfarrgass'n wird immer wieder mal erwähnt. Ich schätz, da hat der seine Margarita troff'n, womöglich wohnt's gleich dort irgendwo.«

»Pfarrgasse?«

»Das ist der kleine Fußweg, quasi die Abkürzung von der Hauptstraße zum Blauen Vogel.«

Franziska dachte nach. »Da ist doch auch der Briefkasten des Ortes?«

»So ist's.« Ludwig Pichlmeier nickte. »Da, wo die Ascher und der Moll wohnen.«

»Die Sieger«, stellte Franziska fest. »Die Sieger, die mit Erpresserbriefen bombardiert werden – und zwar unter anderem mit nötigenden Nachrichten von unserem sauberen Herrn Bachmeier.«

»Chefin, tät'n Sie die Bachmeiers ned vielleicht für ein paar Minut'n einfach einmal aus dem Spiel lass'n mög'n?«

»Sie haben ja recht, aber es fällt mir schwer. Was ist denn eigentlich mit dieser achtzehnjährigen Tochter von Herrn Moll? Natalie heißt sie, glaube ich. Wer hat die eigentlich überprüft?«

»Der Adolf. Die war tatsächlich in der Disco. Und zwar mit einem verheiratet'n Mann. War gar ned leicht für'n Adolf, bis daß der das aus ihr rauskitzelt g'habt hat. Der ›Dschigolo‹ wollt sich dann auch ned so recht an seinen Seit'nsprung nicht erinnern. Aber am End hat er es zugeben müss'n, weil der Adolf so schlau war und einfach behauptet hat, daß mir die Kleine sonst einbucht'n müßt'n.«

»Und denkt der Kollege Schmiedinger, daß man dem Alibi Glauben schenken kann?«

»Ja, auf jed'n Fall, der kennt ja den Mann.«

»Auch einer aus Kleinöd?«

»Aus der Neubausiedlung.«

»Moment mal, da kommt mir gerade ein Gedanke. Sie erinnern sich doch an den Briefträger?«

Bruno nickte.

»Dressler, wenn ich mich nicht täusche. Ingo Dressler. Der hatte doch ausgesagt, daß in den letzten Monaten oft leere und unbeschriftete Briefkuverts im Kasten gewesen wären. Die er angeblich weggeworfen hätte. Ich habe doch daraufhin diese Mülltonne beschlagnahmt. «

»Das stimmt, da kann ich mich noch gut dran erinnern«, warf Pichlmeier ein. »Der war damals sogar bei uns auf der Dienststelle desweg'n. Anzeige wollt der sogar erstatt'n, Anzeige gegen unbekannt weg'n Sachbeschädigung. Das hat ihm allerdings der Adolf erfolgreich wieder ausg'red't.«

»Na bitte, lassen Sie mich meine Idee weiter verfolgen. Stellen wir uns doch einmal vor, Hermann Brunner benutzt seinen Gang zum Briefkasten, um Margarita zu sehen. Jetzt hat er nicht jeden Tag einen Brief, zumal er ihr die eigentlichen Botschaften ja elektronisch zukommen läßt. Aber er will nicht mit leeren Händen ins Dorf gehen; was denken da die Nachbarn? Herr Pichlmeier, haben Sie ihn eigentlich gekannt?«

»Flüchtig. Eher nur so vom Sehn.«

»Trauen Sie ihm das zu? Diese Angst vor der Meinung anderer?«

Ludwig Pichlmeier nickte. »Durchaus.«

»Also, Hermann Brunner wirft einen unbeschrifteten Umschlag in den Kasten und hat für die Öffentlichkeit einen wichtigen Gang ins Dorf gemacht, für sich selbst aber erhofft, seine geheimnisvolle Margarita zu sehen.«

»Demnach bräucht'n mir uns ja bloß noch überleg'n, welche Fraun mit Computer und Internet in der Nähe der Pfarrgass'n wohnen oder deren Häuser zumindest auf dem Weg von den Brunners zum Briefkasten liegen«, stellte Bruno fest. »Sollt uns ja ned allzu schwerfall'n.«

»Herr Pichlmeier, stellen Sie sich vor, Sie gehen vom Brunnerbauer bis nach Kleinöd zum Briefkasten. An welchen Häusern mit welchen Frauen kommen Sie da vorbei?«

Ludwig Pichlmeier sah nach oben und suchte in seinem Gedächtnis.

»Moment, mir ham ja auch noch den Grundbuchauszug.« Bruno Kleinschmidt kam ihm zu Hilfe und holte den Lageplan, in den schon die Bewohner der einzelnen Häuser eingetragen waren.

»Das kommt jetzt drauf an, wie rum daß der geht. Entweder geht er beim Blauen Vogel vorbei, nachad wär'n das eigentlich bloß die Ascher Lena, die Schachner Theres, die Moll Natalie und die Binder Ilse. Nimmt er aber den andern Weg, dann hätt'n mir da zuerst die Schmiedinger Erna, dann die Bachmeier Perdita, die Waldmoser Elisabeth, die Rücker Charlotte, die Daxhuber Ottilie, die Langrieger Luise, die Langrieger Maria, die Blumentritt Lydia und die Blumentritt Marlene, die Binder Ilse und noch einmal die Ascher Lena und die Moll Natalie.«

»Da haben wir ja ziemlich viele, die in Frage kommen. Andererseits, wenn wir diejenigen außer acht lassen, die entweder verheiratet oder zu alt für den jungen Brunner sind, dann bleiben eigentlich nur Natalie Moll, Perdita Bachmeier, Maria Langrieger und Marlene Blumentritt übrig.«

»Tät ich auch fast sag'n.« Bruno nickte. »Und aus die ganz'n Briefe müßt'n sich doch eigentlich noch g'nug Anhaltspunkte ergeb'n, so daß mir eine nach der andern von denen Damen ausschließ'n können müßt'n, bis bloß noch unser Margarita überbleibt.«

»Sie meinen damit wohl praktisch, daß ich diesen ganzen Packen da lesen muß?«

»Chefin, Sie ham g'wiß den richtig'n Riecher und fischen genau die raus, die was uns weiterhelf'n!«

Franziska lächelte gequält. »Mal sehen, wie weit ich dabei komme.«

Sie packte die Briefe in eine Plastiktüte und nahm sie mit heim. Auf dem Sofa liegend stapelte sie die ausgedruckten Seiten in kleinen Päckchen auf; der Kater Schiely hatte es sich in ihrer Kniebeuge gemütlich gemacht und schnurrte laut. Aus dem Nebenzimmer drang das beruhigende Tastengeklapper ihres Mannes, der voller Elan sein Buch über Computercodes übersetzte. Sie fühlte sich geborgen und aufgehoben mit der Wolldecke an den Füßen, der Stehlampe hinter ihrem Kopf und der Kanne Tee auf dem Couchtisch.

In der Wohnung von Hermann Brunner hatte es keine so gemütliche Ecke gegeben, keinen Winkel, in dem sie, Franziska, sich hätte heimisch fühlen können. Alles dort schien auf jene Margarita zu warten, für die Hermann Brunner in seinen vier Wänden eine Art Gerüst geschaffen hatte, das sie mit Leben und Farben füllen sollte. Ob sie dieses auf sie und das eigentliche Leben wartende Modell in seiner tristen Vorläufigkeit je gesehen hatte?

Franziska fürchtete sich davor, mit dem Lesen zu beginnen.

Vor ihr tat sich eine Welt aus Einsamkeit und Sehnsucht auf. Den Namen Margarita hatte Hermann Brunner erfunden. Hilflos darum bemüht, die richtigen Worte zu finden, hatte er dem Mittelpunkt seines Wunschtraumes in Erinnerung zu bringen versucht, wo und wie sie sich zum ersten Mal begegnet waren. In Kleinöd in der Pfarrgasse. Es war am 29. März gewesen, und überwältigt von dieser Erscheinung hatte er gleich damit begonnen, den ersten seiner Briefe zu formulieren.

»Darf ich mich vorstellen«, hatte er geschrieben. »Wir haben uns heute flüchtig gegrüßt. Wir standen beide am Briefkasten und haben Post eingeworfen. Ich heiße Hermann. Ich habe eine Jeans und ein weißblau kariertes Hemd angehabt. Es war nicht gebügelt. Das tut mir leid. Sie trugen auch eine Jeans und einen schwarzen Pullover. Schwarz steht Ihnen gut. Es passt zu Ihrer hellen Haut. Und ich denke an Sie und stelle mir vor, daß Sie Margarita heißen. Dieser Name würde auch zu Ihnen passen. Darf ich Sie so nennen? Schade, daß Sie mir keine Antwort geben. Wenn wir uns wieder begegnen, werde ich Sie fragen. Nach Ihrem Namen und nach Ihrer Adresse.«

»Liebe Margarita«, so begann der zweite Brief, der genau einen Tag später geschrieben worden war. »Ich hatte heute einen schwierigen Tag und eine Auseinandersetzung mit meinen Eltern. Der Vater will, daß ich mir die Wohnung einrichte, aber seit gestern weiß ich, daß es noch zu früh dafür ist. Mein Kater hat sich im Kampf um eine Katze ein Ohr aufreißen lassen. Ich habe ihn mit Jod behandelt. Er miaute fürchterlich. Mögen Sie Katzen? Ich liebe meinen Kater. Es ist ein Kampfkater. Er ist sehr mutig.«

Am 4. April schrieb er: »Margarita, was für ein Glück. Ich habe Sie gesehen, wir haben uns gesprochen, und ich darf Sie Margarita nennen. Das kann doch kein Zufall sein, daß ich heute in der Nähe Ihres Gartens zu tun hatte und Sie plötzlich entdeckte, inmitten der Forsythien, umgeben von einem gelben Leuchten. Gelb steht Ihnen auch sehr gut. Vielleicht war es ungeschickt, mich heranzupirschen, und es tut mir leid, wenn ich Sie erschreckt habe. Ich bin sonst nicht so. Wirklich nicht. Morgen sehen wir uns wieder, und darauf freue ich mich.«

»Margarita«, hatte er am 5. April geschrieben. »Sie sahen heute so traurig aus. Was ist geschehen? Kann ich Sie trösten? Als ich Sie fragte, ob ich Ihnen schreiben darf, gaben Sie mir zur Antwort, daß Ihnen E-Mails lieber wären. Ich habe Ihre elektronische Adresse auswendiggelernt. Den ganzen Heimweg habe ich sie mir aufgesagt. Ich werde sie niemals vergessen. Ich werde sie nicht auf dem Computer speichern, sondern in meinem Gedächtnis. Sie gehört nur mir.«

Und von da an hatte er ihr ständig und ohne Unterlaß geschrieben. War mit ihr in einen einsamen und einseitigen Dialog getreten, hatte auf Antworten gehofft und auf Zeichen, aber aus all seinen Briefen ging hervor, daß sie ihm wohl nicht zurückgeschrieben hatte. Er wußte nicht einmal, ob sie all seine Nachrichten bekam. Dennoch schrieb er weiter, teilte ihr seinen Tagesablauf mit, seine leeren Wochenenden mit dem mürrischen Vater und der schweigsamen Mutter. Seine Hoffnungen, seine Wünsche, seine Erwartungen an das Leben.

Am 19. Mai hatte er sich glücklich an seinen Schreibtisch gesetzt. Glücklich, weil er sie gesehen und »Margarita« gerufen hatte. Sie hatte sich ihm zugewandt. Ja, sie las seine Briefe, hatte sie ihm gestanden. Er fand es schade, daß sie keine Zeit hatte, ihm zu antworten. Er fand es schade, daß sie keine Zeit hatte, um mit ihm auszugehen. Er fand es wunderbar zu wissen, wo sie lebte.

Sie war sein Tagebuch. Wenn er sie gesehen hatte, beschrieb er, was sie trug, welchen Eindruck sie auf ihn machte. Sie war zum Mittelpunkt seiner Welt geworden.

Er gestand ihr, daß er nach Vorwänden suchte, um sie sehen zu können. Er gestand ihr, daß er sich die Katzenzucht von Frau Bachmeier angesehen hatte, »weil ich mein Auto am Blauen Vogel parken und dann zu Fuß an Ihrem Haus vorbeigehen konnte. Leider habe ich Sie nicht gesehen.«

»Dem Vater fällt auf, daß ich fast jeden Tag nach Kleinöd runterfahre. Er will es mir verbieten«, schrieb er am 24. Mai. »Aber ich kann nicht anders, ich kann nicht leben ohne Sie. Der Vater meint, ich würde mich vor der Arbeit drücken. Um wieviel besser aber läuft die Arbeit, wenn ich Sie gesehen habe. Sie sind mein Glück. Wenn Sie doch nur einmal antworten würden!«

»Vielleicht können Sie nicht schreiben, vielleicht wird jemand wach von dem Tastaturgeklapper«, vermutete er am 30. Mai. »Ich habe meine eigene Wohnung. Wenn ich raufgehe, sind nur Sie und ich in meinen vier Wänden. Manchmal denke ich, daß Sie in meinem Computer wohnen. Nein, lachen Sie nicht. Computer haben sicher auch eine Seele. In meine eigene leere Wohnung zu gehen, in der nur der Computer steht – das ist ein bißchen so, als würde ich zu Ihnen gehen. Darauf freue ich mich den ganzen Tag.«

Was für ein Gefühl muß es sein, solche Briefe zu bekommen, und das fast täglich? fragte sich Franziska. Wenn es Briefe sind von jemandem, den man liebt, findet man das sicher wunderbar. Was aber ist, wenn man von dem Briefschreiber nichts wissen will? Wer immer Margarita sein mochte, sie hatte weder Interesse an Hermann Brunner gehabt noch den Mut, es ihm zu sagen. Sie hatte ihn hingehalten, ihn sich in seine Hoffnungen verrennen lassen. Das war feige gewesen.

»Heute ist mir Frau Rücker über den Weg gelaufen«, schrieb Hermann Brunner am 1. Juni. »Sie wollte wissen, warum ich beinahe täglich nach Kleinöd komme, ob ich hier etwa eine Hoffiliale eröffnen will. Ich bin rot geworden. Ist das nicht komisch? Als müsse ich mich vor ihr rechtfertigen. Später habe ich gedacht, ich hätte antworten müssen: ›Um meine Liebste zu sehen‹, aber wer weiß, was dann wieder für Gerüchte durch das Dorf gegangen wären. Geschwätz, das vielleicht sogar meinen Vater erreichen könnte. Ich möchte niemals eine Ehe wie die meiner Eltern führen.«

»Sie hat es diesem Daxhuber erzählt. Er hat mich angesprochen und damit aufgezogen. Wie finden Sie das? Die Rückert hat ihm gesagt, ich sei rot geworden, als sie mich gefragt hat«, gestand er ihr ein paar Stunden später. »Es ist mir unangenehm, aber ich kann nicht anders. Ich brauche jeden Tag die Chance, Sie zu sehen. Selbst wenn meine Gänge ins Dorf an vielen Tagen mit einer Enttäuschung enden.«

»Sie sind mit dem Auto an mir vorbeigefahren, und Sie haben mich nicht gegrüßt«, warf er ihr ein paar Tage später vor. »Das hat mich enttäuscht. Margarita, Sie sind eine flotte Autofahrerin. Wie alle flotten Autofahrer haben Sie keine Zeit, um nach links und rechts zu schauen. Jemand saß neben Ihnen, aber ich habe nicht gesehen, wer das war.«

»Dies ist ein einsames Wochenende«, hatte er ihr am letzten Junisonntag geschrieben. »Die Eltern sind weggefahren, das Heu liegt zum Trocknen auf der Wiese. Die Kühe sind versorgt, alle Hühnereier eingesammelt, und ich muß die ganze Zeit an Sie denken. Wie schön es wäre, wenn Sie hier wären. Ich würde Ihnen das Haus zeigen, den Hof und die jungen Katzen. Es ist so still. Gespenstisch still. Im Kühlhaus habe ich mit Ihnen geredet und mich dabei ein wenig lächerlich gefühlt. Obwohl Sie mir keine Antwort gaben, war es dort während dieser halben Stunde nicht so kalt wie sonst. Was Sie wohl machen an diesem Tag? Vielleicht sitzen Sie im Garten und denken an mich. Wenn ich mir das vorstelle, werde ich ganz glücklich. Ich bin nicht so oft glücklich. Und Sie? Wenn Sie hier wären, wäre die Stille nicht so laut, und Ihre Stimme hätte ganz viel Platz. Was für einen Quatsch ich da schreibe. Aber warum soll ich nicht auch mal Quatsch schreiben dürfen? Andere reden immer Quatsch. Bei Ihnen stelle ich mir vor, daß Sie nur kluge Dinge reden. Nicht so wie diese Natalie Moll, mit der ich mich früher auch ab und zu mal unterhalten habe. Sie hat nichts als Disco-Musik und Abnehmen im Kopf. Immer wollte sie von mir hören, daß sie nicht zu dick ist. Ich habe es ihr gesagt, weil sie dann lächelte. Aber auch, weil ich sie nicht wirklich zu dick finde. Ein bißchen Babyspeck, mehr nicht. Aber sie ist langweilig. Es ist so schön, angelächelt zu werden. Sie können lächeln. Das ist eine Kunst. Ist Ihnen schon mal aufgefallen, daß Frau Bachmeier nie lächelt? Sie lacht laut und abgehackt. Es tut fast weh, dieses Lachen. Danach ist sie wieder ernst und verschlossen. So ein stilles und freundliches Lächeln, wie ich es mag, haben nur Sie. Soll ich aufhören, so etwas zu schreiben? Sogar ihre Katzen erschrecken sich vor dem Lachen von Frau Bachmeier. Ich möchte mal wissen, wie sie es geschafft hat, in so kurzer Zeit so viele Katzen in die Welt zu setzen. Sie ist doch noch gar nicht so lange hier. Mein Vater meint, sie hätte mindestens drei Katzen und einen Kater auf einer Ausstellung gekauft und damit die Stammfamilie gegründet. Züchter ist eigentlich auch ein schöner Beruf. Wir haben hauptsächlich Kühe. Margarita, ich fände es so toll, wenn Sie mich mal besuchen würden. Unser Hof liegt auf dem Berg. Eines Tages wird das alles mir gehören. Ich schicke diese Mail jetzt ab und gehe dann gegen Abend noch einmal nach Kleinöd und in den Blauen Vogel. Ich drehe eine kleine Runde durch den Ort. Es wäre wunderbar, wenn ich Sie treffen könnte. Vielleicht gelingt es Ihnen, zwischen sechs und halb sieben in Ihrem Garten zu sein.«

»Margarita, vermutlich gehen Sie erst in der Nacht an Ihren Computer«, hatte er kurz darauf geschrieben. »Sonst hätten Sie sicher in Ihrem Garten gestanden. Ich weiß, daß es unsinnig ist, aber ich bin trotzdem enttäuscht, wenn ich Sie nicht treffe. Die Aussicht, Sie zu treffen, ist mein eigentliches Glück. Manchmal erfüllt es sich ja. Gestern leider nicht. Eigentlich hatte ich auch keine Lust, in den Blauen Vogel zu gehen, aber noch weniger wollte ich zurück auf den Hof und zu meinen Eltern, die von einer Silberhochzeit kamen, die mein Vater in allen Einzelheiten nacherzählen würde. Lauter uninteressante Sachen, die sogar Eduard Daxhuber langweilen würden, obwohl der sich doch für alles interessiert. Ich habe einen langen Spaziergang durch den Ort gemacht und mir die Skulpturen im Garten von der Binder angeschaut. Vielleicht ist es Kunst. Aber ich konnte noch nie viel mit Kunst anfangen. Als ich noch zur Schule ging, gab es das Fach Kunst. Wir mußten selber malen und basteln, das fand ich immer schrecklich. Ich möchte Ihnen so viel schreiben und erzählen. Wenn ich an meinem Computer sitze, habe ich das Gefühl, Sie seien mit mir im selben Raum. Deswegen mag ich gar nicht aufhören mit dem Schreiben. Wenn ich die E-Mail abschicke, ist es dann so, als würden Sie nach Hause gehen. Daß Sie mir nicht antworten, beunruhigt mich manchmal und macht mir Sorgen. Bin ich denn wenigstens ein bißchen bei Ihnen, wenn Sie meine Zeilen lesen? Das wünsche ich mir so sehr!

Im Blauen Vogel war nicht viel los. Die üblichen Gäste. Joseph Langrieger mit seiner Frau Louise. Die spricht genauso wenig wie meine Mutter. Die Daxhubers spielten mit den Schmiedingers Schafkopf. Später kam noch der Bürgermeister mit seiner Frau auf ein Bier vorbei. Theres hat wirklich das beste Bier im ganzen Umkreis, vielleicht liegt es daran, daß sie dauernd zapfen muß. Ich habe fünf Bier getrunken und mit niemandem geredet. Wenn Sie vorbeigekommen wären, hätten wir uns an einen Tisch gesetzt und miteinander geflüstert. Das habe ich mir vorgestellt. Ich hab dauernd zur Tür geguckt, aber Sie kamen leider nicht.«

Franziska las und fror. Sie wickelte sich noch enger in ihre Wolldecke. Wer konnte diese Margarita sein? Welche von den Frauen in Kleinöd hatte dieses grausame Spiel mit Hermann Brunner gespielt? Es waren schöne Briefe, sie wunderte sich über die ausgewogene Sprache. Es waren ehrliche Briefe, werbend, verführerisch, lockend und auf eine bedrückende Art auch sehr einsam. Sie hätte doch wenigstens einmal antworten können, dachte Franziska, wickelte sich aus ihrer Decke und öffnete eine Flasche Wein. Es war fast Mitternacht. Ihr Mann klapperte immer noch wie wild auf der Tastatur seines Computers. Sie brachte ihm ein Glas.

»Na, wie sind die Liebesbriefe? Kriegt er dich rum?«

»Du hast mir nie solche Zeilen geschickt.«

»Ich konnte ja auch mit dir reden.«

»Das stimmt.« Sie zündete sich eine Zigarette an. »Vielleicht ist sie stumm?«

Christian sah sie lange an und schüttelte dann den Kopf. »Die Stumme von Kleinöd? Wenn es da wirklich eine Stumme gäbe, wüßtest du das schon längst.«

Sie las weiter. Es geschah wenig in dieser kleinen Welt auf dem Brunnerschen Hof. Die einzigen Abwechslungen waren die Gänge ins Dorf.

»Der Vater will, daß ich wie früher jeden Abend mit ihm und der Mutter vor dem Fernseher sitze. Aber das kommt mir heute so schrecklich langweilig vor. Meine Eltern sind Gewohnheitsmenschen«, hatte Hermann Ende Juli an seine Margarita geschrieben. »Ich habe auch ein paar Gewohnheiten, zum Beispiel kann ich nichts wegschmeißen, und ich mag es, wenn um mich herum alles sehr, sehr ordentlich ist. Aber jetzt würde ich gerne mit einer Gewohnheit brechen. Seit fünf Monaten sieze ich Sie. Wollen wir uns nicht duzen? Sie wissen schon so viel von mir. Mehr als jeder andere Mensch auf der ganzen Welt. Mehr als ich selber. Jetzt, wo ich das geschrieben habe, muß ich lachen. Es ist schön, mit Ihnen zu lachen. Ja, ich finde es mit einem Mal nur noch komisch, ›Sie‹ zu schreiben. Wenn Sie nicht damit einverstanden sind, schicken Sie mir eine E-Mail. Nur eine einzige, bitte. Ansonsten gehen wir zum Du über. Ich heiße Hermann.«

Was für ein kluger Schachzug, dachte Franziska. Richtig raffiniert. Entweder Post von ihr zu bekommen oder die Erlaubnis, sie zu duzen.

Margarita schien ihm nicht geantwortet zu haben. In seinen folgenden Briefen sprach er sie per Du an und lief fast über vor Dankbarkeit, weil er das nun tun durfte. Er machte Pläne.

Ab Juli waren die Briefe intensiver geworden. Er duzte sie, erzählte ihr von den Büchern, die er gerade las, lud sie zum Essen und zu einer Reise ein. Sie reagierte weder auf das eine noch auf das andere, lächelte ihn nur weiterhin schüchtern an, wenn sie sich begegneten. Doch diese zufälligen Treffen waren seltener geworden, als würde sie sich vor ihm verstecken.

Er gab nicht auf.

»Sehe ich dich beim großen Volksfest in Adlfing?« hatte er Anfang September gefragt. »Dorthin kommen so viele Leute aus der ganzen Umgebung, daß es nicht auffällt, wenn wir miteinander sprechen. Jeder wird es für einen Zufall halten. Wir sind doch erwachsene Menschen. Wir sollten mit diesem absurden Theater aufhören. ICH LIEBE DICH.«

Na endlich, dachte Franziska. Endlich hat er es gewagt, diesen Satz zu schreiben. Wieviel Überwindung mußte ihn das gekostet haben.

Margarita reagierte nicht.

Hermann Brunner, der selbst so schüchtern war, deutete es als Unsicherheit. Es rührte ihn, daß sie sich wand, es ermutigte ihn. Es lag an ihm, an ihm als Mann, die Initiative zu ergreifen. Ob er sie ergriffen hatte?

Fünfzehntes Kapitel

Louise Langrieger schob langsam die Gardine beiseite und nahm das Nachbarhaus ins Visier. Endlich Ruhe. Gestern hatte sie die beiden Frauen nicht gesehen. Weder Lydia noch ihre Tochter. Und heute ging nur Marlene Blumentritt allein durch den Garten, den schwarzen Rucksack wie einen Buckel auf den Rücken geschnallt. Louise seufzte. Das arme Kind. Sicher war die Mutter krank gewesen, wohl eine Art Nervenzusammenbruch, und lag nun erschöpft in ihrem Bett. Sie hätte die alte Frau Blumentritt gerne besucht und ihr Trost zugesprochen, aber nachdem diese vor einigen Monaten erschrocken und panisch vor ihr zurückgewichen war, vor ihr, der Nachbarin, mit der sie immerhin seit mehr als sechzig Jahren Tür an Tür gelebt hatte, traute sich Louise nicht mehr. Noch dazu war ja Marlene wie immer abweisend. Schon als Kind war dieses Mädel abweisend und verschlossen gewesen. Ganz anders als ihr eigener Sohn, dieser Dampfplauderer vor dem Herrn, der ihr stets alles brühwarm erzählt hatte. Der trug noch heute sein Herz auf der Zunge, über seine Belange und Sorgen wußte Louise allemal besser Bescheid als über das, was da beständig in ihrem eigenen kranken Kopf vor sich ging, ihr Gemüt verdüsterte und an ihrer Seele nagte.

Wenn sie an die Verzweiflung dachte, die sie regelmäßig überkam, so stellte sie sich vor, daß diese unterhalb ihres rechten Ohres säße. Wie ein Pickel, der nicht nach außen wuchs, wo er leicht hätte ausgedrückt werden können, sondern sich in rasantem Tempo nach innen vergrößerte, wo er ihr so lange die Kehle abschnürte und das Herz schwer machte, bis sie ins Krankenhaus gehen mußte. Zu all den Frauen, denen es ebenso erging wie ihr, die schweigend und sich wiegend auf ihren Betten saßen und darauf warteten, daß die Tabletten wirkten und dieser lähmende Zustand endlich vorüberginge. Sie stellte sich vor, daß auch Lydia jetzt so auf ihrem Bett saß, aber Lydia war so weit weg, daß Louise sie nicht mehr erreichen konnte.

Nicht einmal vorgestern nacht, als sie so gelärmt und alles kurz und klein geschlagen hatte, hatte sie sich von den Nachbarn helfen lassen wollen. Wer weiß, mit welchen Gespenstern sie zu kämpfen gehabt hatte. Es mußten wohl sehr viele und sehr schreckliche Geister gewesen sein, denn weder Eduard Daxhuber noch Adolf Schmiedinger hatten sie beruhigen können. Es schien, als würde sie die Menschen gar nicht mehr wahrnehmen, als seien die Spukgestalten wirklicher als die Wirklichkeit.

»Für mich lebt die schon komplett in ihrer eig'nen Welt! Da könnt doch glatt eine Atombomben neben der einschlag'n, und das tät die g'wiß gar nimmer spannen! Keinen Meter tät die sich vom Fleck rühr'n, da geb ich dir Brief und Siegel drauf …«, hatte Eduard Daxhuber mit Expertenmiene festgestellt. Seine Frau Ottilie hatte sich wie immer entsetzt die Hand aufs Herz gelegt, hektisch nach Luft geschnappt und die Augen verdreht. Dabei war sie gar nicht herzkrank. Sie tat nur so, um ihren Mann zu erpressen. Das hatte ihr der Bub erzählt. Der hatte es von Corinna Daxhuber erfahren, die schon lange nichts mehr mit ihren Eltern zu tun haben wollte. Sie hatte sich seit Jahren nicht mehr in Kleinöd blicken lassen. Nur er telefonierte manchmal mit ihr. Der Bub, der treue Kerl, kümmerte sich eben um seine erste Sandkastenliebe. Er hatte angedeutet, daß Corinna als Schauspielerin Karriere machen und wahnsinnig viel Geld verdienen würde. Aber zufrieden sei sie nicht, hatte der Bub gesagt.

Was für ein Glück, daß er selber so bodenständig und normal geraten war. Und daß er sich eine ordentliche Frau gesucht hatte. Nicht so eine Spinnerin wie diese Marlene, die mit ihrem Rucksack durch die Gegend zog, oder gar Corinna Daxhuber, die geschworen hatte, nie wieder nach Kleinöd zurückzukehren, ohne einen Grund dafür zu nennen. Nicht einmal dem Buben hatte sie gesagt, warum sie ausgerechnet Schauspielerin geworden war. Schauspielerin, das war doch kein anständiger Beruf? In abendlichen Fernsehfilmen suchte Louise nach Corinnas Gesicht, hatte es aber noch nie entdeckt. Auf eine Schauspielerin war eben garantiert kein Verlaß! Wenn Louise allein an die vielen Scheidungen dachte, die zwangsläufig mit diesem Beruf einhergingen. Jede Woche war die »Frau im Spiegel« voll von diesen Geschichten. Es war schon gut, daß der Bub nicht mit Corinna zusammengeblieben war. Wäre er noch mit ihr zusammen, würde er nicht im Nachbarhaus wohnen, und sie hätte keinen Kontakt zu den Enkeln. Glücklich hätte diese Schauspielerin ihren einfachen Buben sicher nicht gemacht.

Was für ein Segen, daß die jungen Leute morgen wieder kamen. Sie fehlten ihr sehr. Vor allem die Enkel!

Der Verdacht von Joseph war wirklich völlig absurd gewesen. Wie konnte er nur auf so etwas kommen. Klar, die Jungs hatten ihm schon so manchen Streich gespielt, aber eine Leiche in die Sickergrube werfen? Nein, so etwas würden die niemals tun. Außerdem waren sie längst auf Mallorca gewesen, als diese schreckliche Geschichte geschah.

Louise Langrieger seufzte. Es war so schwer geworden, mit ihrem Mann zu sprechen. Als hätten sich alle Worte im Laufe ihrer Ehe abgenutzt, seien blank geworden wie abgeschabte Münzen, deren Währung niemanden mehr interessierte. Dabei hatte er im Krankenhaus sogar noch kurz ihre Hand gehalten. Für einen winzigen Moment hatte sie geglaubt, das Gefühl des Aufgehobenseins, das sie als junges Mädchen verspürt hatte, sei zurückgekehrt. Sie hatte sich getäuscht. In einem Anflug von Bitterkeit preßte sie die Lippen fest zusammen.

Er wollte nicht mehr mit ihr reden. Sie fragte ihn etwas, und er reagierte aggressiv. So wie gestern, als er sein zweites Weißbier getrunken hatte und eigentlich ganz friedlich im Fernsehsessel vor sich hindöste. Da hatte sie ihn noch einmal gefragt: »Wie ein Hochzeiter? Hat der denn ehrlich einen weiß'n Anzug ang'habt, wie du den g'fund'n hast?«

»Ja Bluatsakrament«, hatte Joseph geflucht. »Wie ich den aus der Grub'n zog'n hab, war der Anzug nimmer weiß ned, das darfst mir glaub'n.«

»Aber wegen was denn einen weißen Anzug? Für wen hat denn der sich so fein g'macht g'habt, der arme Hermann?«

Joseph hatte die Schultern hochgezogen. Unmittelbar darauf war ein leises Schnarchen zu hören gewesen.

Als sei sie es nicht wert, daß man ein normales Gespräch mit ihr führte. Dabei wollte sie doch nur wissen, warum Hermann Brunner sich so elegant gekleidet hatte. Sein weißer Anzug ging ihr nicht mehr aus dem Kopf. Das mußte doch etwas zu bedeuten haben!

Die Bachmeiers waren auf der Landwirtschaftsausstellung gewesen. Mit in der Tasche geballten Fäusten sah Franziska sich die Videoaufzeichnung an. Wie immer, wenn man es nicht brauchen konnte, war alles aufs ordentlichste dokumentiert: Franz und Perdita Bachmeier, wie sie mit ihren Katzenboxen durch den Eingang schritten, wie sie an dem großen Stand die langhaarigen Perser mit Halsband und Leine versahen, die Tiere an den stilisierten Baum banden und die Fotos wie die Stammbäume der daheim gebliebenen Tiere auf der Verkaufstheke geraderückten. Sie hatten wie immer einen perfekten Auftritt hingelegt. Perdita Bachmeier hatte ihren schönen Körper in ein verführerisches, hautenges Abendkleid gezwängt. Das schwarze Haar wallte ihren Rücken hinab, ein dunkler, üppiger, verheißungsvoll knisternder Strom.

Franziska seufzte. »Das Alibi ist lückenlos. Daran läßt sich nicht mehr rütteln.«

»Sehn S' Chefin, ich hab's Ihnen ja gleich g'sagt, daß mir das lieber vergessen sollten.« Bruno schaltete den Videorecorder aus und strich sich zufrieden über das gepflegte Haar.

Franziska schüttelte den Kopf. »So weit sind wir noch lange nicht. Aus der Mordsache Brunner mögen die zwei ja raus sein. Aber was ist mit den Fingerabdrücken? Haben Sie die schon nach Amerika gemailt?«

»Noch ned, weil das hätt ich lieber doch erst noch einmal mit Ihnen besprech'n woll'n.«

Sie sah ihn ungläubig an. »Was gibt's denn da noch zu besprechen? Und überhaupt, wie kommen Sie dazu, sich meinen Anweisungen zu widersetzen?«

»Schaun S', Chefin, ich mein's doch nur gut mit Ihnen. Ich werd halt einfach ums Verrecken das G'fühl ned los, daß sie Ihnen da in was einisteigern, was im Grunde nur niemand nix bringt. Und ich tät ja eigentlich bloß drauf spechten, daß Sie Ihnen das alles noch einmal in aller Seelenruhe durch den Kopf gehn lass'n. Warum überschlaf'n S' die ganze G'schicht ned ganz einfach nochmal?«

»Oh, danke für die Rücksichtnahme. Aber wenn da was schief läuft, nehme ich das durchaus ganz alleine auf meine Kappe. Also: Schicken Sie die Fingerabdrücke ab. Und zwar noch heute.«

»Ich versteh's halt ned. Das bringt uns doch hinten wie vorn keinen Schritt ned weiter!«

»Nennen Sie es Wahrheitsliebe oder Gerechtigkeitssinn oder wie auch immer Sie wollen. Aber Sie gehen jetzt auf der Stelle in Ihr Büro und mailen die Dateien rüber!«

»Mir kann das alles doch im Grunde auch völlig komplett wurscht sein! Bittschön, wenn S' unbedingt meinen: Sie sind die Chefin! Was geht denn mich dieser ganze Schmarrn eigentlich an?« Kopfschüttelnd zog er von dannen und ließ sich nicht mehr blicken.

Erik Moll hatte es sich gut überlegt. Das Ganze hatte ihn zwei schlaflose Nächte gekostet. Er hatte lange und ermüdende Diskussionen mit Lena Ascher geführt. »Laß es sein«, hatte sie immer wieder gesagt. »Behalt es für dich. Niemand muß es wissen. Es ist allein unser Ding.«

Unser Ding, geheimhalten – als ob so etwas möglich gewesen wäre in diesem gottverlassenen Drecksnest! »Es geht nicht anders«, hatte er geantwortet. »Solange die Gerüchteküche brodelt, wird alles nur schlimmer. Wir müssen etwas unternehmen. Die Kinder werden schief angeguckt. Ich weiß nicht mehr, wie ich mit all diesen zweideutigen Bemerkungen umgehen soll. Und ich habe, ehrlich gesagt, auch nicht mehr die geringste Lust dazu.«

Lena Ascher hatte geseufzt und war dann zu den Zwillingen gegangen, um die schlafenden Kinder zuzudecken. Sie kümmerte sich immer besonders intensiv um die Kinder, wenn sie nicht weiterwußte. Er war dann allein, aber wichtige Entscheidungen mußte man eben alleine treffen. Vermutlich ging es allen Menschen so.

Er ging in Gedanken noch einmal die Briefe durch, die er in den letzten Tagen bekommen hatte. Einer war in Druckbuchstaben handgeschrieben gewesen, ein weiterer wie in alten Fernsehkrimis aus ausgeschnittenen Zeitungsfetzen zusammengesetzt. Zwei waren am Computer geschrieben worden: einer davon in Kursivschrift, der andere in Großbuchstaben. Im fünften Brief hatte ihm die Schreiberin mit unverstellter Handschrift mitgeteilt, daß sie es nur gut mit ihm meine. Eine ausladende, weite Schrift mit leicht nach links geneigten Buchstaben. Selbst soweit die Absender darauf verzichtet hatten, ihre Briefe namentlich zu unterzeichnen, hatte er sie am Inhalt wie an ihrer Sprache erkannt.

»Werter Herr«, hatte beispielsweise Adolf Schmiedinger geschrieben. »Ich muss Sie aus gegebenem Anlass erneut darauf aufmerksam machen, dass es in der Polizeistation unseres Ortes nicht einmal ein zweites Tele-

FON GIBT. GERADE HEUTZUTAGE, IN DIESER IMMER VERRÜCK-
TER WERDENDEN, IMMER KRIMINELLEREN WELT WÄRE ES MEI-
NES ERACHTENS FÜR DIE POLIZEI VON ALLERGRÖSSTER BEDEU-
TUNG, IMMERZU ERREICHBAR ZU SEIN. UND UMGEKEHRT! ICH
ERINNERE NUR AN DIE JÜNGSTEN HIESIGEN VORFÄLLE MIT DEM
TOTEN BRUNNER! AUCH EIN HANDY KÄME UNS SEHR GELE-
GEN, EIN JEDER AUSLÄNDISCHE TERRORIST HAT EINS! WENN
SIE ALSO SO GUT SEIN WÜRDEN UND VON IHREM GLÜCKLI-
CHEN GEWINN EINE BESCHEIDENE SPENDE FÜR DIE SICHER-
HEIT UNSERER KINDER ERÜBRIGEN KÖNNTEN, WÄRE ICH MEI-
NERSEITS UNTER UMSTÄNDEN DURCHAUS BEREIT, ÜBER IHRE
UNGLAUBLICHE ABSAHNEREI IM FERNSEH-QUIZ AUCH WEITER-
HIN UND IN ALLER ZUKUNFT ZUVERLÄSSIG ZU SCHWEIGEN WIE
EIN GRAB. HOCHACHTUNGSVOLL.«

Eric Moll schüttelte den Kopf. Diese Typen waren doch
allesamt komplett durchgeknallt. Warum hätte er der Polizei ein Handy finanzieren sollen? Oder dem ganzen Ort
Straßenlampen, wie Elisabeth Waldmoser es vorgeschla-
gen hatte? Die Frau des Bürgermeisters und ein Polizist,
die erpresserische Briefe verschickten. Was wäre das nicht
für ein gefundenes Fressen für jede Zeitung gewesen!

Charlotte Rücker hatte ihm in ihrer unmißverständli-
chen Art mitgeteilt: »Ich bin bereit, über Ihren plötzlichen
Geldzuwachs zu schweigen, wenn Sie mir 3 000 Euro überweisen.« Darunter standen Name und Kontonummer. Eric
Moll hatte diese völlig unverblümte und durch nichts
bemäntelte Forderung noch absurder als die anderen
gefunden und schallend gelacht. »Warum sollte ich ausgerechnet dieser alten Schachtel so viel Geld überweisen?
Soll sie doch selbst in einem Quiz mitmachen und ihr Wissen unter Beweis stellen. Ich glaub's einfach nicht!«

Lena kehrte, noch immer nachdenklich und besorgt, aus
dem Zimmer der Zwillinge zurück: »Aber was wäre, wenn
man die Leute in meiner Konservenfabrik informiert?
Keiner weiß dort, daß ich mit dir zusammenlebe. Dabei
war dein Gewinn *das* Thema am Fließband! Alle haben

sich einen so tollen und klugen Mann gewünscht. Einen, der richtig Geld nach Hause bringt, so viel Geld, daß es möglich ist, andere Dinge in diesem Leben zu verwirklichen, als Gurken in Gläser zu stopfen. Ich kann froh sein, daß ich noch meinen eigenen Namen trage.«

»Du könntest doch jetzt wirklich aufhören zu arbeiten und dich mehr um die Kinder kümmern«, antwortete er.

Das versteckte Lob von Lenas Kolleginnen war reiner Balsam für sein Ego: Er, Erik Moll, war jetzt ein Mann, mit dem alle, wirklich alle Frauen gerne verheiratet wären. Allein der Gedanke bewirkte eine leichte Regung in seiner Hose.

Lena sah ihn kopfschüttelnd an. »Wenn ich nicht mehr arbeite, werden sich die Leute erst recht das Maul zerreißen. Ich finde, wir sollten lieber unsere ursprüngliche Strategie weiter verfolgen und nicht groß auffallen.«

»Das wird nicht mehr lange gutgehen. Hast du nicht gesehen, wie die Kommissarin auf der Beerdigung des jungen Brunner unsere neuen Lederklamotten taxiert hat? Wir hätten da gar nicht erst hingehen sollen!«

»Es war albern von uns. Gleich losfahren und auffällige neue Sachen kaufen!« Sie seufzte. »Das sind vermutlich die kleinen Fehler aller frischgebackenen Gewinner. Wirklich reiche Menschen, die, die von Haus aus daran gewöhnt sind, immer Geld zu haben, kommen gar nicht auf so dumme Gedanken.«

»Spaß hat es doch gemacht, oder?« Er lächelte sie an, doch sie ging nicht weiter darauf ein.

»Diese Kommissarin hat bestimmt die ersten Briefe aus der Mülltonne gezogen. Sie weiß Bescheid. Sie braucht nur dem Schmiedinger was zu erzählen. Oder, noch besser, unserem lieben Nachbarn, dem Eduard Daxhuber. Dann weiß es im selben Augenblick der ganze Ort.«

»Lena, die zwei schreiben mir doch eh schon Briefe. Fast alle haben sie mir doch schon geschrieben: Der nette Herr Langrieger jun., die umgängliche Frau Rücker, die ehrenwerte Familie des Bürgermeisters und der feine Herr Bachmeier. Bei dem hat es mich besonders gewundert. Da denkt man doch immer, wenn einer bei der Stadtverwaltung arbeitet, müsse sein Gewissen rein sein und er käme nicht einmal im Traum auf solche Gedanken.«

»Du magst ja in diesem Quiz gewonnen haben, weil du ein profundes Halbwissen hast, aber der gesunde Menschenverstand geht dir weiß Gott noch ab. Also wirklich!«

Er sah sie verständnislos an, und sie sagte: »Ausgerechnet den Bachmeier mit seinem exotischen Früchtchen hättest du für einen Ehrenmann gehalten! Also dem, dem trau ich wirklich alles zu! Bestimmt hat der sogar seine Frau umgebracht, um endlich frei zu sein für seine geliebte Perdita. Was ich sicher weiß, ist: Ein Wort von ihm hat genügt, und die Kerle von der Autobahnmeisterei, die die Brücke kurz zuvor renoviert hatten, haben den Zaun nicht so fest gezurrt, wie es sich eigentlich gehört hätte! In einem günstigen Moment hatte der einen Kasten Bier vorbeigebracht gehabt, frei nach dem Motto: ›Ich war nur zufällig grad auf dem Heimweg, und da sah ich euch! Ich habe da noch einen alten Versicherungsstreit auszufechten wegen eines Steinschlags in meine Windschutzscheibe, da durch das Loch muß der Stein damals runtergekommen sein, könntet ihr nicht an dieser blöden Stelle mal fünfe gerade sein lassen …? Wem bringt das denn was, wenn da plötzlich alles perfekt hergerichtet ist, aber ich mit den Heinis von der Arroganz fürs Leben nix wie Ärger habe, weil meine Beweise futsch sind?‹ Und schon war da eine nur auf dem Papier frisch ›gesicherte‹ Sollbruchstelle! Ein paar Tage später ging er dann mit seiner Frau dort spazieren und schwupps« – sie deutete einen kleinen Hieb an – »flog Muttern auf die Autobahn.«

Erik Moll schüttelte den Kopf. »Du hast vielleicht abseitige Phantasien!«

»Das sind keine Phantasien. Glaub mir, dieser Fall wurde an unserem Fließband lang und breit diskutiert.

Eine der Kolleginnen ist mit einem Arbeiter der Autobahnmeisterei verheiratet. Der hat auch ein paar Halbe Bier abgekriegt.«

»Wie auch immer, wir haben jetzt andere Sorgen. Und was die betrifft: Glaub mir, Angriff ist die beste Verteidigung! Zumindest in unserem Fall.« Erik Moll verschränkte seine Hände ineinander.

»Wen willst du angreifen? Den Bachmeier?«

»Ach was. Der und seine blöden Weibergeschichten sind mir doch im Grunde so egal, wie wenn in China ein Fahrrad umfällt. Nein, ich werde einfach heute abend zur Bürgerversammlung in den Blauen Vogel gehen, ein oder zwei Runden spendieren und dabei wie nebenbei von meinem Gewinn erzählen. Dann bin ich nicht mehr erpreßbar. Nicht mehr auf diese blöde Art und Weise.« Er grinste. »Ich werde denen sagen, daß wir unser Haus renovieren werden und daß gefälligst alle etwas mehr tun sollten, damit unser Dorf schöner wird. Dann wollen wir mal sehen.«

»Was wollen wir sehen?« Lena sah ihn kopfschüttelnd an.

Er hob die Schultern und sah sie bittend an. »Kommst du mit?«

»Nein, wirklich nicht. Da mußt du schon alleine durch. Es ist dein Gewinn, dein Geld. Wir sind nicht miteinander verheiratet.«

»Weil die Ehe der Tod jeder Liebe ist. Das hast du selbst immer gesagt.«

»Genau. Insofern ist das alles nur dein Problem. Viel Spaß damit!«

Erna Schmiedinger starrte auf ihre Hände. Ihre Hände waren das einzige, auf das sie sich noch verlassen konnte. Ordentliche Hände. Acht Finger und zwei Daumen, säuberlich ineinander verschränkt. Darin lag ein Trost. Sie wusch diese Hände, cremte sie ein und faltete sie. Mehr war seit Tagen nicht möglich. Der Schmutz, der ihnen anhaftete, ließ sich nur für wenige Augenblicke vertreiben. In diesen paar Minuten nach dem Händewaschen ging es ihr gut. Sie dachte kaum an ihren Mann und so gut wie gar nicht mehr an die Hefte, die sie in seiner Werkstatt gefunden hatte. Nur noch an ihre Hände, die rein werden mußten und doch permanent schmutzig wirkten. Mit diesen Händen konnte sie nicht putzen und aufräumen. Alles, was sie mit ihnen berührte, würde schmutzig werden. Das Essen würde schmutzig und der Tisch, die Teller und die Kaffeetassen. Sie schlürfte Wasser, indem sie sich unter den Wasserhahn in der Küche beugte. Dann wusch sie sich die Hände.

Zwischenzeitlich staunte sie darüber, wieviel Unordnung ihr Mann in den Zimmern verbreiten konnte. Früher hatte sie alles mühelos weggeräumt. Es hatte ihr nichts ausgemacht. Sie hatte gekocht, geputzt und gewaschen – alles Dinge, zu denen sie augenblicklich nicht fähig war.

Adolf sprach nur das Nötigste mit ihr, als begriffe er, um was es ginge. Vordergründig war er wütend gewesen, weil sie in der Garage in seinen Sachen gewühlt hatte, um der Kommissarin die gipsernen Fußabdrücke des Blumenkillers aushändigen zu können. Damit hätte sie ihre Kompetenzen überschritten. Als er das sagte, war er in diesen belehrenden Hauptwachtmeisterton verfallen, mit dem er sonst Verkehrssünder maßregelte. Seine Worte hatten sie nicht berührt. Sie hatte ihn die ganze Zeit in seiner Werkstatt hinter der Garage gesehen, in dem schmuddeligen Sessel zwischen zwei oder noch mehr Bierkästen, wie er unter der Fünfzigerjahre-Stehlampe mit dem beigen Tütenschirm in diesen Heftchen blätterte. Als er immer weiter erzieherisch auf sie einredete, war ihr übel geworden. Sie war ins Bad gestürzt, hatte sich übergeben und sich dann mit ihren schmutzigen Händen das Gesicht gewaschen. Das würde nun für den Rest ihres Lebens nie wieder so rein sein, wie es mal gewesen war.

War das vor zwei oder vor drei Tagen gewesen? Sie wußte es nicht mehr. Adolf behauptete seitdem, sie, Erna, wäre krank. Deshalb hätte sie bei der Beerdigung von Hermann Brunner schon nichts essen können. Deshalb würde ihr schlecht beim Kochen. Und aus diesem Grund müsse er Abend für Abend in den Blauen Vogel gehen: Um nicht zu verhungern.

Wenn er zurückkam, nach Bier und nach Rauch stinkend – sie wußte, daß er dort heimlich teure Zigarren rauchte –, wandte sie sich ab und kroch noch weiter an ihre Bettkante. Der da war ihr fremd. Sie wußte nicht, was er in ihrem Haus und in ihrem Schlafzimmer zu suchen hatte.

»Heut räumst fei einmal auf«, hatte er an diesem Morgen zu ihr gesagt. »Bei uns schaut's ja aus wie bei denen Hott'ntott'n. Schämen tät'st dich sollen!« Erna Schmiedinger schämte sich nicht. Sie hatte seit zwei Minuten saubere Hände. Sauber und gefaltet. Und diesen Zustand mußte sie bewahren.

Die Kommissarin hatte ihn gelobt. Er war wichtig. Ohne ihn wäre die Arbeit nicht so schnell vorangekommen. Wie gut, daß er die Fußabdrücke vom Blumenkiller genommen hatte. Adolf Schmiedinger war stolz auf sich. Mit diesem zufriedenen Gefühl fuhr er heim.

Dort erwartete ihn das Chaos.

Alles stand oder lag noch genauso da, wie er es am Morgen verlassen hatte. Sie hatte nicht einmal den Frühstückstisch abgeräumt. Sie hatte nichts getan. Den ganzen Tag lang nichts. Rein gar nichts. Er konnte es nicht fassen. War sie überhaupt einmal aufgestanden? Oder hatte sie neun Stunden lang wie erstarrt auf ihrem Stuhl gesessen? So ging es nicht weiter!

Er fragte sie nicht, was los sei. Er ging gleich zu seinem Verhör über. »Ich muß mit dir red'n.«

Sie blickte auf und sah durch ihn hindurch.

»Du gibst jetzt g'fälligst auf der Stelle zu, daß du ein Verhältnis g'habt hast! Ein Verhältnis mit dem Brunner!«

Sie ging ins Bad und wusch sich die Hände.

Er ging ihr nach, packte sie, verpaßte ihr eine saftige Ohrfeige, zog sie gewaltsam zurück in die Küche, drückte sie auf einen Stuhl, ohrfeigte sie erneut und nahm ihr gegenüber Platz.

Sie begann zu weinen.

»Aha! Du gibst also alles zu! Und wie lang ist das schon so dahingangen?«

Sie schwieg und starrte auf ihre Hände.

»Das glaubst du doch ned! Das glaubt doch keiner ned!« schrie er. »Da schindet man sich seiner Lebtag lang in der Arbeit ab und plagt sich wie ein Depp, daß ein bisserl ein Geld reingeht, und das eig'ne Eheweib ist in Wahrheit nix wie eine dreckige Schlamp'n und tät einem derweil daheim nix wie Hörner aufsetzen!«

Er schnaufte schwer, stand auf, holte sich eine Halbe Bier aus dem Kühlschrank, öffnete die Flasche mit einem überlauten Ploppen so brachial mit Hilfe seiner Handkante und der Kante des Tisches, daß der Kronkorken durch das halbe Zimmer flog, setzte sie an und leerte sie in einem Zug. Dann wischte er sich mit der Hand den Schaum vom Mund und rülpste in der Phonstärke eines Preßlufthammers. »Mir tät'st du untertan sein soll'n! Niemand wie nur mir ned! Dem dir angetrauten Manne!« Was waren das für Worte? Er staunte über sich selbst.

Sie schniefte.

»Und dann auch noch mit dem Brunner! Das darf doch überhaupt nie ned wahr g'wes'n sein! Ausg'rechnet dieser Volldepp!« Adolf Schmiedinger holte sich das nächste Bier.

Seine Frau schüttelte den Kopf und schien etwas sagen zu wollen. Er kam ihr zuvor.

»So ein Schmarrn! Ich hab den doch ned umbracht nicht! Weil, da hab ich ja noch gar nix g'wußt ned. Aber wenn ich davon was g'wußt hätt ...! Eine solche Sauerei! Der hat's g'wiß nötig g'habt, der g'wappelte Jungbauer, der g'spickte! Lauft da im Dorf umeinander, als wie wenn er kein Wässerchen ned trüb'n könnt, und derweil vögelt der seelenruhig meine Alte! Und jetzt geht er dir ab, oder? Dein sauberer Herr Liebhaber! Desweg'n magst ned einmal mehr was fress'n ned, gell? War der g'scherte Sauhammel wenigst'ns gut im Bett? Margarita hat er dich g'heißn. Was für ein ganz ein schöner Name das ned ist, gell? Margarita! Zuckersüß tut das klingen!«

Wuchtig setzte er die Bierflasche auf dem Küchentisch ab. »Und jetzt, jetzt schaust recht deppert, gell? Weil ich doch noch alles rauskriegt hab! B'schiss'n hast mich! Hinten wie vorn nix wie b'schiss'n ned! Aber damit ist jetzt Schluß. Mithin basta ist jetzt und Ende Banane! Ein für alle Mal!« Seine Stimme war zuletzt immer leiser geworden, sein Wutausbruch schien tatsächlich abzuebben. Für ein paar Augenblicke trat betretenes Schweigen ein.

»Du bist doch die abartige Drecksau, die dreckige!« fauchte Erna wie eine waidwunde Raubkatze in die Stille hinein. Zentnersteine plumpsten ihr vom Herzen. Endlich war es ausgesprochen. Endlich kriegte sie wieder ein wenig Luft.

»Ich?« Er sah sie fassungslos an. »Mich tät'st du eine Drecksau nennen wollen, ausg'rechnet du? Du als eine notgeile Ehebrecherin? Das darf doch ned wahr sein nicht! Und bloß, weil ich dir ein einzig's mal mit dieser blöden Daxhuberin nebennaus gangen bin? Das war doch wirklich was ganz was anders! Das kann man doch so überhaupt nicht miteinand vergleichen ned!«

»Hä?« Sie starrte entsetzt zurück.

»Jetzt tu ned so scheinheilig umeinand. Wer hat's dir denn verzählt?« Sein Tonfall war jetzt gemäßigter.

Sie schüttelte den Kopf und ging ins Bad. Er folgte ihr. Nun hatte seine Stimme beinahe schon etwas Einschmeichelndes und Verschwörerisches. »Geh weiter, das war doch wirklich ned so schlimm nicht. Ein ganz ein winzig kleiner Ausrutscher halt. Kommt doch bekanntlich selbst in den allerbesten Ehen durchaus einmal vor. Hat also ganz logischerweis auch bei uns einmal passier'n müss'n! Hähähä!« Sein schrilles Lachen klang hilflos und unecht.

Sie begegnete seinem Blick im Spiegel und schüttelte mechanisch den Kopf.

»Ein oder zwei Mal, öfter kaum!« gestand er. »Also recht viel öfter g'wiß ned. Und das ist ja auch schon eine Ewigkeit her. Aber du ... du ... du mußt ja dem Brunner regelrecht verfall'n g'wesen sein!« Er unterbrach sich kurz. »Aber was will man da schon noch groß mach'n? Hin ist hin, das gilt auch für den Brunner! Was sollt uns zwei denn der ganze Scheiß letztlich bringen, wenn mir jetzt anfangen täten und uns gegenseitig bis zum letzten alles groß aufrechnen würden? Ich sag dir was, das alles bringt uns keinen Meter nicht weiter! Jetzt hörst endlich einmal mit deinem Weinen und Blecken da auf und spinnst dich langsam wieder aus! Mir sag'n uns jetzt halt ganz einfach, daß das Spiel eins zu eins unentschieden steht. Und da ein eins zu eins ja praktisch nix anders ned bedeutet nicht wie ein null zu null, könnt'n mir zwei ja genausogut noch einmal ganz von vorn bei null anfangen.«

Sie schluchzte laut auf.

Später würde er zu der Überzeugung kommen, daß er sie an diesem Punkt nur hätte in die Arme nehmen müssen. In Filmen wurden Konflikte ja auch immer so gelöst. Aber hier und jetzt, in diesem wirklichen Leben, war es ihm nicht möglich.

Im wirklichen Leben machten die gehörnten Ehemänner das, was er getan hatte. Sie gingen in die Kneipe.

Er war zurück in den Blauen Vogel gegangen, hatte schweigend an der Theke gestanden und noch etliche Halbe Bier getrunken. Herr Moll, der Anti-Alkoholiker

Moll, spendierte, aus welchen Gründen auch immer, im Versammlungsraum allen Anwesenden mehrere Runden und ließ sich von den anderen Gästen feiern.

Als er heimkam, war Erna fort. Am nächsten Tag rief er bei ihrer Mutter an und dann bei ihren Geschwistern. Keiner wußte, wo sie steckte. Viel später erst sollte er erfahren, daß sie in das Altersheim nach Adlfing gezogen war und sich dort zur Pflegerin ausbilden ließ. Sie kehrte nie wieder in das gemeinsame Haus zurück. All ihre Ansprüche wurden von einem Anwalt eingefordert.

Der Dauerschlaf der Mutter machte ihr angst. Klein und hilflos lag sie in ihrem Bett. Wie ein Vögelchen, ein aus dem Nest gefallenes Vögelchen. Marlene hatte das Empfinden, als sei die Mutter in den vergangenen drei, vier Monaten geschrumpft. Als sie sie hochgehoben hatte, um das Bett frisch zu beziehen und um ihr Windeln anzulegen, hatte sie das Gewicht eines dreijährigen Kindes in ihren Armen gespürt. Sie schlief jetzt schon mehr als zwanzig Stunden.

Gut, die Raserei am gestrigen Abend hatte sicher viel Kraft gekostet – aber ein derart tiefer Schlaf? Vielleicht hatte es doch etwas mit den Tabletten zu tun? Sie setzte sich ans Bett der Mutter. Eine Welle der Hilflosigkeit überkam sie. Diese kleinen, schmalen Hände, übersät mit braunen Altersflecken, diese dünnen Ärmchen, nichts als Haut und Knochen. Wie war das nur möglich? Sie kochte doch jeden Tag für sie.

Lydia Blumentritt stöhnte im Schlaf und drehte den Kopf zur Seite. Das weiße, strohige Haar, von Marlene unprofessionell und viel zu kurz geschnitten, fiel auseinander und gab große Flecken rosiger Kopfhaut preis. Die lange, gerade Nase stach spitz aus dem kleinen, blassen Gesicht hervor. Die Augenhöhlen waren eingefallen und von Schatten umsäumt.

Lydia sah krank aus.

Marlene spürte Panik aufsteigen. Da stimmte etwas nicht. In ihrem Rucksack suchte sie nach ihrem Handy und nach Gustav Wieners Karte.

Auf seinem Display war zu lesen: »Marlene ruft an.« Es war 22.30 Uhr.

»Marlene, wie schön, daß Sie mich anrufen!«

»Störe ich Sie?«

»Aber nein! Ganz im Gegenteil! Ich lungere hier sowieso nur unausgelastet vor dem Fernseher rum. Sie erlösen mich lediglich von einem ausgesprochen langweiligen Krimi.« Er ahmte die Stimme des Kommissars nach: »›Harry, fahr schon mal den Wagen vor!‹ Ziemlich unglaubwürdiger Käse, finden Sie nicht auch? Ich hoffe, Sie sind gestern noch gut heimgekommen, trotz des Regens?«

»Ja, bin ich.«

Sie schwieg. Er wartete ab. Dann fragte er vorsichtig: »Ist etwas passiert?«

»Ja«, murmelte sie mit erstickter Stimme.

»Was?« fragte er.

»Sie wacht nicht mehr auf. Meine Mutter. Sie schläft seit Mitternacht. Den ganzen Tag, den ganzen Abend. Was soll ich tun? Sie wird gar nicht mehr wach.«

»Hat sie Medikamente genommen?« fragte er mit der professionellsten Arztstimme, die er im Repertoire hatte.

»Ich weiß nicht, vielleicht gestern, während ich sie allein gelassen habe.« Dann gestand sie: »Ich hatte ihr vorher schon was gegeben. Drei Tabletten Mogadan – aufgelöst in Kakao.«

»Mogadan?« fragte er nach.

»Ja.« Ihre Stimme klang hilflos, schuldbewußt.

»Je nach Zustand des Patienten kann dieses Schlafmittel auch gegenteilig wirken und einen Aktivitätsschub auslösen«, dozierte er.

»Ach so.«

»Marlene, war es bei Ihrer Mutter so? Erzählen Sie.«

»Sie hat alles kaputtgemacht, Geschirr zertrümmert, Möbel umgeworfen und die Kabel aus den Wänden gerissen. Ich hatte sie eingesperrt, weil ich dachte, sie schläft. Dann standen die Nachbarn ums Haus herum. Sie hatten ihre Schreie gehört.« Marlene schluchzte.

»O Gott, das ist ja schrecklich.«

Er hörte, wie sie das Handy kurz beiseite legte und sich die Nase putzte.

»Soll ich vorbeikommen?« fragte er dann.

»Wie wird sie wieder wach?« Sie tat lieber so, als hätte sie sein Angebot überhört.

»Mogadan allein ist nicht so schlimm«, beruhigte er sie. »Aber wer weiß, was sie sonst noch genommen hat. Können Sie das überprüfen?«

»Ich denke schon. Haben Sie denn noch Zeit?«

Wie hätte er ihr sagen sollen, daß er für sie alle Zeit der Welt hatte? Er sagte einfach nur: »Klar.«

Sie ging ins Badezimmer und las ihm die Namen aller Medikamente vor, die dort im Schrank lagen. Noch bevor sie fertig war, stand die Mutter hinter ihr und flüsterte: »Hallo, ist da jemand? Wer sind Sie?«

Marlene kappte ohne ein weiteres Wort die Verbindung und umarmte die kleine alte Frau. »Jetzt kriegst du erst einmal etwas Richtiges zu essen.«

Sechzehntes Kapitel

»Ich fahr noch mal nach Kleinöd«, sagte Franziska beim Frühstück und sah stirnrunzelnd auf die graue und regennasse Terrasse. »Ich habe etwas übersehen bei diesem Fall. Ich weiß nur nicht, was. Das macht mich ganz verrückt.«

Christian nickte. »Soll ich mitkommen?«

»Nein, laß nur, du hast ja genug anderes zu tun.«

»Das stimmt.« Er strahlte. »Es macht mir so viel Spaß mit diesem Buch.«

»Meine Güte, da habe ich mir so gewünscht, daß diese Perdita Bachmeier die Finger mit im Spiel hat, und jetzt muß ich wieder von vorne anfangen.« Sie seufzte.

»Du hast dich verrannt. Wie du dich immer verrennst, wenn es um den 11. September geht.«

Sie hatte keine Lust auf Streit, nicht schon wieder. Seit drei Tagen gingen sie friedlich und liebevoll miteinander um. So sollte es auch noch ein wenig bleiben. Sie sah ihren Mann lange und nachdenklich an. Sein Haar wurde grau. Um seine blauen Augen war ein Netzwerk von winzigen Runzeln entstanden. Zwischen Nase und Mundwinkeln hatten sich zwei tiefe Falten eingegraben. Seit er mit dem Rauchen aufgehört hatte, war ihm ein Bäuchlein gewachsen. Sein Hemd spannte. Der unterste Knopf stand offen.

»Sie hat etwas mit dem 11. September zu tun«, murmelte sie dann. »Ich spüre es. So einfach kommt diese Frau mir nicht davon. Aber das ist eine andere Geschichte. Eine, um die ich mich erst wieder kümmern werde, wenn der Kleinöd-Mord geklärt ist.«

»Ja.« Er nickte. »Eins nach dem anderen.«

War das ironisch gemeint? Sie stand auf, drückte ihm einen Kuß auf die Stirn und verließ die Wohnung. »Frohes

Schaffen! Wenn ich rechtzeitig zurück bin, kochen wir uns was, ansonsten lade ich dich zum Essen ein.«

»Viel Erfolg.«

Der riesige Lastwagen auf Ilse Binders Hof war so abgestellt, daß er Eduard und Ottilie Daxhuber die Sicht versperrte. Was die zwei wohl im Winter taten, wenn das Leben nicht mehr draußen stattfand? Wenn nicht mehr ständig alles für alle einsichtig war? Eduard legte vermutlich seine Puzzles, während Ottilie an ihren Gobelins stickte. Dazu würde der Fernseher laufen und über allem die Hoffnung schweben, die verlorene Tochter möge eines Tages zurückkehren, mit einem schönen, reichen Mann an ihrer Seite und dem einen oder anderen süßen Enkelchen, um das sich die Daxhubers fortan kümmern könnten. Ilse Binder hatte keine Kinder, aber dafür ihre Kunst. Bei den Schmiedingers war anstelle des Nachwuchses der Traum von einer Weltumrundung im Wohnmobil entstanden. Jeder hier hatte offenbar seine ganz eigenen Vorstellungen vom Glück. Und wie stand es um sie selbst? Alt werden wollte sie, zusammen mit ihrem Christian. Alt werden und in Frieden leben. Weiter nichts. Sie beschloß, dazu beizutragen, was sie konnte. Der Regen hatte nachgelassen. Ein paar Sonnenstrahlen waren herausgekommen. Franziska zündete sich eine Zigarette an und parkte direkt hinter dem Lastwagen mit der Aufschrift »Kunsttransport«.

Sie fand Ilse Binder in ihrem aus England importierten Glashaus inmitten eines Pulks entstellter Figuren. Feiste glatzköpfige Herren mit grinsenden Mäulern und Haifischzähnen. Spitznasige Kinderfiguren mit heruntergezogenen Lippen, leerem Blick und stacheligen Haaren. Teils spindeldürre und teils kugelrunde Frauen, deren Gesichter zu Fratzen verzerrt waren und deren asymmetrische Figuren um Gleichgewicht rangen. Zu kleine und zu große Proportionen, wild miteinander vermischt, ein Panoptikum der Häßlichkeit.

»Setzen Sie sich.« Ilse Binder wies auf einen Sessel. »Ich weiß nicht genau, was ich mitnehmen soll. Vielleicht sollte ich alle einpacken. In den Ausstellungsräumen wäre genug Platz.«

»Was ist mit Ihren Tierskulpturen?«

»Die bleiben hier. Die Ausstellung heißt: ›Menschenbilder‹. Da müssen meine kleinen Monsterchen zu Hause bleiben.« Sie sah Franziska an und grinste. »Aber Sie sind ja nicht gekommen, um mit mir über Kunst zu sprechen.«

»Das stimmt. Wir sind mit unserem Fall ein ganz kleines bißchen weitergekommen. Ich suche jetzt jemanden hier in der Nähe, der Wanderstiefel in der Größe 44 besitzt. Der Profilabdruck dieser Schuhe ist identisch mit denen des Blumenkillers, der wahrscheinlich auch Hermann Brunner getötet hat. So viel haben wir schon herausgefunden. Es handelt sich um Wanderstiefel, die seit mehr als zwanzig Jahren nicht mehr produziert werden.«

»Interessant. Müßte nicht der Gesuchte dann schon vor zwanzig Jahren ein ausgewachsener Mann gewesen sein?« stellte Ilse Binder pragmatisch fest.

»Es muß nicht unbedingt ein Mann gewesen sein.«

»Sie trauen einer Frau so etwas zu?«

Franziska nickte. »Wenn Sie wüßten, was man in meinem Beruf so alles erlebt.«

»Da kann ich Ihnen leider nicht weiterhelfen. Ich persönlich ziehe aus Wanderungen keinen Lustgewinn. Mit dem Lied vom herumstreunenden Müller kann ich nichts anfangen. Wanderstiefel habe ich nie besessen, außerdem trage ich Schuhe in Größe achtunddreißig.«

»Sie gehören nicht zum Kreis der Verdächtigen.«

»Wirklich nicht?«

Franziska schüttelte den Kopf. »Nein, wirklich nicht. Ich wollte einfach nur ein wenig mit Ihnen plaudern. Seit Tagen versuche ich, mich in die Psyche eines Menschen hineinzudenken, der nachts durch Gärten streift und Blumenbeete zerstört. Jemand kommt diesem Menschen in die Quere, beobachtet möglicherweise sogar die Blumenkillerei. Dieser Jemand ist Hermann Brunner. Hätte er nichts gesagt, wäre er einfach weitergegangen, so wäre ihm vermutlich nichts geschehen.«

»So einfach kann das nicht gewesen sein«, meinte Ilse Binder, setzte sich auf einen Gartenstuhl und zündete sich eine Zigarette an. »Der Brunner war keiner, der Leute ansprach. Er wäre schweigend weitergegangen. Der hätte sich in nichts eingemischt. Der hätte so etwas beobachtet, sich seinen Teil dabei gedacht und am Ende einfach alles für sich behalten. Armer Kerl, er hatte niemanden, mit dem er reden konnte. Sie haben ja seine Eltern kennengelernt.«

»Allerdings, die reden nicht besonders viel.«

»Sie hören auch genausowenig zu. Sie sind so sehr mit ihrem alltäglichen Funktionieren befaßt, daß da nichts anderes mehr Platz hat.«

»Kennen Sie die beiden?«

Ilse Binder verneinte. »Ich kaufe manchmal im Hofladen Bioprodukte ein. Kennen wäre schon übertrieben. Ich komme mit solchen Leuten nicht wirklich klar. Sie machen mir einfach angst.« Sie lachte verlegen. »Ja, auch mir machen manche Menschen und manche Dinge angst. Und diese Angst erschafft meine Skulpturen in all ihrer Doppeldeutigkeit.« Sie beschrieb mit dem rechten Arm einen Halbkreis. »Über einen Mangel an Inspiration brauche ich mich ja hier im schönen Kleinöd wahrlich nicht zu beklagen. Nomen est omen. Kleinöd. Der Name ist doch geradezu Programm! In ihm spiegeln sich sowohl das idyllische ›Kleinod‹ als auch die bedrückende ›Einöde‹. Die beiden Spiegelbilder überlagern sich perfekt. Dazwischen gibt es nichts.«

Im Nachbargarten bewegte sich etwas. Ilse Binder stieß Franziska an und wies auf das Grundstück der Blumentritts.

Schweigend beobachteten die Frauen die Szenerie. Marlene hatte die Hand ihrer Mutter genommen. Wie ein

Kind, das gerade erst gehen gelernt hat, folgte diese, konzentriert auf den regennassen Boden schauend, der Tochter mit unsicheren und vorsichtigen Schritten.

»Meine Güte, jetzt wird sie auch bald vergessen haben, wie man geht. Daß man dazu einen Fuß vor den anderen setzt. Eine furchtbare Krankheit. Ich habe gehört, daß zuletzt die Körperfunktionen, die vom Stammhirn gesteuert werden, dem Vergessen anheimfallen. Verdauung, Atmung, Herzschlag ...«

»Allein die Vorstellung ist entsetzlich.«

»Ja, aber sie wird es nicht mehr spüren. Sie wird friedlich einschlafen, einfach so. Um sich dann in diesem anderen Land wiederzufinden.«

»Die Tochter tut mir jedenfalls leid«, murmelte Franziska. »Es muß entsetzlich sein, dabei zusehen zu müssen, wie ein geliebter Mensch immer weniger wird, sich sozusagen von Tag zu Tag mehr und mehr in nichts auflöst.«

»Die braucht Ihnen nicht leid zu tun«, stellte Ilse Binder fest. »Die hat sich ihr Schicksal selbst ausgesucht. Ich sage Ihnen, wie ich darüber denke: jeder ist seines Unglücks Schmied! Sie ist von Anfang an nicht gut mit der alten Dame umgegangen. Wissen Sie, sie hat von Anfang an Macht ausgeübt, und zwar auf diese ungute Art: Macht und Kontrolle.«

In diesem Augenblick klingelte Franziskas Handy. Es war Bruno vom Diensttelefon aus, und er hörte sich kleinlaut an.

»Chefin, ich glaub fast, ich tät mich bei Ihnen irgendwie entschuldigen sollen ...«, begann er.

»Ist schon gut. Was machen Sie eigentlich schon wieder am Sonntag im Büro?«

»Ich bin doch allerweil noch ned fertig mit dem Wiggerl ... äh ... dem Ludwig ..., äh ... mit dem Herrn Pichlmeier, mein ich halt, bei dem Auswerten von derer Festplatt'n da.«

»Haben Sie dabei zufällig irgendeinen Hinweis auf Wandern, Wanderschuhe, Wanderstiefel oder ähnliches gefunden?«

»Ned, daß ich da jetzt auswendig von so was wissen tät.«

»Dann suchen Sie mal danach.«

»Äh ... jawohl, freilich, machen mir. Aber jetzt hören S' bittschön schnell zu: Mir ham nämlich grad ein Fax kriegt. Ein Fax von New York drüben.«

»Ja, und?«

»Also, mein Englisch ist natürlich ned grad direkt perfekt nicht, aber soweit ich das richtig verstand'n ham tät ...«

»Bruno, es geht jetzt nicht um Ihre Englischkenntnisse. Lesen Sie mir das Original einfach vor!«

Franziska mußte unwillkürlich lächeln, als er zu lesen anfing. Sie dachte daran, daß es für ihren Mann sicher ein hochinteressantes und vor allem höchst amüsantes Hörstück gewesen wäre, falls sie jetzt eines dieser modernen Handys mit Aufnahmefunktion gehabt hätte, mit dem sie Brunos eigenwillig dialektgefärbte Aussprache des englischen Textes für die Nachwelt hätte festhalten können:

Dear Madam, dear Sir,
We have compared the fingerprints you sent us with those of the woman missing from the WTC and we have been able to ascertain that Perdita Bachmeier is identical with Cynthia March. The missing woman's husband, Desmond March, who has since been arrested, has confessed that he received a phone call from his wife after the attack in which she told him she would disappear from his life. Their marriage had come to an end, they were both facing considerable debts. Mr March claimed insurance and compensation payments and transferred part of these to his

wife's Swiss account. The New York Chief Magistrate will now file a request for extradition. Should there be a danger of collusion, we request that you take Mrs Bachmeier/March into custody. *

»Das war meine Nase, ich hab's geahnt«, murmelte Franziska.

»Was mach'n mir denn nachad jetzt?« Brunos Stimme klang kleinlaut.

»Momentan nichts, gar nichts. Die Amis übertreiben etwas mit ihrer Flucht- und Verdunkelungsgefahr. Unsere beiden Turteltäubchen fühlen sich gerade relativ sicher, nachdem ich Frau March alias Bachmeier so sang- und klanglos wieder gehen lassen mußte. Und Herr March kann schließlich aus der Untersuchungshaft heraus nicht einfach bei Bachmeiers anrufen und vor uns warnen. Und selbst falls er anrufen könnte, warum sollte er es tun? Etwa damit seine Ex-Gattin auch weiterhin in der Lage wäre, ihr neues Liebesglück und ihren Anteil am ergaunerten Vermögen zu genießen, während er die nächsten Jahre im Gefängnis schmoren und nach seiner Entlassung noch immer auf einem Schuldenberg hocken würde? Nie im Leben! Warten wir also einfach auf den Auslieferungsantrag und den dann unweigerlich zu erlassenden Haftbefehl des Staatsanwalts. Vielleicht haben wir ja sogar noch etwas Glück, und Herr Bachmeier fährt inzwischen in die Schweiz, um die Schäfchen ins Trockene zu bringen. Dann hätten wir diesen ehrenwerten Staatsdiener wegen Beihilfe zum Versicherungsbetrug auch noch am Haken. Glauben Sie mir, Bruno, Rache genießt man am besten kalt.«

Franziska beendete das Gespräch.

Ilse Binder beugte sich vor: »Ist der Fall geklärt? Telefonisch?«

---

* Übersetzung siehe Seite 324.

»Ein anderer Fall. Darüber kann ich jetzt nicht sprechen. Sie erfahren sicher alles früh genug von Ihrem stets
gut informierten Nachbarn.«

»Von Herrn Daxhuber? – Schade, es wäre so schön
gewesen, wenn ich den meinerseits auch einmal mit einer
absoluten Neuigkeit hätte überraschen können. Nur allzu-
gern hätte ich sein verdutztes Gesicht gesehen! Er hätte es
sicher nur schwer verwunden, einmal nicht der erste im
Dorf zu sein, der mit so etwas aufwarten kann.«

»Verstehe. Sobald die Sache an die Öffentlichkeit kann,
rufe ich Sie an.«

»Das nenne ich ein Wort. Und wie geht es jetzt weiter
mit Ihren Wanderstiefeln? Wollen Sie denn in alle Schuh-
schränke gucken?«

»Keine schlechte Idee. Aber da würde ich wohl kaum
fündig werden.«

»Das denke ich auch.« Ilse Binder nickte. »Jemand aus
unserem Ort. Ich kann es nicht wirklich fassen.«

»Glauben Sie mir, so was kann einfach überall passieren«, sagte Franziska, aber sie wußte, daß das kein echter
Trost war.

Sie sprach nicht mehr mit der Mutter. Es hatte keinen
Sinn. Sie würde mit niemandem mehr sprechen und
irgendwann unter der Last aller im Rucksack gesammelten
Zettelchen und Botschaften zusammenbrechen. Um wieviel schöner wäre es gewesen, wenn der Vater noch lebte.
Der Vater anstelle der Mutter. Er hätte diese Krankheit
nicht bekommen, er wäre hellwach geblieben bis zu seinem Lebensende. An den Abenden hätten sie über Gott
und die Welt geredet und über sein Lieblingsthema, die
Politik. Sie hätten Canasta zusammen gespielt, Stille Post
und Eile mit Weile, wie damals, als sie klein war. Sie hätte
wieder Kind sein dürfen. Aber eines Tages war der Vater
einfach verschwunden gewesen. Ihr Bruder hatte angerufen, und als sie ankam, war der Sarg schon geschlossen

gewesen. Die ganze Zeit hatte sie gedacht, er könne einfach nicht darin liegen, es müsse ein Irrtum sein. Schließlich war alles ein Irrtum. Das ganze Leben.

Nebenan packte die Binder ihre scheußlichen Figuren ein. Es paßte zu ihr, daß sie dazu extra einen Kunsttransporter bestellt hatte. Marlene hätte der Mutter gerne gesagt, daß diese Plastiken nichts mit Kunst zu tun hatten. Daß schlechte Energien von ihnen ausgingen. Daß sie, Marlene, unter diesen Schwingungen litt. Daß sie den Haß, der in diesen Skulpturen steckte, körperlich spürte. Daß es mit einem Zittern begann und dem Impuls, rauszulaufen und zu zerstören. Aber sie sprach ja nicht mehr mit der Mutter.

»Hallo«, rief jemand und winkte. Marlene erschrak.

»Jetzt hat sich das Wetter ja doch wieder beruhigt. Heute morgen habe ich geglaubt, es würde den ganzen Tag regnen. Am liebsten wäre ich gar nicht aufgestanden.«

Das wäre auch besser gewesen, dachte Marlene und warf der Kommissarin einen mürrischen Blick zu.

»Kann ich mal kurz rüberkommen?«

Die Mutter nickte und flüsterte ehrfurchtsvoll: »Die Schulrätin!«

Es war immer wieder verblüffend. Gelegentlich hatte sie diese lichten Momente. Ein synaptisches Feuerwerk explodierte in Lydias nur scheinbar leerem Kopf. Für Sekundenbruchteile blitzten Erkenntnisse auf, um augenblicklich wieder zu verlöschen. Die Krankheit schien ihre Opfer auch noch zu verhöhnen.

Die Kommissarin stand vor ihr, beide Hände in den Manteltaschen vergraben. Marlene fragte sich, ob sie gleich eine Pistole zücken und »Hände hoch« rufen würde.

»Was wollen Sie?«

»Ich will mich nur ein bißchen umschauen. Wir kommen leider mit dem Fall Brunner nicht weiter.«

»Da kann ich Ihnen auch nicht helfen«, murmelte Marlene.

Ich kann nicht helfen. Das war ein Satz für ihren Rucksack.

»Er hat eine Menge E-Mails verschickt. An eine Frau, die keiner kennt. Eine Frau, die er Margarita nannte.«

Marlene hob die Schultern. Die Mutter hatte ihre Hand genommen und stand einen Schritt hinter ihr. Klein, ängstlich und hilflos. Bereit, sich jederzeit zu verstecken.

»Sie haben doch einen Computer. Kann ich da mal reingucken?«

»Wenn's denn sein muß.«

Langsam gingen sie zum Haus. Auf der Bank neben der Eingangstür dampfte ein Kochtopf mit Apfelmus. Daneben lagen zwei Topflappen.

»Apfelmus mit Zimt, wunderbar«, kommentierte Franziska.

Marlene schwieg.

»Machen Sie auch Vanillezucker dran und Zitrone?«

»Fahnden Sie nach Kochrezepten?« fragte Marlene zurück.

Franziska lachte. Dann sah sie die alten verdreckten Schuhe unter der Bank.

»Wem gehören die?«

»Meinem Vater.«

»Ihrem Vater?«

»Ja, dem Mann meiner Mutter. Er starb vor elf Jahren.«

»Und seitdem stehen die Schuhe hier?«

»Warum nicht? Es ist unser Grundstück. Wir können in den Garten stellen, was wir wollen. Jeder kann das! Glauben Sie etwa, nur Frau Binder hat das Recht dazu?«

Marlene packte die Schuhe und drückte sie an sich. Wie ein Schatzkästlein, wie ihren größten Besitz. Ihre Augen waren groß und schreckgeweitet.

»Kann ich die mal sehen?« Franziska nahm sie ihr aus der Hand.

Sie wehrte sich nicht.

»Wanderschuhe, Größe vierundvierzig. Sie weisen genau das Profil auf, das wir suchen«, stellte die Kommissarin fest. »Wer benutzt diese Schuhe?«

»Keiner von uns«, sagte Marlene. »Sie sind zu groß. Ich hab Schuhgröße achtunddreißig, und sie«, dabei wies sie auf die Mutter, »hat siebenunddreißig.«

Franziska sah sie nachdenklich an, und Marlene wand sich unter diesem Blick.

»Einer Ihrer Brüder?« fragte sie dann.

Marlene schüttelte den Kopf und sah sich hilfesuchend um. »Die haben noch nie ihre Schuhe gewechselt. Die ziehen die Schuhe nicht mal aus, wenn sie durch den verregneten Garten gelaufen sind und dann ins Haus kommen.« Ihre Stimme klang weinerlich.

»Ich muß die Schuhe mitnehmen. Wir müssen sie kriminaltechnisch untersuchen lassen.«

»Das geht nicht.« Marlene zitterte.

»Warum nicht?« Franziska blieb ganz ruhig.

»Ich brauche die Schuhe.«

»Sie haben doch gerade gesagt, daß sie Ihnen zu groß sind.«

»Darum geht es nicht. Sie gehören meinem Vater, und sie bleiben hier.«

»Wenn alles okay ist, bekommen Sie sie wieder.«

Erst im Auto fiel ihr ein, daß sie vor Aufregung ganz vergessen hatte, sich den Computer anzuschauen. Egal. Marlene hatte sicher alles gelöscht, was auf eine Verbindung zu Hermann Brunner hätte hindeuten können. Außerdem hatte Bruno ja den Server ausfindig gemacht. Über den würde man schon erfahren, wer sich hinter Margarita verbarg.

Sie hielt provisorisch am Rande eines Ackers, holte ihr Handy heraus und bat Bruno, die Spurensicherung zusammenzurufen.

»Da wird am Sonntag kaum wer dasein«, antwortete dieser.

»Es ist wirklich eilig. Sie müssen die eben aus dem Wochenende reißen«, gab Franziska zurück. »Ich glaube, ich habe die Schuhe.«

»Und mir täten so ziemlich jeden Moment die E-Mail-Adresse von der Margarita krieg'n soll'n.«

»Na bitte! Also: Herr Kamp soll sofort antanzen und sich ranhalten. Sieht ganz so aus, als kämen wir der Sache näher.«

»Wo ham S' denn die Schuh g'fund'n?«

»Später. Alles später. Ich kann hier nicht ewig stehenbleiben. Ich fahre jetzt los.«

»Also so was von unpraktisch, aber mei, so sind's halt, die Frauen ...«, murmelte Bruno, trat hinter den vor dem Monitor sitzenden Ludwig Pichlmeier, legte ihm den linken Arm um den Oberkörper und ließ sein Kinn zärtlich auf dessen Schulter sinken. »Zu was hat's denn dann eigentlich ein Handy, wenn's zum Telefonier'n dann extra auf einem Parkplatz stehnbleiben muß? Da hätt's doch genausogut gleich aus einer Telefonzelle anruf'n können. Aber jetzt geh weiter, Spatzl, wie heißt's denn in echt, unser Margarita?«

»Du wirst es kaum glaub'n! Kannst du denn Englisch?«

»Ja freilich, hast du mir denn nicht vorhin ned zug'hört g'habt?« Er beugte sich noch weiter nach vorn bis über den Bildschirm und stieß einen kleinen spitzen Schrei aus. »Ja, da leck'st mich doch!«

Die Schuhe des Vaters. Sie hatte sie einfach mitgenommen und in den Kofferraum ihres Wagens gelegt. Marlene kauerte mit hängenden Schultern auf der Bank vor dem Haus. Rechts von ihr stand der Topf mit dem Apfelmus. Rechts neben dem Topf saß die Mutter. Beide Frauen starrten in den Garten. Es sah so aus, aus würde es gleich wieder regnen. Zwischen ihnen erkaltete die Nachspeise.

Die Schuhe des Vaters. Es waren auch die Fußstapfen des Vaters. Eine Verbindung zu ihren Wurzeln. Sie hatte sie des Nachts angezogen, wenn sie sich frei und stark fühlen wollte. Unverwundbar und unangreifbar, wie er es gewesen war. Sie war ihm nahe gewesen und hatte geglaubt, ihn bei sich zu fühlen, wenn sie mit forschen Schritten durch das nächtliche Kleinöd wanderte. Von diesen Schuhen ging die Kraft aus, die sie brauchte, um überleben zu können. Jetzt waren sie fort. Sie fühlte sich ohnmächtig und schwach. Zu schwach, um aufzustehen. Lydia Blumentritt saß still und unbeweglich neben ihr auf der Bank. Nur ihre Augen wanderten unruhig hin und her, als ahne sie die Bedrohung.

Während Herr Kamp die Schuhe untersuchte und spontan feststellte, daß diese keineswegs seit zehn Jahren unbenutzt unter der Bank gestanden hatten, ging Franziska in ihr Büro zu Bruno Kleinschmidt und Ludwig Pichlmeier, die sie schon ungeduldig zu erwarten schienen.

»Wie schaut's denn aus?«

»Es könnten die Schuhe sein. Aber Genaueres wissen wir erst in ein, zwei Stunden.«

»Nachad ham S' wenigstens Zeit für unsere Überraschung.« Die beiden jungen Männer sahen sie beifallheischend an.

Franziska nickte. »Also los, raus damit! An wen gingen die E-Mails?«

»Ein englischer Name«, platzte Ludwig Pichlmeier heraus.

»Cynthia March? Die hat doch ein Alibi.«

»Wie wär's denn dann mit: Flowerstep?«

»Flowerstep? Blumentritt? – Sagen Sie, daß das nicht wahr ist.«

»Doch, schaun S' halt selber her, wenn S' uns nix glaub'n mög'n.«

»Dann hat also sie die Schuhe getragen, die Blumen

geköpft und Hermann Brunner ... dabei wirkt sie so kraftlos. Wir fahren sofort raus.«

»Und der Wiggerl?«

»Wir fahren zu dritt. Die Spurensicherung rufe ich von draußen noch mal an.«

Die beiden saßen noch immer auf der Bank. Wie vor zwei Stunden, als Franziska den Garten verlassen hatte. Franziska steuerte direkt auf Marlene zu: »Frau Blumentritt, wir wissen, daß Sie Hermann Brunner getötet haben. Warum?«

Marlene nickte und schwieg. Sie schwieg so lange, daß die drei Beamten schon allmählich unruhig wurden. So wie es aussah, würden sie sich wohl auf eine schier endlose Nacht voller unangenehmer Verhöre einrichten müssen. Aber dann begann sie doch noch, mit heiserer, kehliger Stimme, von jenem unseligen Abend zu berichten, an dem der Unfall, wie sie es nannte, geschehen war.

»Es waren die Figuren von nebenan. Diese Skulpturen. Ich halte sie nicht aus. Sie leben. Und sie wollen etwas von mir. Ich spüre das genau.« Da Bruno nur verständnislos blickte, fauchte sie ihn an. »Sie sind ein Mann! Sie verstehen das nicht!«

Franziska fragte ruhig und einfühlsam weiter nach. Sie wollte wissen, was diese Figuren in Marlene auslösten.

»Sie wollen, daß ich zerstöre«, murmelte Marlene. »Weil sie so häßlich sind, können sie Schönheit nicht ertragen. Sie haben mich aufgefordert, mit der Sichel durch das Dorf zu gehen und Blumen zu köpfen. Wenn ich das gemacht hatte, ließen sie mich für ein paar Wochen in Ruhe.«

Franziska sah, daß sich Ludwig Pichlmeier, der schräg hinter Marlene stand, mit Nachdruck an die Stirn tippte.

»Und in der Nacht, als Hermann Brunner starb? Waren Sie da auch unterwegs?«

Sie nickte.

Sie habe die Schuhe des Vaters getragen und sei schon fast mit ihrer »Arbeit« fertig gewesen, als ihr Hermann Brunner begegnet sei. Er habe einen weißen Anzug getragen und sei schwer betrunken gewesen. So habe sie ihn noch nie zuvor erlebt und schreckliche Angst bekommen. Er habe vom Volksfest erzählt und daß er unter dem Dirigat von Frau Rücker einen Kanon habe singen müssen. Er, Hermann, der sonst kaum je ein Wort über seine Lippen kriegte, habe versucht, ihr diesen Kanon vorzusingen.

Herausgekommen sei nur ein schwerverständliches Stammeln: »Bruder Jakob, Bruder Jakob, schläfst du noch ...?«

»Du solltest auch schlafen gehen«, hatte Marlene gesagt.

Und dann hatte er sie angestarrt mit diesen blaßblauen hungrigen Augen und gemurmelt: »Aber nur mit dir. Ich liebe dich. Ich brauch dich.«

»Aber ich konnte mich doch nicht auch noch um ihn kümmern«, schluchzte Marlene und starrte auf ihre Hände.

Franziska schwieg.

Lydia Blumentritt wippte selbstvergessen auf der Bank vor und zurück. Selbstvergessen. Was für ein Wort, dachte Franziska. Sich selbst vergessen.

»Und dann?« fragte Bruno.

»Er hat sein Geld rausgezogen und es mir gezeigt. Er wollte mit mir in ein Hotel gehen. Auf der Stelle.«

»Schlaf erst einmal deinen Rausch aus, dann sehen wir weiter«, hatte Marlene ihn zu beruhigen versucht.

Aber er hatte nicht lockergelassen und schwankend gelallt: »Ich wart keine Sekunde länger. Ich hab schon so lang g'wartet. Mehr geht einfach ned.« Und dann hatte er sich an einen Zaunpfosten gelehnt und kopfschüttelnd wissen wollen, was sie da eigentlich mache. Sie hatten sich schweigend angestarrt. Ein lautloser Kampf. In der kleinen Ewigkeit, die es gedauert hatte, bis er einen Zusammenhang zwischen ihr, der Sichel in ihrer Hand und dem Blumenkiller hatte herstellen können, hätte sie das scharfe Messer in aller Ruhe verschwinden lassen können. Aber sie hatte sich vor Angst und Verunsicherung wie gelähmt gefühlt. Und plötzlich war es zu spät gewesen. Die Dinge hatten unaufhaltsam ihren tödlichen Lauf genommen.

»Du kommst jetzt mit mir mit. Schluß und aus. Ansonsten müßt ich das da halt einmal ... Du weißt schon, wie ich mein ... !«

Er hatte mit einer fahrigen Armbewegung auf die geköpften Blumen gezeigt und lautstark gerülpst.

»Melden müßt ich's halt! Und das kannst du doch nie ned wollen nicht. Marga... Margarita! Meine süße, geliebte Marga... Margarita.«

Mit einem Mal war er ihr völlig fremd geworden. Ihre Angst hatte sich in schiere Panik verwandelt, die ihr die Kehle zuschnürte. Der da war ein Monster. Ja. Ein abscheuliches Monster. Eine zum Leben erwachte Skulptur der Binder. Ein grauenerregendes Ding, das sie tief in ihrem Innersten bedrohte. Ihre Panik war ins Unermeßliche gewachsen. Sie hatte vergeblich nach Luft geschnappt.

Während er vor ihr in seinem Rausch hin und her geschwankt war, hatte sie ohne jedes Nachdenken mit der Sichel in ihrer Hand weit ausgeholt und ihn mehr durch Zufall genau am Hals erwischt.

Er war nicht sofort umgefallen. Er hatte noch diesen seltsam tapsig und roboterhaft wirkenden Schritt nach vorn gemacht. Wie in Zeitlupe. Diesen einen kurzen Augenblick lang hatte sie noch hoffen dürfen, sie habe ihn verfehlt und alles sei nichts als ein böser Traum. Doch dann war er ganz unvermittelt wie ein Sack Mehl zur Seite gekippt und hatte plötzlich einfach nur so dagelegen. Lediglich sein Oberkörper hatte noch gezuckt. In seinen weitaufgerissenen und rotgeäderten Augen hatte sich ein ungläubiges Staunen gespiegelt. Mit jedem seiner letzten Atemzüge war Blut aus seinem Mund, seiner Nase und aus seinen Ohren gequollen. Beim Sturz hatte er seine Brille verloren. Marlene hatte das Teil mit einem einzigen Fußtritt in den nahe gelegenen Gully gekickt.

Im ganzen Ort hatte gespenstische Stille geherrscht. Noch waren fast alle auf dem Volksfest gewesen. Weit und breit war niemand zu sehen gewesen. Nur Marlene hatte das erstickende Rasseln und Wimmern des Sterbenden gehört.

Sie hatte wie ferngesteuert gehandelt, in Windeseile ihre Gartenschubkarre geholt, den immer noch röchelnden Hermann zu Langriegers Grube gefahren, hatte die hölzerne Abdeckung zur Seite geschoben und ihn wie einen Berg von Abfall hineingekippt.

Dann hatte sie die Öffnung wieder bedeckt, ohne auch noch einen einzigen Blick auf den Sterbenden zu werfen.

Auch alles, was dann kam, lief wie ein vorbestimmtes Programm ab, schien nichts mit ihr selbst zu tun zu haben. Ihr Körper funktionierte wie von alleine und rannte zu dem Gartenschlauch hinüber, der neben Joseph Langriegers Stalltür an einen Wasserhahn angeschlossen war. Marlenes Körper, in dessen hinterstem Eck ein kleines und völlig verzweifeltes Fräulein Blumentritt saß, stellte den Wasserdruck auf Maximum und spritzte die Einfahrt so lange sauber, bis mit Sicherheit die allerletzten Blutreste im Gully verschwunden waren.

Nachdem der Schlauch wieder aufgerollt war, hatte das noch Funktionierende in Marlene die Schubkarre in den Garten zurückgefahren. Auch diese war voller Blut gewesen. Irgend etwas in ihr hatte sie dazu gezwungen, so viel Kompost hineinzuschaufeln, bis kein Blut mehr zu sehen gewesen war. Dann war ihr Körper ins Haus gestolpert, hatte sich geduscht, die blutigen Kleider in die Waschmaschine geworfen und alles, einschließlich der Sichel, aufs sorgfältigste geputzt. Selbst die Fingernägel hatte sie sich noch geschnitten und gefeilt. Sich dann noch einmal geduscht. Und sich dann einen Cognac eingeschenkt und ausgetrunken.

Erst während draußen auf der Straße die ersten Festbe-
sucher heimtorkelten, war die völlig verschreckte Marlene
vorsichtig aus der hintersten Ecke ihres Körpers wieder
hervorgekommen, hatte sich ans Fenster gestellt und leise
geweint. Aber das war von niemandem bemerkt worden.

»Sie müssen jetzt mitkommen«, sagte Franziska. »Packen
Sie Ihre Sachen. Es wird länger dauern.«

Übersetzung des englischen Textes auf S. 311/312:

Sehr geehrte Damen und Herren, wir haben die Fingerabdrücke mit denen der Vermißten aus dem WTC verglichen und konnten feststellen, daß Perdita Bachmeier identisch ist mit Cynthia March. Der inzwischen festgenommene Ehemann der Vermißten, Desmond March, gestand, daß seine Frau ihn nach dem Attentat angerufen und ihm mitgeteilt habe, sie würde aus seinem Leben verschwinden. Die Ehe war am Ende, das Paar hatte hohe Schulden. Herr March hat Versicherungs- und Entschädigungsgelder kassiert und einen Anteil davon über ein Schweizer Konto an seine Frau weitergeleitet. Der Gouverneur von New York wird ein Auslieferungsbegehren einleiten. Falls Gefahr der Verdunkelung besteht, bitten wir um Untersuchungshaft.

PIPER ORIGINAL

Heinrich Steinfest
Ein dickes Fell

Kriminalroman. 608 Seiten. Klappenbroschur

Bis heute wird die Original-Rezeptur von 4711 Echt Kölnisch Wasser, die auf die Unterlagen eines Kartäuser-Mönches zurückgehen soll, geheimgehalten. Als ein kleines Rollfläschchen 4711 mit dem Ur-Destillat auftaucht, beginnt die Jagd nach den Flakon, denn ihm werden extreme Wirkungen nachgesagt: Erstens, daß sich damit ein Golem zum Leben erwecken läßt, zweitens, daß man dank des Destillats ewiges Leben erreicht, und drittens die Zerstörung der Welt zu bewerkstelligen ist. Als der erste Tote zu beklagen ist, kehrt Cheng, der einarmige Detektiv chinesischer Abstammung, aus Kopenhagen nach Wien zurück. Sein Hund Lauscher reist mit, muß mittlerweile Höschen tragen, hat sich aber trotz Altersinkontinenz sein dickes Fell bewahrt. Davon kann Cheng sich für seinen dritten und letzten Fall eine ordentliche Scheibe abschneiden ...

04/1050/01/R

PIPER ORIGINAL

Marina Heib
Weißes Licht

Kriminalroman. 288 Seiten. Klappenbroschur

Der Körper lag sorgsam aufgebahrt auf einem Bett aus Reisig
und Stroh. Bedeckt mit einem weißen Laken. Es gab kaum
noch Spuren, seit Tagen regnete es. Christian Beyer, Leiter der
Ermittlungsgruppe, trat unter den Plastikbaldachin, um
den toten Jungen genauer anzusehen: das vierte Opfer, das
vierte tote Kind. Wut stieg in ihm hoch, denn sie hatten
nicht viel mehr als die kryptischen Psalmen des Mörders. Die
Medien nannten ihn nur den »Bestatter«. Beyer und seine
Leute mußten ihn kriegen, bevor es ein fünftes Opfer gab.
»Weißes Licht«, Marina Heibs erster psychologischer Kriminalroman, geht unter die Haut und wird niemanden kalt
lassen.

04/1057/01/L

**Volker Klüpfel,
Michael Kobr**

Milchgeld
Kluftingers großer Fall. 320 Seiten.
Serie Piper

Ein Mord in Kommissar Kluftingers beschaulichem Allgäuer Heimatort Altusried – jäh verdirbt diese Nachricht sein gemütliches Kässpatzen-Essen. Ein Lebensmittel-Chemiker des örtlichen Milchwerks ist stranguliert worden. Mit eigenwilligen Ermittlungsmethoden riskiert der liebenswert-kantige Kommissar einen Blick hinter die Fassade der Allgäuer Postkartenidylle – und entdeckt einen scheinbar vergessenen Verrat, dunkle Machenschaften und einen handfesten Skandal.

»›Milchgeld‹ ist ein Volltreffer, weil er Mentalität in Reinform verkörpert.«
Süddeutsche Zeitung

**Volker Klüpfel,
Michael Kobr**

Erntedank
Kluftingers zweiter Fall. 384 Seiten.
Serie Piper

Der Allgäuer Kriminalkommissar Kluftinger traut seinen Augen nicht: Auf der Brust eines toten Mannes in einem Wald bei Kempten liegt, sorgfältig drapiert, eine tote Krähe. Im Lauf der Ermittlungen taucht der Kommissar immer tiefer in die mystische Vergangenheit des Allgäus ein, und es beginnt ein Katz-und-Maus-Spiel mit dem Mörder, bei dem die Zeit gegen ihn arbeitet. Denn alle Zeichen sprechen dafür, dass das Morden weitergeht …
Mit eigenwilligen Ermittlungsmethoden riskiert der liebenswert-kantige Kommissar einen Blick hinter die Fassade der Allgäuer Postkartenidylle und deckt Abgründe auf.

»Kommissar Kluftinger hat in seinen Kniebundhosen durchaus das Zeug zum Columbo von Altusried. Und schon deshalb wird dieser Krimi auch über die Grenzen des Allgäus hinaus bekannt werden.«
Die Welt

05/1899/02/L

05/2061/01/R

Klaus Modick
Der kretische Gast
Roman. 464 Seiten. Serie Piper

Kreta 1943: Der deutsche Archäologe Johann Martens soll im Auftrag der Wehrmacht die Kunstschätze der besetzten Insel katalogisieren. Der Einheimische Andreas wird zu seinem Fahrer und Führer, doch verbindet beide bald mehr. Die Lebensart der Kreter und noch mehr Andreas' schöne Tochter Eleni schlagen Martens immer mehr in ihren Bann. Als die Deutschen eine Razzia planen, muß sich Johann entscheiden, wo er steht.

»Ein handlungs- und atmosphäresatt erzähltes Drama. Eminent spannend. Die Insel ist ganz unverhohlen die eigentliche Heldin dieses sommersatten Romans, dessen Lektüre man allenfalls vorzeitig abbrechen möchte, um unverzüglich nach Kreta zu reisen.«
Hannoversche Allgemeine

Ulrich Wickert
Der Richter aus Paris
Eine fast wahre Geschichte.
256 Seiten. Serie Piper

Intrigen, Korruption, Verrat, Mord – bei seinen Ermittlungen auf Martinique stößt Untersuchungsrichter Jacques Ricou auf Verbrechen, die im Schatten politischer Machtkämpfe seit Jahrzehnten ungesühnt blieben. Und auf die verführerische Kreolin Amadée, die in den Fall verwickelt ist. Ulrich Wickert erzählt von einem Mann, der Bedrohungen und Diffamierungen aushält, um die Schuld ehrenwerter Männer aufzudecken. Eine Geschichte, die in der Hölle der Gefangenenlager spielt und im Paradies auf Erden, der Karibik – mitreißend geschildert von einem Autor, der seine Leser zu fesseln weiß.

»Der grimmig-sympathische Richter Ricou beeindruckt selbst eingeschworene Mankell-Fans. Chapeau!«
Hajo Steinert im Focus

05/1863/01/L   05/1866/01/R